HUNGERELDEN

Anmäl dig till Pocketförlagets nyhetsbrev
nyhetsbrev@pocketforlaget.se
eller besök
www.pocketforlaget.se

HUNGERELDEN

Victoria Bergmans Svaghet

Andra delen

Jerker Eriksson &
Håkan Axlander Sundquist

Pocketförlaget

Till minnet av oss som svek

MIX
Papper från
ansvarsfulla källor
FSC® C007584

www.pocketforlaget.se
redaktion@pocketforlaget.se

Svensk utgåva enligt
avtal med Ordupplaget.

Omslag: Sven Ljung Design, efter grafisk form av Johannes Molin.

Tryck: ScandBook AB, Falun 2013

ISBN: 978-91-86675-93-6

Hon sitter ofta stirrande och efteråt blir hennes vackra ögon förändrade. De får en gåtfull glans av otydbarhet. Ögats iris blir fylld av sorgsna eldar, en hungereld som söker efter bränsle till själens ljus, att ljuset ej må slockna. Personligen ville hon nog gärna att vi tog dödens sked i vacker hand och åt en avskedsmiddag och var borta.

ur *Aniara* av Harry Martinson

Fritt fall

Mardrömmen kommer till Stockholm klädd i en koboltblå kappa, något mörkare än kvällshimlen över Djurgården och Ladugårdslandsviken. Den är ljushårig, blåögd och har en liten väska över axeln. De för små skorna är röda och skaver mot hälarna, men hon är van och skavsåren är numera en del av hennes personlighet. Smärtan gör henne vaken.

Hon vet att om hon bara kan förlåta ska hon få befrielse, både hon själv och de som blir förlåtna. I flera år har hon försökt glömma, men alltid misslyckats.

Hon ser det inte själv, men hennes hämnd är en kedjereaktion.

En snöboll sattes i rullning ett kvarts liv tidigare i ett redskapsskjul vid Sigtuna humanistiska läroverk och i sin rörelse fångade den upp henne innan den fortsatte sin bana mot det oundvikliga.

Man kan ställa sig frågan vad de som kramade snöbollen mellan sina händer vet om dess fortsatta färd. Antagligen ingenting. De har troligen bara gått vidare. Glömt bort händelsen som om den var en oskyldig lek som såväl påbörjades som avslutades där i redskapsskjulet.

Själv sitter hon fast i rörelsen. Tiden är för henne oväsentlig, den har ingen läkande effekt.

Hat tinar inte. Det blir tvärtom hårdare, till vassa iskristaller som omger hela hennes väsen.

Kvällen är småkylig och luften fuktig av de spridda regnskurar som under eftermiddagen och kvällen avlöst varandra. Från berg- och dalbanan hörs skrik, hon reser sig, borstar av sig och ser sig omkring. Stannar upp ett slag, tar ett djupt andetag och kommer så ihåg varför hon är där.

Hon har ett ärende och hon vet vad hon måste göra.

Snett nedanför det höga, ombyggda utsiktstornet betraktar hon uppståndelsen en bit bort. Två väktare leder bort en man och bredvid springer en liten flicka och gråter. Antagligen mannens dotter.

Kvar på marken ligger en kvinna bredvid en trasig flaska och ett antal människor står lutade över henne. Någon ropar på sjukvårdare.

Glassplittret kastar skarpa reflexer i den regnvåta asfalten.

Hon förstår att ögonblicket då hon måste agera snart är inne, även om det inte var så här hon hade planerat det hela. Slumpen har gjort det lättare för henne. Så enkelt att ingen kommer att förstå vad som hänt.

Hon ser pojken en bit bort, ensam utanför grindarna till åkattraktionen Fritt fall.

Att förlåta något som är möjligt att förlåta är egentligen inte att förlåta, tänker hon. Genuin förlåtelse är att förlåta något oförlåtligt. En förmåga endast en gud kan ha.

Pojken ser förvirrad ut och hon börjar sakta gå mot honom samtidigt som han vänder sig om, bort från henne.

Genom sin rörelse har han gjort det nästan skrattretande enkelt att smyga upp bakom honom och nu är hon bara några meter från honom. Han står fortfarande med ryggen mot henne och det verkar som om han letar efter någon.

Verklig förlåtelse är omöjlig, galen och omedveten, tänker hon. Och eftersom hon förväntar sig att de skyldiga ska visa ånger kan den aldrig fullbordas. Minnet är och förblir ett sår som aldrig vill läka.

Hon tar pojken hårt i armen.

Han rycker till och vänder sig om samtidigt som hon trycker in sprutan i hans vänstra överarm.

I ett par sekunder ser han henne förvånat i ögonen innan benen viker sig under honom. Hon tar emot honom och sätter honom försiktigt ner på en bänk bredvid dem.

Ingen har sett hennes manöver.

Allt är fullkomligt normalt.

Samtidigt som hon ser att kvinnan på marken börjar röra på sig tar hon upp någonting ur sin väska och trär det varsamt över hans huvud.

Masken är av rosa plast och föreställer ett gristryne.

Gröna Lund

Kriminalkommissarie Jeanette Kihlberg vet exakt var hon befann sig när hon fick veta att statsminister Olof Palme hade blivit mördad på Sveavägen.

Hon hade suttit i en taxi halvvägs till Farsta och mannen bredvid henne hade rökt mentolcigaretter. Ett stilla regn och illamåendet efter för många öl.

Thomas Ravellis straffräddning mot Rumänien i fotbolls-VM 1994 hade hon sett på en svartvit teve på en bar vid Kornhamnstorg och bartendern hade bjudit på öl.

När Estonia förliste hade hon legat sjuk i influensa och sett på Gudfadern.

Hennes tydligaste minnen inkluderar Clash på Hovet, en läppglanskladdig kyss på klassfesten i trean och första gången hon låste upp dörren till villan i Gamla Enskede och kallade det för hem.

Men ögonblicket när Johan försvinner kommer hon aldrig att minnas.

Det ska för alltid vara en svart fläck. Tio försvunna minuter. Stulna från henne av ett fyllo på Gröna Lund. Av en överförfriskad rörmokare från Flen på tillfälligt besök i huvudstaden.

Ett steg åt sidan, blicken fäst uppåt. Johan och Sofia hänger i korgen på väg upp och det svindlar trots att hon står tryggt på marken. Det är en omvänd form av svindel. Nerifrån och upp, istället för tvärtom. Tornet ser så bräckligt ut, sätena så enkelt konstruerade och konsekvenserna av ett fel förefaller så katastrofala.

Så plötsligt ljudet av glas som krossas.

Upprörda skrik.

Någon gråter och Jeanette ser korgen fortsätta uppåt. En man kommer farande emot henne, hon viker undan. Johan skrattar åt någonting.

Snart högst upp.

"Jag ska döda dig din jävel!"

Någon knuffar henne bakifrån. Jeanette ser att mannen inte har kontroll över sin kropp. Alkoholen har gjort att hans ben blivit för långa, hans leder för stela och hans bedövade nervsystem lite för långsamt.

Mannen snubblar och faller handlöst till marken.

Jeanette kastar en blick snett uppåt. Johan och Sofias ben underifrån. Pendlar.

Korgen stannar till.

Mannen reser sig upp och hans ansikte är rispat av grus och asfalt.

Några barn gråter.

"Pappa!"

En liten flicka, inte äldre än sex år, med rosa sockervadd i handen.

"Kan vi inte gå? Jag vill hem."

Mannen svarar inte utan ser sig omkring, letar efter sin antagonist, efter någon att ta ut sin frustration på.

Polisreflexen gör att Jeanette handlar utan att tveka. Hon tar tag i mannens arm. "Du", säger hon försiktigt, "ta det lite lugnt." Hennes avsikt är att försöka få honom på andra tankar. Inte att låta förebrående.

Mannen vänder sig om och Jeanette ser att hans ögon är simmiga och rödsprängda. Ledsna och besvikna, nästan skamsna.

"Pappa..." upprepar den lilla flickan, men mannen reagerar inte utan stirrar bara tomt, utan fokus.

"Och vem fan är du?" Han sliter sig loss ur Jeanettes grepp om hans arm. "Dra åt helvete!"

Hans andedräkt luktar fränt och hans läppar är täckta av en tunn, vit hinna.

"Jag ville bara..."

I samma ögonblick hör hon hur korgen däruppe lösgörs och de förtjusta skriken av skräckblandad glädje får henne att komma av sig, brista i uppmärksamhet.

Hon ser Johan, med håret på ända och munnen gapande i ett vrål.

Och hon ser Sofia.

Hon hör den lilla flickan. "Nej, pappa! Nej!"

Däremot uppfattar hon inte hur mannen bredvid höjer armen.

Flaskan träffar Jeanette över tinningen och det svartnar.

Prins Eugens Waldemarsudde

Liksom människor som under hela livet berövas all lycka, men ändå förmår att ständigt klamra sig fast vid hoppet, har Jeanette Kihlberg i sin yrkesutövning en odelat negativ inställning till alla åsikter som andas den allra minsta pessimism.

Det är därför hon aldrig ger upp och det är därför som hon reagerar som hon gör när polisassistent Schwarz provocerande övertydligt beklagar sig över trist väder, trötthet och brist på framsteg i sökandet efter Johan.

Jeanette Kihlberg ser rött.

"För i helvete! Åk hem direkt, för vi har fan inte användning för dig här!"

Det får effekt. Schwarz ryggar tillbaka som en skamsen hund medan Åhlund står nollställd bredvid. Ilskan gör att såret i hennes huvud bultar kraftigt under bandaget.

Jeanette lugnar sig något, suckar och gör en avvärjande gest åt Schwarz. "Fattar du? Du är befriad från dina arbetsuppgifter tills vidare."

"Kom..." Åhlund tar Schwarz i armen och de börjar gå därifrån.

Efter några steg vänder han sig mot Jeanette och försöker se positiv ut. "Vi ansluter till de andra nere vid Beckholmen, kanske gör vi mer nytta där?"

"Du, inte ni. Schwarz åker hem. Uppfattat?"

Åhlund nickar tyst till svar och snart är Jeanette ensam.

Hon står hålögd och stelfrusen vid Vasamuseets akterkastell och väntar på Jens Hurtig, som i samma stund som han nåddes av larmet om Johans försvinnande avbröt sin semester för att delta i sökandet.

När hon efter en stund ser den civila polisbilen långsamt närma sig längs vägen i Galärparken vet hon att det är Hurtig och att han har med sig ytterligare en person. Ett vittne som påstår sig ha sett en ung pojke ensam nere vid vattnet sent kvällen innan. Av det Hurtig berättat över polisradion förstår hon att hon inte bör hoppas för mycket på vittnesmålet. Ändå intalar hon sig att hoppet, fåfängt eller inte, måste finnas där.

Hon försöker samla tankarna och rekonstruera de senaste timmarnas händelseförlopp.

Johan och Sofia hade försvunnit, de var plötsligt bara borta. Efter en halvtimme hade hon agerat enligt regelboken och låtit efterlysa Johan via nöjesfältets högtalarsystem och stått på helspänn vid informationsdisken. Minsta sak som påminde om Johan fick henne att kasta sig iväg, men varje gång fick hon lomma tillbaka till disken. Några säkerhetsvakter kom strax innan hennes kropp slitits sönder av hoppets sista ryckningar och tillsammans med dem återgick hon till det planslösa letandet på nöjesfältet. Där hade de hittat Sofia liggande i gruset på ett av gångstråken, omgiven av en folksamling som Jeanette hade armbågat sig igenom tills hon kunde se Sofia i ögonen. Det ansikte som alldeles nyss hade varit synonymt med förlösningen visade sig istället vara ett som underströk oron och ovissheten. Sofia var bortom sans. Jeanette betvivlade att Sofia ens var kapabel att känna igen henne. Än mindre kunde hon berätta något om var Johan var. Jeanette hade inte stannat hos henne, hon var tvungen att söka vidare.

Ytterligare någon halvtimme hade gått innan hon kontaktade kollegorna på polisen. Men varken hon eller de över tjugo poliser som draggat i vattnet vid nöjesfältet och gått skallgång ute på Djurgården hade hittat Johan. Inte heller någon av de radiobilar som delgivits hans signalement och patrullerat innerstaden.

Och så efterlysningen på lokalradion. Resultatlös till för fyrtiofem minuter sedan.

Jeanette vet att hon har agerat korrekt, men att hon har agerat som en robot. En robot lamslagen av känslor. En självmotsägelse. Hård, kall och rationell på ytan, men styrd av kaotiska impulser. Den ilska, irritation, rädsla, ångest, förvirring och resignation hon känt under natten flyter ihop till en diffus massa.

Den enda bestående känslan är otillräcklighet.

Och inte bara gentemot Johan.

Jeanette tänker på Sofia.

Hur mår hon?

Jeanette har ringt henne flera gånger utan resultat. Om hon visste något om Johan borde hon väl ha hört av sig? Eller vet hon något som man måste samla kraft för att klara av att berätta?

Skit i det där nu, tänker hon och viftar bort tankarna som är otänkbara. Fokusera.

Bilen stannar och Hurtig kliver ur.

"Jävlar", säger han. "Det där ser inte bra ut." Han nickar åt hennes bandagerade huvud.

Hon vet att det ser värre ut än vad det är. Såret efter slaget med flaskan blev sytt på plats och bandaget är liksom jackan och undertröjan blodigt. "Det är lugnt", säger hon. "Och du hade inte behövt avstyra Kvikkjokk för min skull."

Han rycker på axlarna. "Sluta larva dig. Och vad fan ska jag göra däruppe? Snögubbar?"

För första gången på över tolv timmar ler Jeanette. "Hur långt hann du?"

"Långsele. Det var bara att hoppa ner från perrongen och ta södergående buss."

En snabb kram. Inget mer behöver sägas, eftersom hon vet att han förstår att hon är innerligt tacksam för att han kommit.

Hon öppnar dörren på passagerarsidan och hjälper den gamla damen ut ur bilen. Hurtig har visat kvinnan en bild på Johan och Jeanette har förstått att hennes vittnesmål är svagt. Hon har inte ens kunnat redogöra för färgen på Johans kläder.

"Var det där du såg honom?" Jeanette pekar mot den steniga stranden vid bryggan där fyrskeppet Finngrund ligger förtöjt.

Den gamla kvinnan nickar medan hon huttrar i kylan. "Han låg bland stenarna och sov och jag ruskade liv i honom. Ett sånt sätt, sa jag till honom. Berusad, så ung och redan…"

"Ja, ja", Jeanette är otålig. "Sa han nåt?"

"Nä, han mumlade bara. Sa han nånting så hörde jag det inte."

Hurtig tar fram fotografiet på Johan och visar det återigen för kvinnan. "Och du är tveksam till om det var den här pojken du såg?"

"Nja, som sagt har han samma hårfärg, men ansiktet... Det är svårt att säga. Han var ju berusad."

Jeanette suckar och går före mot gångvägen som löper längs stenstranden. Berusad? tänker hon. Johan? Skitsnack.

Hon ser ut över Skeppsholmen mittemot, inbäddad i ett gråsjukt dis.

Hur fan kan det vara så jävla kallt?

Hon går ner till vattnet och kliver ut på stenarna. "Var det här han låg? Är du säker på det?"

"Ja", säger kvinnan bestämt. "Ungefär här."

Ungefär? tänker Jeanette uppgivet medan hon betraktar den gamla damen torka sina tjocka glasögon på kappärmen.

Hon inser att hon börjar bli desperat. Det enda de har är en gammal tant med dålig syn som, hur gärna Jeanette än vill motsatsen, helt enkelt är ett dåligt vittne.

Hon sätter sig ner på huk och ser sig om efter något som kan bekräfta att Johan varit här. Ett klädesplagg, hans lilla väska, nycklarna hem. Vad som helst.

Men hon ser bara kala stenar, blankspolade av vågor och regnvatten.

Hurtig vänder sig mot kvinnan. "Och sen gick han härifrån? Mot Junibacken?"

"Nej..." Kvinnan tar fram en näsduk ur kappfickan och snyter sig ljudligt. "Han ragglade iväg. Var så full att han knappt kunde gå upprätt..."

Jeanette blir irriterad. "Men han gick ditåt? Mot Junibacken?"

Den gamla damen nickar och snörvlar åter i näsduken.

I detsamma passerar ett utryckningsfordon förbi uppe på Djurgårdsvägen, på väg inåt ön av ljudet från sirenerna att döma.

"Är det falskt alarm igen?" säger Hurtig och ser sammanbitet på Jeanette som modfällt skakar på huvudet.

Det är tredje gången som hon hör ljudet från ambulanssirener och ingen av de tidigare utryckningarna har gällt Johan.

"Jag ringer Mikkelsen", säger Jeanette.

"Rikskrim?" Hurtig ser förvånad ut.

"Ja. I mina ögon är han bäst lämpad för sånt här." Hon reser på sig och tar några snabba kliv på stenarna tillbaka upp på gångvägen.

"Brott mot barn, menar du?" Det ser ut som Hurtig ångrar det han just sagt. "Eller, jag menar vi vet ju inte än vad det rör sig om."

"Kanske inte, men det vore fel att inte arbeta utifrån en sån hypotes. Det är Mikkelsen som samordnat eftersökningarna på Beckholmen, Gröna Lund och Waldemarsudde."

Hurtig nickar och ser beklagande på henne.

Lägg av, tänker hon och ser bort. Inget jävla medlidande. Då bryter jag ihop.

"Jag ringer honom."

När Jeanette tar upp mobiltelefonen ser hon att den är död och i samma stund hörs knastren från polisradion i Hurtigs bil ett tiotal meter bort.

En tyngd infinner sig i henne när hon förstår.

Som om blodet i kroppen sjunker och vill dra henne ner i jorden.

Man har hittat Johan.

Karolinska

Initialt trodde ambulanspersonalen att pojken var död.

Han hittades vid den gamla oljekvarnen på Waldemarsudde och hans andning och hjärtverksamhet var näst intill obefintligt.

Han var kraftigt nerkyld och dessutom såg man att han hade kräkts åtskilliga gånger under den ovanligt kalla sensommarnatten.

Man befarade aspirationsskador, att den frätande syran från magen hade hamnat i lungorna.

Klockan var strax efter tio när Jeanette Kihlberg klev in i ambulansen som skulle köra hennes son till intensivvårdsavdelningen på Karolinska sjukhuset i Solna.

Rummet är mörklagt, men skenet från den svaga eftermiddagssolen letar sig in genom persiennerna och de brandgula ljusränderna ligger som ett mönster över Johans nakna överkropp. Det pulserande, artificiella ljuset från hjärt-lungmaskinens lampor spelar över sängen och Jeanette Kihlberg upplever det som om hon befinner sig i en dröm.

Hon smeker Johan över handryggen och kastar en blick på mätinstrumentet vid sidan av sängen.

Hans kroppstemperatur börjar närma sig det normala, något under trettiosex grader.

Hon vet att han haft stora mängder alkohol i kroppen. Nästan tre promille när han kom till sjukhuset.

Hon har inte sovit en blund, känner sig bortdomnad i kroppen och kan inte ens avgöra om hjärtat som bultar i henne hör samman med den pulserande känslan i hennes panna. Tankar hon inte känner igen ekar i huvudet och de är frustrerade, arga, rädda, vilsna och uppgivna på samma gång.

Hon har varit en rationell människa. Ända till nu.

Hon betraktar honom där han ligger. Det är första gången han ligger på sjukhus. Nej, andra gången. Första gången var för tolv år sedan, när han föddes. Då hade hon varit helt lugn. Så väl förberedd att hon till och med förutsett kejsarsnittet innan läkarna bestämt sig.

För det här har det inte gjorts några förberedelser.

Hon trycker hans hand hårdare. Den är fortfarande kall, men han ser avslappnad ut och andas lugnt. Och rummet är tyst. Bara det elektriska bruset från maskinerna.

"Du...", viskar hon, medveten om att även medvetslösa kan höra. "De tror att allt kommer att gå bra."

Hon avbryter sitt försök att ingjuta hopp i Johan.

De tror? Det är snarare att de inte vet.

Allt hade varit kaos när hon kommit hit. De hade lagt Johan i sjukhussängen med huvudet neråt medan man lät suga hans luftvägar.

Aspiration. Det kunde handla om frätskador på lungvävnaderna.

I värsta fall.

Hennes förvirrade frågor, läkarnas sakliga, men innehållslösa förklaringar.

Hennes ilska och frustration ledde till samma fråga: Varför i helvete vet ni ingenting?

De kunde berätta om EKG-övervakning, syrgas och droppslangar och förklara hur en sond genom matstrupen kontrollerar kroppstemperaturen och hur en hjärt-lungmaskin sköter den centrala uppvärmningen.

De kunde berätta om kritisk avkylning, om hur en längre vistelse i kallt vatten följt av en natt med regn och kraftig vind påverkar kroppen.

De kunde förklara att alkohol utvidgar blodkärlen och skyndar på temperaturfallet och att risken för hjärnskador uppstår genom att blodsockerhalten sänks.

Berätta och förklara.

De berättade att de trodde att faran eventuellt var över och de förklarade att blodgaser och lungröntgen vid ett första påseende såg positiva ut.

Vad betyder det?

Blodgaser? Vid ett första påseende? Att faran eventuellt är över?

De tror. Men de vet ingenting.

Om Johan hör, har han hört allt som berättats för henne i det här rummet. Hon kan inte ljuga för honom. Hon lägger handen mot hans kind. Det är ingen lögn.

Hennes tankar avbryts av att Hurtig kommer in i rummet.

"Hur mår han?"

"Han lever och han kommer att bli återställd. Det är lugnt, Jens. Du kan åka hem."

Bandhagen

Blixten slår ner på jorden etthundra gånger varje sekund, vilket blir omkring åtta miljoner gånger per dag. Årets häftigaste åskoväder drar in över Stockholm och klockan tjugotvå minuter över tio slår blixten ner på två ställen samtidigt. I Bandhagen söder om stan samt i närheten av Karolinska sjukhuset i Solna.

Kriminalassistent Jens Hurtig står på sjukhusparkeringen i färd med att åka hem när telefonen ringer. Innan han svarar öppnar han bildörren, hoppar in och sätter sig i förarsätet. Han ser att det är polischef Dennis Billing och antar att han ringer för att höra vad det är som har hänt.

Han stoppar in headsetet i örat och svarar. "Hurtig."

"Jag hörde att ni hittat Jeanettes pojke. Hur är det med honom?" Polischefen låter orolig.

"Han ligger nersövd och hon är där med honom." Hurtig sätter nycklarna i tändningslåset och startar bilen. "Tack och lov verkar det inte vara livshotande."

"Bra, bra. Då är hon väl tillbaka om några dagar får man förmoda." Polischefen smackar med munnen. "Och hur är det med dig?"

"Vad menar du?"

"Är du trött eller orkar du åka på en grej ute i Bandhagen?"

"Vad rör det sig om?"

"Jag menar, nu när Kihlberg är indisponibel så får ju du en chans att visa framfötterna. Kan se bra ut i papprena, om du förstår."

"Jag förstår precis." Jens Hurtig svänger ut på Norra Länken. "Vad gäller det?"

"Man har hittat en död kvinna, kanske våldtagen."

"Okej, jag åker direkt."

"Det är sådana takter jag gillar. Du är en bra karl, Jens. Då ses vi imorgon."

"Visst."

"Och du…" Polischef Dennis Billing sväljer. "Hälsa Janne Kihlberg att jag tycker det är helt i sin ordning om hon stannar hemma ett slag och tar hand om sin son. Ärligt talat tycker jag nog att hon borde ta hand om sin familj lite bättre. Jag har hört rykten om att Åke har lämnat henne."

"Vad menar du?" Hurtig börjar bli ordentligt trött på polischefens insinuationer. "Vill du att jag ska säga åt henne att stanna hemma eftersom du tycker att kvinnor inte ska yrkesarbeta utan vara hemma och ta hand om man och barn?"

"Fan, Jens, lägg av. Jag trodde vi förstod varandra och…"

"Bara för att vi är karlar", avbryter Hurtig, "innebär det inte att vi delar åsikter."

"Nej, visst." Polischefen suckar. "Jag trodde möjligen…"

"Ja, inte vet jag. Vi hörs." Hurtig lägger på innan Dennis Billing hinner säga ytterligare något plumpt eller uppåt väggarna korkat.

Vid avfarten till Solna ser han ut över Pampas Marina och raderna av segelbåtar.

En båt, tänker han. Jag ska skaffa mig en båt.

Regnet vräker ner över Bandhagens gymnasiums idrottsplats och kriminalassistent Jens Hurtig drar upp jackhuvan och slänger igen bildörren. Han ser sig omkring och känner väl igen sig.

Vid flera tillfällen har han varit här som åskådare när Jeanette Kihlberg spelat sina matcher i polisens mixade korplag. Han erinrar sig att han hade blivit förvånad över hur bra hon varit, ja till och med bättre än de flesta manliga spelarna och i rollen som offensiv mittfältare hade hon varit den mest kreativa av dem alla. Den som slagit de öppnande passningarna, sett ytorna ingen annan såg.

På något förunderligt sätt hade han kunnat se hur hennes

egenskaper som chef speglades i hennes agerande på planen. Hon hade pondus utan att vara dominant.

När hennes lagkamrater vid något tillfälle upprört hade klagat på ett domslut hade hon gått emellan och lugnat ner situationen. Till och med domaren hade lyssnat på henne.

Han undrar hur hon mår. Trots att han inte har några egna barn och heller ingen önskan att skaffa några, förstår han att hon just nu måste ha det svårt. Vem bryr sig om henne nu när Åke stuckit?

Han vet att fallen med de mördade pojkarna tagit henne hårt. Och nu har något hänt med hennes egen son vilket får honom att önska att han kunde vara något mer för henne än bara assistent. En vän också.

Han hatar hierarkier trots att han själv hela livet snällt inordnat sig i dem. Människor har inte samma värde och i slutänden beror det bara på en sak. Pengar. Du är ditt lönekuvert.

Han tänker på de namnlösa pojkarna. Inget värde i ett svenskt samhälle. Utanför systemet. Men finns det en saknad människa så måste det också finnas en annan som saknar.

Klassamhället är inte avskaffat, det är bara klasserna som bytt namn. Adel, präster, borgare och bönder eller överklass och underklass. Arbetare eller kapitalägare.

Män eller kvinnor. Det spelar ingen roll.

Nu kallar sig Moderaterna för det nya arbetarpartiet fastän de i första hand värnar om de allra fetaste plånböckerna. Längst ner på samhällets botten finns de som inte ens har någon plånbok. De papperslösa.

När Jens Hurtig skyndar bort mot byggnaderna intill grusplanerna är han nedstämd.

Schwarz och Åhlund står och väntar under taket vid omklädningsrummen och vinkar åt honom att komma dit.

"Fy fan, vilket väder!" Hurtig drar handen över pannan och torkar regnvattnet ur ögonen. Himlen lyses upp av en blixt och han rycker till.

"Är du åskrädd, chefen?" Schwarz boxar honom på armen och ler.

"Vad är det som har hänt?"

Åhlund rycker på axlarna. "En död kvinna. Antagligen våldtagen innan nån slog ihjäl henne. Det är lite svårt att se just nu, men grabbarna håller på att slå upp ett tält. Vi får avvakta ett tag."

Hurtig nickar och drar jackan tätare omkring sig. Han ser de stora strålkastarna som finns utefter långsidorna på fotbollsplanen och överlägger om han ska beordra dit en vaktmästare som kan tända upp. Men nej, det skulle vara att be om problem. Pressen har självklart hört anropet över polisradion och kommer när som helst att vara på plats. En skränande mobb av boende i området är ingenting han önskar sig just nu. Det bästa är om de kan sköta det här så diskret som möjligt.

"Vem är det som kommer? Inte Rydén, väl?"

Åhlund skakar på huvudet "Nej, Billing sa att det var Ivo Andrić eftersom vi jobbat med honom tidigare."

"Jag trodde han hade tagit semester?"

Senast Hurtig pratat med den bosniske rättsobducenten hade han antytt att han efter utredningen av de döda pojkarna skulle unna sig en lång och välförtjänt ledighet.

När det meddelats att man ansåg fallet polisiärt löst hade Ivo Andrić sett det som ett personligt misslyckande.

"Nej, jag tror inte det." Åhlund tar fram ett paket tuggummi. "Däremot hörde jag ett rykte om att han sa upp sig när vi tvingades avsluta utredningen av flyktingpojkarna. Fan vet om man inte själv borde ha gjort det. Vill ni ha?" Han sträcker fram paketet.

Hurtig hade själv haft samma känsla av uppgivenhet och resignation.

Ordern kom uppifrån och han hade förstått att anledningen till att undersökningen avslutades var att pojkarna var illegala flyktingar. De var barn utan identitet, saknade av ingen och därför inte lika viktiga som om det hade gällt några ljushåriga och blåögda barn från Mörby eller Bromma. Jävla idioter, tänker han. Känslomässigt handikappade.

Även om man misslyckats med att hitta mördaren kunde de

väl åtminstone få sina namn tillbaka. Men allt kostar pengar och de här barnen betydde inget för någon.

Persona non grata.

Människors lika värde är en sanning med modifikation.

Hurtig tar en lov bort mot teknikernas lilla, vita tält och förhör sig om läget innan han återvänder och slår ut med armarna samtidigt som en kraftig blixt får fotbollsplanen att bada i ett vitt sken.

Han hoppar till och rynkar pannan i ett tydligt tecken på att han känner sig obekväm.

"Andrić ska snart vara här och enligt teknikerna är det inga oklarheter. De har koll på läget. Vi får det första utlåtandet om några timmar."

"Vad menar du med inga oklarheter?" Schwarz ser frågande ut.

"Kvinnan är redan identifierad. Hon hade sin väska med plånboken bredvid sig. Körkortet visar att hon heter Elisabeth Karlsson. Allt tyder på att hon våldtagits och sedan mördats. Men detta kan ju Andrić svara på när han undersökt kroppen." Hurtig gnuggar sina frusna händer. "Teknikerna gör sitt jobb, två hundpatruller genomsöker området och på stationen söker man efter eventuella anhöriga. Vad mer finns att göra?"

"Vad sägs om en kaffe?" Schwarz går oberörd bort mot bilen.

Regnvattnet strilar gurglande ur stuprören och bildar stora pölar i gruset.

Hur bär han sig åt? tänker Hurtig och följer efter.

Bandhagen

När Ivo Andrić kör in på parkeringen till Bandhagens gymnasium ser han Hurtig, Schwarz och Åhlund. De sitter i en polisbil och är på väg därifrån. När Jens Hurtig höjer handen i en hälsning besvarar han den innan han svänger in framför skolan och parkerar bredvid den stora tegelbyggnaden.

Andrić sitter kvar i bilen och stirrar ut över den mörka, vattensjuka fotbollsplanen. I ena hörnet teknikernas lilla tält, i det andra ett övergivet, sorgligt fotbollsmål med trasigt nät. Regnet vräker ner och visar inga tecken på att avta, men han tänker sitta kvar i bilen så länge som möjligt. Han känner sig trött och undrar vad han egentligen har där att göra. Han vet att han av många anses vara en av landets främsta inom rättsmedicin och att han har en erfarenhet som få andra, men ändå. Hans erfarenheter från att ha arbetat utomlands borde väl kunna ge honom en annan typ av uppgifter.

Utomlands, tänker han. Det betyder Bosnien. Det han en gång kallat för hem.

Nu sitter han här med en molande trötthet och grusiga ögon. Han tänker på den senaste tidens händelser och fallen med de döda pojkarna.

Den första hade man hittat i ett buskage vid Thorildsplans tunnelbanenedgång och han hade varit i det närmaste mumifierad.

Sedan var det Svartsjölandet och den vitryske pojken följt av det balsamerade liket vid boulebanan vid Danvikstull. Gemensamt för alla tre var att de var svårt misshandlade.

Avslutningsvis var det Samuel Bai, barnsoldaten som hittats

hängd uppe på vinden i kvarteret Monumentet vid Skanstull.

Under några varma sommarveckor hade de fyra fallen tagit all hans vakna tid i anspråk och Ivo Andrić är fortfarande övertygad om att det hade rört sig om en och samma förövare.

Utredningen hade skötts av Jeanette Kihlberg och när det gällde henne hade han inte haft något att anmärka. Hon hade gjort ett bra arbete, men i övrigt hade utredningen varit full av misstag och försummelser. Efter veckor av arbete hade det till slut blivit till en icke-utredning.

Där fanns en polischef och en åklagare som inte gjort sitt jobb och välrenommerade människor som ljugit om sina alibin. Den brist på energi han sett, i kombination med oviljan att ta befintliga metoder i bruk, hade gjort honom fullkomligt desillusionerad och även om hans förtroende för rättsväsendet alltid varit lågt var det nu helt utplånat.

När åklagaren lagt ner utredningen hade luften gått ur honom fullständigt.

Ivo Andrić drar jackan tätare om kroppen och sätter på sig sin baseballkeps. Han öppnar bildörren, stiger ut i ösregnet och börjar halvspringa bort mot avspärrningen.

Elisabeth Karlsson ligger på sidan i det våta gruset bredvid fotbollsplanen vid Bandhagens gymnasium och hennes vänstra arm ligger i en så onaturlig vinkel att den tveklöst är bruten. I övrigt finns det inga synliga skador på kroppen.

Ivo Andrić konstaterar det han tycker sig kunna avläsa av brottsplatsen. Kvinnan har utsatts för ett sexuellt övergrepp men fastställandet av dödsorsaken däremot får vänta tills kroppen är i torrt förvar på patologen i Solna. Han ger order om att flytta den döda kvinnan och några sjukvårdare packar in hennes kropp i en grå plastsäck.

Ivo Andrić går tillbaka till sin bil med något raskare steg.

Det han har sett har givit honom en idé som han snabbt skulle vilja ha bekräftad.

Vita bergen

Sofia Zetterlund har stora minnesluckor. Svarta hål som hon passerar i sina drömmar och under sina ändlösa promenader. Ibland vidgar sig hålen när hon känner en doft eller när någon tittar på henne med en särskild blick. Bilder återskapas när hon hör ljudet av träskor mot grus eller när hon ser någons ryggtavla på gatan. Vid dessa tillfällen är det som om en virvelstorm skoningslöst sveper genom den punkt Sofia kallar "jag".

Hon vet att hon varit med om någonting som inte låter sig beskrivas.

En gång fanns en liten flicka som hette Victoria och när hon var tre år byggde hennes pappa ett rum inuti henne. Ett öde rum där smärta och känslokyla var allt som fanns att tillgå. Med åren blev det ett rum med stadiga väggar av sorg, ett golv av revanschlusta och till slut ett tjockt tak av hat.

Det blev ett rum så tillslutet att Victoria inte tagit sig ut.

Och där inne är hon nu.

Det var inte jag, tänker Sofia. Det var inte mitt fel. Hennes första känsla när hon vaknar är skuld. Kroppens alla system gör sig redo att fly, att försvara sig.

Hon reser sig upp ur sängen, sträcker sig efter asken med Paroxetin och sväljer två tabletter med hjälp av saliv. Hon lutar sig tillbaka och väntar på att Victorias röst ska tystna. Inte helt, det gör den aldrig, men så pass mycket att hon kan höra sig själv.

Höra Sofias vilja.

Vad var det som hände egentligen?

Minnet av dofter. Popcorn, regnvått grus. Jord.

Någon hade velat köra henne till sjukhus, men hon hade vägrat.

Sedan ingenting. Fullkomligt svart. Hon minns inte att hon gått upp till lägenheten, än mindre hur hon tagit sig hem från Gröna Lund.

Vad är klockan? tänker hon.

Mobiltelefonen ligger kvar på nattygsbordet. En Nokia, gammal modell, Victoria Bergmans mobiltelefon. Hon måste göra sig av med den.

Telefonen visar 07:33 och att det finns ett missat samtal. Hon trycker på knappen för att visa numret och läser på displayen.

Hon känner inte igen numret.

Efter tio minuter är hon så pass lugn att hon kan gå upp. Ute i lägenheten är luften instängd och hon öppnar fönstret i vardagsrummet. Borgmästargatan ligger tyst och regnvåt. Till vänster tronar Sofia kyrka majestätisk mitt i Vita bergens sensommartrötta grönska och från Nytorget, lite längre bort, doftar det av nybakat bröd och avgaser.

Några parkerade bilar.

I cykelstället tvärs över gatan har en av de tolv cyklarna punktering. Det hade den inte igår. Detaljer som fastnar vare sig hon vill eller inte.

Och om någon skulle fråga henne, kan hon i ordningsföljd beskriva färgen på alla cyklarna. Från höger till vänster, eller omvänt.

Hon skulle inte ens behöva tänka efter.

Hon vet att hon har rätt.

Men Paroxetinet gör henne mjukare, får hennes hjärna att lugna ner sig och gör vardagen hanterbar.

Hon bestämmer sig för att ta en dusch och i samma stund ringer telefonen. Hennes jobbtelefon den här gången.

Den ringer fortfarande när hon kliver in i duschen.

Det heta vattnet har en vederkvickande effekt och när hon torkar sig tänker hon på att hon snart kommer att vara helt ensam. Fri att göra precis vad hon vill.

Det har gått över tre veckor sedan hennes föräldrar omkommit när deras hus brann ner. De hade badat bastu och branden hade enligt den preliminära rapporten orsakats av ett elfel i bastuaggregatet.

Barndomshemmet på Värmdö ligger i ruiner och alla tillhörigheter är förvandlade till aska.

Förutom försäkringen på huset, vilken är värd omkring fyra miljoner, hade hennes föräldrar ett sparkapital på niohundratusen kronor samt en aktieportfölj som vid en försäljning kommer att inbringa närmare fem miljoner.

Sofia har gett familjens advokat, Viggo Dürer, i uppdrag att så fort som möjligt omvandla aktierna till kontanter, vilka ska sättas in på hennes privatkonto. Inom kort kommer hon att förfoga över nästan tio miljoner kronor.

Hon kommer ha tillräckligt med pengar för att slippa oroa sig för det ekonomiska under resten av livet.

Hon kan stänga sin mottagning.

Flytta precis vart hon vill. Börja om. Bli en annan.

Men inte än, tänker hon. Snart kanske, men inte än. Just nu behöver hon rutinerna som arbetet medför. Stunder då hon inte behöver tänka på någonting utan enbart kan gå på sparlåga. Att bara göra det som förväntas av henne ger henne det nödvändiga lugnet för att hålla Victoria borta.

När hon torkat sig klär hon på sig och går ut i köket.

Hon laddar kaffebryggaren, plockar upp sin laptop, ställer den på köksbordet och knäpper på.

På Eniros hemsida ser hon att det främmande numret går till närpolisen ute på Värmdö och hon får en klump i magen. Har de upptäckt något? Och i så fall vad?

Hon reser sig och hämtar en kopp kaffe samtidigt som hon bestämmer sig för att hålla sig lugn och avvakta. Det får bli ett framtida problem.

Hon sätter sig ner vid datorn, letar upp mappen hon döpt till VICTORIA BERGMAN och ser på de tjugofem textfilerna.

Alla numrerade med namnet KRÅKFLICKAN.

Hennes egna minnen.

Hon vet att hon varit sjuk och att det har varit nödvändigt att sammanställa alla minnen. I flera års tid har hon fört samtal med sig själv, spelat in sina monologer och sedan analyserat dem. Det var genom det arbetet hon lärde känna Victoria och till slut förlikade sig med tanken att de för all framtid kommer att leva tillsammans.

Men nu, när hon vet vad Victoria är kapabel till, ska hon inte låta sig manipuleras.

Hon markerar alla filerna i mappen, tar ett djupt andetag och trycker slutligen på DELETE.

En dialogruta frågar om hon är säker på att hon vill ta bort mappen.

Hon tänker efter.

Beslutet att radera sina nertecknade samtal med sig själv har funnits en tid, men hon har vid dessa tillfällen inte haft modet att göra det.

"Nej, jag är inte säker", säger hon högt för sig själv och trycker på NO.

Det är som en utandning.

Nu är det Gao hon oroar sig för. Pojken utan förflutet som av en slump blivit en del av hennes vardag. Eller var det verkligen en slump?

Hon hade mött honom på pendeltåget i ett tillstånd av fullkomlig klarhet och hon hade sett hans utsatthet. När tåget hade stannat vid Karlbergs station hade de tagit varandras händer och ordlöst slutit ett avtal.

Sedan dess har han bott i det dolda rummet bakom bokhyllan.

Deras dagliga övningar har gjort honom fysiskt stark och uthållig. Samtidigt har han utvecklat en oerhörd mental styrka.

Medan hon funderar kokar hon en stor kastrull med välling och fyller en termos som hon bär in till honom. Han ligger naken på sängen i det mjuka, mörka rummet och hon ser på hans ögon att han befinner sig långt borta.

Gao hade genom sin närvaro, sin fullkomliga hängivenhet och våldsamma kompromisslöshet blivit Victorias lydiga redskap.

Victoria och Gao är två främmande kroppsdelar som inplanterats i henne, men när hennes kropp accepterat Victoria så stötte den bort Gao.

Vad ska hon göra med honom? Nu när han snarare är en belastning än en tillgång.

Trots att hon städat i flera timmar dröjer sig urinstanken kvar under lukten av skurmedel.

På golvet ligger hans teckningar i en prydlig hög.

Hon ställer termosen på golvet nedanför sängen. Vatten har han tillgång till inne på den lilla toaletten.

När hon går ut skjuter hon tillbaka bokhyllan som döljer dörren och sätter på haspen. Nu ska han klara sig till kvällen.

Tungan

ljuger och baktalar och Gao Lian, från Wuhan, måste akta sig för det människorna säger.

Ingenting ska kunna överraska honom, för han har kontroll och han är inget djur.

Han vet att djur inte kan planera för avvikelser från det normala. Ekorrar samlar på nötter inför vintern i en trädstam, men om hålet fryser igen förstår de ingenting. Nötterna har aldrig funnits eftersom de inte går att ta på. Ekorren ger upp och dör.

Gao Lian förstår att han måste vara beredd på att det kan inträffa en avvikelse från det normala.

ögonen
ser det förbjudna och Gao måste blunda och vänta tills det försvinner.

Tid är detsamma som att vänta och därför ingenting.

Tid är absolut ingenting. Gratis. Noll. Tomrum.

Det som sedan ska ske är tidens absoluta motsats.

När musklerna spänns, magen drar ihop sig och andningen är kort men syrerik ska han bli ett med allt. Pulsen, som tidigare varit långsam, ska öka till ett öronbedövande dån och allt ska ske samtidigt.

I det ögonblicket är tiden inte längre löjlig, den är allt.

Varje sekund får ett eget liv, en egen berättelse med början och slut. En hundradels sekunds tvekan ska få ödesdigra konsekvenser. Utgöra skillnaden mellan liv och död.

Tid är den viljesvages och handlingsförlamades bäste vän.

Kvinnan har försett honom med papper och penna och han

kan i timmar sitta i mörkret och rita. Ur sin inre bank av minnen hämtar han motiven. Människor han mött, saker han saknar och känslor han glömt att han haft.

En liten fågel i sitt bo tillsammans med sina ungar.

När han är klar lägger han undan pappret och börjar om. Aldrig att han stannar upp och betraktar vad han ritat.

Kvinnan som föder honom är varken sann eller falsk och för Gao finns inte längre tiden före henne. Inget före och inget efter. Tiden är ingenting.

Allt hos honom är vänt inåt mot minnenas egen mekanik.

Bistro Amica

Jeanette lämnar Johans rum och går mot kaféet vid sjukhusets huvudentré. Hon är polis, och dessutom en kvinnlig sådan, vilket innebär att hon inte kan lägga arbetet åt sidan ens under sådana här omständigheter. Hon vet att det vid ett senare tillfälle kan komma att användas emot henne.

När hissdörrarna öppnas och hon går ut i entréplanets gytter av människor lyfter hon blicken och ser rörelserna, leendena. Hon fyller lungorna med luften som här är full av liv. Fastän hon har svårt att erkänna det vet hon att hon behöver en halvtimmes frist från det oroliga vakandet vid sängkanten i rummet där luften står still.

Hurtig bär en bricka med två rykande koppar kaffe och två kanelsnäckor som han ställer på bordet mellan dem innan han sätter sig ner. Jeanette tar en kopp och smuttar på det heta kaffet. Det värmer i magen och hon känner suget efter en cigarett.

Hurtig tar sin kopp och tittar utforskande på henne. Hon tycker inte om det kritiska i hans blick.

"Så. Hur mår han?" frågar Hurtig.

"Det är under kontroll. Just nu är det värsta att inte veta vad som hänt honom."

Känslan är bekant från tiden då Johan var liten. Hon minns de gånger han kommit springande storgråtande, otröstlig och inkapabel att berätta vad som hänt. Han hade inte orden. Hon hade trott att den tiden för alltid var förbi.

Men nu.

Inte ens Sofia hade kunnat berätta vad som hänt. Hur skulle då Johan kunna sätta ord på det?

"Jag förstår det, men det är väl nåt som ni får prata om när han mår bättre och får komma hem. Eller hur?"

"Javisst." Jeanette suckar innan hon fortsätter. "Men att sitta ensam i den där tystnaden driver mig till vansinne."

"Har inte Åke varit här? Eller dina föräldrar?"

Jeanette rycker på axlarna. "Åke ställer ut i Polen och ville komma hem, men när vi hittat Johan så..." Hon rycker på axlarna. "Ja, det fanns ju inte så mycket han kunde göra. Och mina föräldrar är på pensionärsresa i Kina. Blir borta ett par månader."

Jeanette ser att Hurtig vill säga något, men hon avbryter.

"Hur gick det ute i Bandhagen?"

Hurtig lägger en sockerbit i kaffekoppen och rör om. "Ivo är inte riktigt klar än så vi avvaktar."

"Och vad säger Billing?"

"Mer än att han tycker du ska stanna hemma med Johan och att det är ditt fel att Åke vill skiljas?" Hurtig suckar och dricker av kaffet.

"Sa han det, den jävla ormen?"

"Japp. Rakt ut och utan krusiduller." Han himlar med ögonen.

Jeanette känner sig utmattad och oduglig.

"Fy satan", mumlar Jeanette och låter blicken svepa över rummet.

Hurtig sitter tyst, tar upp bullen och bryter av en bit som han stoppar i munnen. Hon ser att det är något som trycker honom.

"Vad är det? Vad funderar du över?"

"Du har inte släppt det, eller hur?" säger han trevande. "Det syns på dig. Du är förbannad för att vi blev bortkopplade." Han torkar några smulor som fastnat i skäggstubben.

"Vad menar du?" Jeanette rycks ur sin dvala.

"Fåna dig inte. Du vet vad jag menar. Lundström är en riktigt otäck jävel, men det var inte han som..."

"Lägg ner!" Jeanette avbryter honom igen.

"Men..." Hurtig slår ut med handen och skvimpar ut lite kaffe.

Jeanette tar reflexmässigt upp en servett och torkar upp. Hon slås av tanken att hon framöver kanske bara har sig själv att torka upp efter. Slår bort tanken innan den slagit rot. Fokuserar.

"Jens, lyssna på mig..." Hon tänker efter. "Jag är lika frustrerad som du över det som hände och tycker att det är för jävligt, men samtidigt är jag inte dummare än att jag förstår att det inte är ekonomiskt försvarbart att..."

"Flyktingbarn. Illegala jävla flyktingbarn... inte ekonomiskt försvarbart. Jag spyr." Hurtig reser sig och Jeanette ser hur upprörd han är.

"Sätt dig, Jens. Jag är inte klar." Hon förvånas över att hon kan låta så bestämd trots att hon känner sig helt utmattad.

Hurtig suckar och sätter sig ner igen.

"Vi gör så här... Jag måste ta hand om Johan och jag vet inte hur lång tid det tar. Du har kvinnan i Bandhagen att utreda och det måste du naturligtvis prioritera." Hon gör en paus innan hon fortsätter. "Men du vet precis som jag att vi kommer att få tid över till annat... om du förstår vad jag menar?" Hon ser att det blänker till i Hurtigs ögon och känner att något bränner till i henne själv. En känsla hon nästan glömt. Entusiasm.

"Du menar att vi ska fortsätta, men att vi ska mörka det?"

"Ja, precis. Men det måste stanna mellan oss. Kommer det ut är både du och jag rökta."

Hurtig ler. "Faktum är att jag redan skickat ut några förfrågningar som jag hoppas få svar på i veckan."

"Bra, Jens", säger Jeanette och besvarar hans leende. "Jag gillar dig men vi måste sköta det snyggt. Vilka är det du har kontaktat?"

"Enligt Ivo Andrić så hade grabben vid Thorildsplan spår av penicillin i kroppen, bortsett från alla jävla droger och bedövningsmedel."

"Penicillin? Och vad betyder det?"

"Att grabben varit i kontakt med sjukvården. Antagligen med nån läkare som arbetar med gömda, papperslösa flyktingar. En tjej jag känner arbetar inom Svenska kyrkan och hon har lovat att hjälpa mig med några tänkbara namn."

"Det låter kanon. Jag har fortsatt kontakt med UNHCR i Genève." Jeanette känner hur föreställningen om framtiden sakta återvänder till henne. Det finns ett sedan, inte bara det bottenlösa nuet. "Och så har jag en idé."

Hurtig avvaktar.

"Vad skulle du tycka om att ta fram en gärningsmannaprofil?"

Hurtig ser förvånat på henne. "Men hur ska vi få en psykolog att delta i en inofficiell…" börjar han, men så trillar polletten ner. "Aha, du tänker på Sofia Zetterlund?"

Jeanette nickar. "Ja, men jag har inte frågat henne än. Jag ville kolla med dig först."

"Fan, Jeanette", säger Hurtig med ett brett flin, "du är den bästa chef jag haft."

Jeanette ser att han verkligen menar det.

"Det värmer. Jag känner mig inget vidare just nu."

Hon tänker på Johan och på skilsmässan från Åke och allt vad det innebär. Just nu vet hon ingenting om den privata framtiden. Är det ensamma vakandet över Johan en föraning om hur saker och ting kommer att te sig i framtiden? Den definitiva ensamheten. Åke har flyttat in hos sin nya kvinna, galleristen Alexandra Kowalska. Konservator, stod det på hennes visitkort. Det låter som någon som stoppar upp döda djur. Skapar skenbart liv av det som är dött.

"Ska vi gå ut och ta en cigg?" Hurtig reser sig, som om han insett nödvändigheten av att avbryta Jeanettes tankar.

"Men du röker ju inte?"

"Ibland får man göra undantag." Han tar upp ett paket ur fickan och räcker det till henne. "Jag vet ingenting om cigaretter, men jag köpte det här åt dig."

Jeanette ser på paketet och skrattar. "Mentol?"

De tar på sig sina jackor och går ut utanför entrén. Regnet har börjat avta och vid horisonten kan man skymta en ljus strimma av bättre väder. Hurtig tänder en cigarett och ger den till Jeanette och tänder sedan en till sig själv. Han tar ett djupt bloss, hostar till och blåser ut röken genom näsan.

"Ska du bo kvar i huset? Har du råd med det?" frågar han.

"Jag vet inte. Men för Johans skull måste jag försöka få det att gå ihop. Dessutom har det ju lossnat för Åke och hans tavlor har börjat sälja."

"Ja, jag läste recensionen i DN. De var ju helt lyriska."

"Lite bittert bara att i tjugo år subventionera hans arbete och sen inte få vara med och skörda frukterna."

Galleristen och konservatorn Alexandra hade under sommaren kontaktat Åke och sedan hade allt gått väldigt fort. Åke hade blivit en av de starkast lysande stjärnorna på den svenska konsthimlen och lämnat Jeanette för den yngre och vackrare Alexandra.

Aldrig hade hon trott att hon och Johan betytt så lite för honom att han utan att tveka kunde vända dem ryggen och gå därifrån.

Hurtig ser på henne, fimpar cigaretten och håller upp dörren. "Upp som en sol…"

Han ger henne en kram och hon känner att hon behöver det, men inser att ömhetsbetygelser kan vara ihåliga som självdöda trästammar. Hon har ingen förmåga att skilja det döda från det levande, tänker hon när hon stålsätter sig för att återvända till tystnaden i rummet vid Johans sida.

Patologiska institutionen

Varje gärning i det förflutna skapar tusentals tänkbarheter som sedan strömmar vidare mot nya slutsatser.

För Ivo Andrić ser döden alltid ut på ett och samma sätt, även om motivet till att den inträffat alltid i grunden är unikt.

Ivo Andrić lämnar Bandhagen och kör tillbaka mot Solna. Han tänker på vad han nyss har sett. Dödsorsaken ligger många gånger bortom skiljelinjen mellan förnuft och fantasi och då är det bara en sjuk människas hjärna som sätter gränsen.

Av det han kunnat konstatera på brottsplatsen tror han sig redan nu veta vad som hänt kvinnan och han känner sig faktiskt lättad. Det skulle ha kunnat vara så mycket värre.

När han är framme i Solna skyndar han sig in på patologen eftersom han egentligen bara vill få sin teori bekräftad. Allt som behövs är lite bättre belysning.

Ivo Andrić betraktar Elisabeth Karlssons nakna kropp som ligger på en bänk av rostfritt stål och förstår på mindre än en minut vad det är som orsakat hennes död och att hans idé varit riktig.

Över hennes mage och bröst löper ett rödbrunt ormbunksliknande mönster och på hennes vänstra handled noterar han ett djupt brännmärke, stort som en enkrona. Allt är fullkomligt glasklart.

Ett skolexempel, helt enkelt.

Elisabeth Karlsson var en kvinna med osannolik otur.

Vita bergen

Sofia Zetterlund stänger av datorn och fäller ihop locket. Nu när hon bestämt sig för att trots allt inte radera filerna om Victoria är det som om hon känner sig lättare.

Men är det lycka hon känner? Hon vet inte.

För mindre än ett år sedan hade hon varit lycklig. Åtminstone hade hon trott att hon var det och det var väl det som räknades?

Att allt sedan visat sig vara en kuliss gör ju inte att det hon kände då inte var äkta. Hon hade varit sann och beredd att göra allt för den Lasse hon levde tillsammans med. Men Lasse hade bit för bit monterat ner deras tillvaro och hon hade bara kunnat se på, oförmögen att göra någonting.

Allt hade raserats och smutsats ner.

Många av hennes minnen är vaga och när hon tänker tillbaka på det senaste halvåret ser hon bara konturlösa bilder. Oskarpa fotografier utan fokus.

Hon reser sig, går bort till diskbänken och fyller upp diskhon med vatten.

Lars Pettersson, hennes livskamrat i över tio år, hennes bästa vän och mannen alla hennes drömmar varit knutna till. Försäljaren Lars som jobbade varannan vecka i Tyskland och varannan vecka var hemma. Den trygga Lasse som skulle bli far till hennes barn. Han som alltid gav henne blommor.

Det heta vattnet gör att huden på händerna drar ihop sig, det svider och de blir röda, men hon tvingar sig själv att hålla dem kvar. Hon prövar sig själv, tvingar sig att uthärda.

Lars Pettersson var också mannen som redan var gift och hade hus och familj ute i Saltsjöbaden. Som varannan vecka åkte bort, inte till Tyskland, utan till sin familj, och aldrig hade tid att ta semester tillsammans med henne.

Lars Pettersson som var far till Mikael.

Den enda anledningen till att hon inlett ett förhållande med Mikael var att hon hade velat hämnas på Lasse. Nu förefaller det hela meningslöst. Tomt och torftigt. Lasse är död och Mikael har sakta men säkert blivit allt mer ointressant för henne, även om det finns en frestelse att avslöja för honom vem hon egentligen är.

De senaste månaderna har de bara setts sporadiskt eftersom Mikael haft mycket att göra på arbetet och under långa perioder varit bortrest. När han varit hemma har hon i sin tur haft mycket att göra och de få gånger de pratat med varandra har han varit tvär och sur vilket fått henne att misstänka att han träffar en annan.

Jag gör slut, tänker hon och drar äntligen upp händerna ur diskvattnet. Hon vrider på kranen och håller dem under iskallt vatten. Först är det skönt och lenande, sedan tar kylan över och återigen tvingar hon sig att hålla ut. Smärtan ska besegras.

Ju mer hon känner efter, desto mindre saknar hon Mikael. Jag är hans styvmor, tänker hon, och på samma gång hans älskarinna. Men det är omöjligt att avslöja sanningen för honom.

Hon skruvar av vattnet och tömmer diskhon. Efter en stund börjar händerna återfå sin normala färg och när värken släpper helt sätter hon sig åter vid köksbordet.

Telefonen ligger framför henne och hon vet att hon borde ringa Jeanette. Men det tar emot. Hon vet inte vad hon ska säga. Vad hon borde säga.

Ångesten träffar henne hårt i solarplexus och hon tar sig för magen. Hon darrar, får hjärtklappning och kraften rinner ur henne som om någon skurit av pulsådern. Huvudet bränner och hon känner hur hon tappar kontrollen, har ingen aning om vad hennes kropp är på väg att göra.

Banka huvudet i väggen? Kasta sig handlöst ut genom fönstret? Skrika?

Nej, hon måste höra en riktig röst. En röst som kan bevisa att hon fortfarande finns, att hon är påtaglig. Det är det enda just nu som kan få tyst på ljuden inuti henne och hon sträcker sig efter telefonen. Jeanette Kihlberg svarar efter tiotalet signaler.

Hon hör störningar på linjen. Ett bakgrundsbrus som avbryts av ett klippande ljud.

"Hur är det med honom?" är det enda Sofia får ur sig.

Jeanette Kihlberg låter lika trasig som mottagningen. "Vi har hittat honom. Han lever och han ligger här bredvid mig. Det räcker just nu."

Ditt barn ligger bredvid dig, tänker hon. Och Gao finns här hos mig.

Hennes läppar rör sig. "Jag kan komma idag", hör hon sig själv säga.

"Gärna. Kom om nån timme."

"Jag kan komma idag." Hennes egen röst ekar mellan köksväggarna. Upprepade hon sig? "Jag kan komma idag. Jag kan..."

Johan hade varit försvunnen under en natt, vilken Sofia tillbringat hemma tillsammans med Gao. De har sovit. Inget annat. Eller?

"Jag kan komma idag."

Osäkerheten sprider sig och med ens inser hon att hon inte har en aning om vad som hänt efter det att hon och Johan satte sig i korgen för att åka Fritt Fall.

Avlägset hör hon Jeanettes röst. "Bra då ses vi. Jag saknar dig."

"Jag kan komma idag." Telefonen är tyst och när hon tittar på displayen ser hon att samtalet varat i tjugotre sekunder.

Hon går ut i hallen för att ta på sig skorna och jackan. När hon tar ner stövlarna från skohyllan känner hon att de är fuktiga, som om de nyss använts.

Hon synar dem. Ett gulnat löv sitter fastslickat mot hälen på den vänstra skon, snörningarna på båda stövlarna är fulla av granbarr och grässtrån och sulorna är leriga.

Lugna dig, tänker hon. Det har regnat mycket. Hur lång tid tar det innan ett par skinnstövlar torkar?

Hon sträcker sig efter jackan. Också den är fuktig och hon tar en närmare titt på den.

En reva i ena ärmen, cirka fem centimeter lång. I det uppslitna bomullsfodret hittar hon några gruskorn.

Något sticker upp ur ena fickan.

Vad i helvete?

Det är en polaroidbild.

När hon ser vad den föreställer vet hon inte vad hon ska tro.

Bilden visar henne själv, kanske tio år gammal, stående på en öde strand. Det blåser hårt och hennes långa, ljusa hår står nästan vinkelrätt ut från huvudet. I sanden sticker en rad avbrutna träpålar upp och i bakgrunden ser man en liten röd- och vitrandig fyr. Silhuetterna av några måsar skymtar mot den grå himlen.

Hjärtat bultar. Bilden säger henne ingenting och platsen är henne fullkomligt främmande.

Dåtid

Sömnlös lyssnade hon efter hans steg och låtsades att hon var en klocka. När hon låg på magen i sängen var klockan sex, på vänster sida var den nio och på rygg midnatt. På höger sida blev klockan tre, och när hon åter låg på mage var den sex. På vänster sida nio och på rygg midnatt igen. Om hon kunde styra klockan lurades han av tiden och lät henne vara.

Han är tung, hans rygg är hårig och han är svettig och stinker av ammoniak efter att ha slitit med gödselmaskinen i två timmar. Svordomarna från uthuset har hörts ända upp till hennes rum.

Benknotorna på hans höfter skaver mot hennes mage medan hon stirrar upp bakom hans guppande axlar.

Den danska flaggan som draperar taket är ett djävulskors och färgerna är blodrött och skelettvitt.

Det är lättast att göra som han vill. Smeka honom över ryggen och stöna i hans öra. Det förkortar det hela med säkert fem minuter.

När gnisslet från den gamla sängens stålfjädrar upphört och han gått ut, reser hon sig och går in på toaletten. Stanken av gödsel måste bort.

Han är en reparatör från Holstebro och hon kallar honom Holstebrosvinet efter traktens gamla avelsras, särskilt lämpad för slakt.

Hans namn har hon skrivit ner i sin dagbok tillsammans

med de andra och överst på listan står hennes grisbonde, han som hon ska vara tacksam över att få bo hos.

Den andre är egentligen välutbildad, jurist eller något, och arbetar i Sverige när han inte är på gården och dödar grisar. Hon kallar honom Tyskerpågen, men aldrig så att han hör.

Tyskerpågen är stolt över att arbeta enligt gamla, beprövade metoder. Det jutska svinet ska svedas, inte skållas, för att avlägsna borsten.

Hon skruvar på vattenkranen och skrubbar händerna. Hennes fingertoppar har blivit svullna efter arbetet med grisarna. Det är grishåren som fastnar under naglarna och orsakar inflammationer och det spelar ingen roll om man använder skyddshandskar.

Hon har dödat dem. Elbedövat dem och tappat dem på blod, städat efter sig, rensat golvbrunnarna och tagit hand om slakteriavfallet. En gång lät han henne skjuta en av dem med en slaktmask och det var nära att hon använde den på honom istället. Bara för att se om hans ögon skulle bli lika tomma som grisarnas.

Efter att ha skrubbat sig någorlunda ren torkar hon sig och går tillbaka till sitt rum.

Jag står inte ut, tänker hon. Jag måste härifrån.

Medan hon klär sig hör hon Holstebrosvinets gamla bil starta. Hon gläntar på gardinerna och ser ut genom fönstret. Bilen kör ut från gården och Tyskerpågen går bort till uthuset för att fortsätta med gödselsepareringen.

Hon bestämmer sig för att gå ut på Grisetåudden och kanske över bron till Oddesund.

Vinden äter sig in under kläderna och trots att hon bär både kofta och anorak så huttrar hon redan innan hon kommit bakom huset.

Hon går vidare bort mot järnvägen och följer banvallen ut på udden. Med jämna mellanrum passerar hon resterna av skyttevärn och betongbunkrar från andra världskriget.

Udden smalnar av, snart har hon vattnet på båda sidorna och när järnvägen svänger vänster bort mot bron ser hon fyren några hundra meter längre fram.

Hon går ner till stranden och upptäcker att hon är helt ensam. Framme vid den lilla, rödvita fyren lägger hon sig ner i gräset och ser upp mot den klarblå himlen. Hon minns att hon en gång låg såhär när hon hörde röster inne i skogen.

Precis som nu hade det varit blåsigt och det var Martins jollrande röst hon hört.

Varför hade han försvunnit?

Hon vet inte, men hon tror att någon dränkte honom. Han hade försvunnit nere vid bryggan samtidigt som Kråk-flickan kom dit.

Men minnena är diffusa. Det finns en svart lucka.

Hon rullar ett grässtrå sakta mellan fingrarna och iakttar det snurrande axet skifta färg i solstrålarna. Längst uppe på strået ser hon en daggdroppe och under den sitter en myra alldeles stilla. Hon ser att den saknar ett av de bakre benen.

"Vad tänker du på, lilla myra?" viskar hon och blåser lätt över axet.

Hon lägger sig på sidan och placerar grässtråt försiktigt på stenen bredvid. Myran börjar röra på sig och kryper ner på stenen. Att den saknar ett ben tycks inte bekymra den.

"Hvad laver du her?"

En skugga faller över hennes ansikte när hon hör hans röst där ovan. En flock fåglar passerar förbi ovanför hans huvud.

Hon reser sig och går med honom ner till skyttevärnet. Det tar tio minuter, eftersom han inte är särskilt uthållig.

Han berättar för henne om kriget, om allt det lidande som danskarna fick utstå under den tyska ockupationen och om hur kvinnorna våldtogs och skändades.

"Og alle liderlige tyskerpiger", suckar han. "Ludere var hvad de var. Knalde ud fem tusinde svin."

Åtskilliga gånger har han berättat för henne om de dans-ka kvinnor som frivilligt inlett relationer med tyska soldater

47

och hon har för länge sedan insett att han själv är en tyskunge, en tyskerpåg.

När de går tillbaka håller hon sig några steg bakom honom och rättar till sina smutsiga kläder. Hennes tröja är trasig och hon hoppas att de inte ska möta någon. Det ömmar lite varstans eftersom han varit mer hårdhänt än vanligt och marken dessutom är stenig här ute.

Danmark är helvetet på jorden, tänker hon.

Kvarteret Kronoberg

Halv tio ringer Jens Hurtigs telefon och han ser att det är Ivo Andrić från patologen i Solna.

"Hej Ivo! Vad har du åt mig idag då?" Han känner att han trivs i rollen som chef, även om det bara är tillfälligt.

"Det gäller Elisabeth Karlsson. Är det du som har hand om det?"

"Så länge Jeanette är borta är det jag som leder utredningen. Vad har du fått fram?"

Ivo Andrić andas tungt i luren. "Då så. För det första att hon hade sexuellt umgänge strax innan hon dog."

"Innan hon mördades menar du?"

"Det är inte så enkelt." Hurtig hör hur han suckar djupt. "Det är mer komplicerat än så."

"Låt höra."

Jens Hurtig vet att han kan lita på Ivo Andrić och av rättsläkarens eftertänksamma sätt förstår han att det är viktigt.

"Som sagt har hon haft sex. Kanske frivilligt, kanske inte. Just nu vet jag inte om…"

"Men hennes kläder var ju sönderrivna."

"Ta det lite lugnt. Låt mig förklara."

Han ångrar att han avbrutit. Vid det här laget borde han ha lärt sig att Andrić var noggrann även om han var omständlig.

"Förlåt", säger han. "Fortsätt."

"Var var jag? Jo. Hon har haft sex med någon. Kanske mot sin vilja. Hon har röda märken på skinkorna som om hon har fått smisk. Men om det rör sig om våldtäkt kan jag inte avgöra. Folk har de mest udda idéer för sig men av skrapsåren på hennes rygg och lår att döma har det skett utomhus. Vi har säkrat spår av både barr och grus. Men nu kommer det osannolika." Ivo Andrić tystnar.

"Vad då? Att hon mördats?"

"Nej, nej. Det här är annorlunda, mycket annorlunda. För att inte säga ovanligt. En raritet."

"Raritet?"

"Ja, just det. Är du bekant med elektricitet?"

"Inte särskilt, om jag ska erkänna."

Ivo harklar sig. "Men du kanske vet att åskledare styr blixten ner i marken och sprider laddningen i urberget?"

"Urberget? Jaha…" Hurtig trummar otåligt med fingrarna på skrivbordskanten.

"Det är farligare med direkta marknedslag. Boskapsdjur, till exempel kor som är ute på bete, har markkontakt med alla fyra benen och den elektriska spänningen blir därför mycket farlig för kroppen."

Vart vill han komma? tänker Hurtig innan han äntligen inser vad Ivo Andrić är i färd med att berätta.

"Vanligen överlever en människa ett marknedslag om hon inte har kontakt med jorden på annat sätt än med sina två fötter", avrundar rättsläkaren, "men i det här fallet stod offret tyvärr på alla fyra, alternativt låg ner på marken, och hjärtat slogs ut omedelbart."

Hurtig tror inte sina öron. "Va? Våldtagen och sen träffad av blixten?"

"Ser inte bättre ut. En raritet, som sagt. Hon hade stor otur, men som jag sa har jag ännu inte kunnat avgöra om hon våldtagits. Däremot vet vi nu att hon inte har mördats."

"Då får vi väl avvakta din vidare undersökning. Jag hör av mig och du lovar kontakta mig om du upptäcker nåt nytt. Okej?"

"Absolut. Lycka till." Ivo Andrić lägger på luren.

Jens Hurtig lutar sig tillbaka i stolen, ser upp i taket och tänker efter.

De gånger en våldtäkt åtföljs av ett mord kan man misstänka att offret känner förövaren och av den anledningen dödats.

Hurtig trycker in Åhlunds nummer på snabbtelefonen.

"Vem var det som förhörde Elisabeth Karlssons man?" frågar han.

Åhlund harklar sig. "Det var Schwarz som skötte det. Har det kommit in nåt nytt?"

"Ja, på sätt och vis. Jag berättar sen, men jag vill att vi tar in maken igen och den här gången vill jag snacka med honom."

"Okej. Jag ordnar det."

Karolinska

"Ett jävla oväder", säger Sofia Zetterlund när hon kommer in i sjukhussalen. Ett osäkert leende vilar på hennes läppar och Jeanette Kihlberg nickar avvaktande. Visst är hon glad över att se Sofia igen, men det är något med hennes ansikte som är annorlunda, något nytt som hon ännu inte kan avläsa.

Regnet smattrar mot rutorna och då och då lyses rummet upp av ljuset från en åskvigg. Där står de mitt emot varandra.

Sofia ser bekymrat på Johan och Jeanette går fram och stryker henne över ryggen.

"Hej du, kul att se dig", viskar hon och Sofia besvarar rörelsen och kramar om Jeanette.

"Hur är prognosen?" frågar hon.

Jeanette ler. "Menar du vädret är det sådär." Den lättsamma tonen kommer av sig själv. "Men när det gäller Johan ser det bra ut. Han börjar vakna. Man kan se att ögonen rör sig under ögonlocken nu." Johans ansikte har äntligen fått lite färg och hon smeker hans arm.

Läkarna har till slut vågat ge entydigt positiva besked om hans tillstånd och det är dessutom skönt att få sällskap av någon som är mer än en kollega. Någon hon inte förväntas agera chef för.

Sofia slappnar av och blir sig lik igen.

"Du får fan inte lasta dig för det här", säger Jeanette. "Det var inte ditt fel att han försvann."

Sofia ser allvarligt på henne. "Nej, kanske inte. Men jag skäms för att jag fick panik. Jag vill kunna vara pålitlig, men jag är tydligen inte det."

Jeanette tänker på hur Sofia hade reagerat. Hon hade funnit

Sofia helt utslagen, gråtande med ansiktet mot marken. Hon hade varit förtvivlad.

"Jag hoppas att du kan förlåta att jag lämnade dig där", säger Jeanette. "Men Johan var ju fortfarande försvunnen och..."

"Ja, herregud", avbryter Sofia. "Jag klarar mig alltid." Hon ser rakt in i Jeanettes ögon. "Kom ihåg det, jag klarar mig alltid, du behöver aldrig ta ansvar för mig, oavsett vad."

Jeanette nästan skräms av allvaret i Sofias röst och blick.

"Kan jag hantera bölande toppchefer så kan jag även hantera mig själv."

Jeanette känner en lättnad när hon ser att Sofia ler.

"Jag kan tydligen inte ens hantera ett fyllo", skrattar Jeanette och pekar på bandaget över pannan.

"Och hur är din prognos?" säger Sofia. Nu ler också ögonen.

"En flaska i huvudet. Fyra stygn som kan tas bort om ett par veckor."

Återigen lyses rummet upp av en blixt från åskovädret utanför. Det skakar till i fönstren och Jeanette bländas av det starka ljuset.

Vita väggar, vitt tak och golv. Vita lakan. Johans bleka ansikte. Det pulserar i hennes ögon.

"Men vad hände med dig egentligen?" Jeanette vågar knappt titta på Sofia när hon ställer frågan. Hjärt-lungmaskinens röda lampor blinkar. Skuggan av Johans kropp i sängen framför henne och Sofias svarta silhuett mot fönstret. Hon gnuggar sig i ögonen så att skärpan och färgerna återvänder. Nu kan hon se Sofias anletsdrag.

"Ja du", suckar hon till svar och tittar upp i taket som om hon söker ord. "Det visade sig att jag var betydligt mer rädd för att dö än jag någonsin trott. Helt enkelt."

"Du trodde inte att du var det innan?" Jeanette ser frågande på henne och känner omedelbart sin egen rädsla för det definitiva tumla om i bröstet.

"Jo, men inte på det här sättet. Inte lika starkt. Det verkar som om tanken på döden inte blir tydlig förrän man har barn och nu hade jag Johan med mig däruppe och..." Sofia tystnar och lägger sin hand på Johans ben. "Livet fick plötsligt en ny betydelse och jag var inte beredd på att det kunde kännas så." Hon vänder blicken mot Jeanette och ler. "Man kanske kan betrakta det som en chock inför att jag plötsligt såg det meningsfulla i livet."

Jeanette inser för första gången att Sofia inte bara är en psykolog som är lätt att prata med.

Hon bär också på något, en saknad eller en längtan, kanske en sorg.

Också hon har erfarenheter att bearbeta, hål att fylla.

Hon skäms över att hon inte insett det tidigare. Att Sofia är en människa som inte bara ständigt kan ge.

"Att alltid vara stark är detsamma som att inte leva", får hon ur sig efter en lång, tyst stund i Sofias famn och hon känner Sofias armar trycka till, som ett tecken på att hon förstått att orden är ämnade som tröst.

Plötsligt hörs ett gnyende från Johan och under bråkdelen av en sekund ser de förvånat på varandra innan de inser vad de just hört. Stenen faller ljudlöst inom Jeanette och hon lutar sig över honom.

"Hjärtat", mumlar hon medan hennes händer stryker över hans bröst. "Välkommen tillbaka, gubben. Mamma finns här och väntar på dig."

Hon tillkallar läkare som förklarar att det är ett naturligt inslag i uppvaknandet, men att det kommer att dröja många timmar till innan han är kontaktbar.

"Livet återvänder sakta till oss alla", säger Sofia sedan läkaren lämnat dem ensamma.

"Ja kanske", säger Jeanette och bestämmer sig i samma stund för att berätta vad hon vet. "Vet du förresten vem som ligger i koma på avdelningen intill?" frågar hon.

"Inte en aning. Nån jag känner?"

"Karl Lundström", säger Jeanette. "Jag gick förbi hans rum tidigare idag. Det är egentligen rätt konstigt", fortsätter hon. "Två korridorer bort ligger Karl Lundström insvept i likadana lakan som Johan och personalen vårdar dem båda med samma omsorg. Livet är visst lika värdefullt, oavsett vem du är."

Sofia ler. "Du menar att man kan vara en rutten människa och ändå förtjäna att leva?"

"Ja, nåt sånt." Jeanette inser omedelbart vilken krass människosyn hon gett uttryck för. Att hon låtit som om hon inte har någon tro på rättssystemet.

"Vi lever i männens värld", svarar Sofia. "Där är Johan inte mer värd än en pedofil. Där är ingen mer värd än en pedofil eller en våldtäktsman. Man kan bara vara värd mindre."

Jeanette skrattar. "Hur då menar du."

"Ja, om man är offer så är man värd mindre än pedofilen själv. Hellre skyddar man de presumtiva förövarna än de presumtiva offren. Männens värld."

Jeanette nickar men vet inte om hon förstår. Hon tittar på Johan som ligger där. Offer? Hon har inte riktigt vågat tänka tanken. Offer för vad? Hon tänker på Karl Lundström. Nej, det går inte. Hon tänker bort honom.

"Vad har du för erfarenhet av män egentligen?" dristar hon sig att fråga.

"Jag antar att jag hatar dem", svarar Sofia. Hennes blick är tom. "Som kollektiv alltså", fortsätter hon och vänder blicken åter mot Jeanette. "Och du?"

Jeanette är inte beredd på att få frågan kastad tillbaka. Hon tittar på Johan, hon tänker på Åke, på sina chefer och sina kollegor. Visst, det finns svin, men det gäller inte alla. Det Sofia ger uttryck för är från en annan värld än den hon lever i. Sånt känner man.

Sofias mörker, vad består det i?

"Allt är bara manligt monetärt", förekommer Sofia innan Jeanette hunnit formulera ett svar. "Ta en titt i plånboken när du är ute och reser. En kung, förmodligen."

"Eller Jenny Lind? Selma Lagerlöf?" försöker Jeanette.

"Billiga, prassliga papperssedlar. Utländska turister tror att Selma Lagerlöf är en man. De undrar vilken regeringslängd han tillhör. Är han en Bernadotte?"

"Du skämtar?" Jeanette skrattar åt det osannolika.

"Nej, det gör jag inte. Men jag är en rabiat kärring."

Sofias ögon är svåra att avläsa.

Hat eller ironi, galenskap eller vetskap. Finns det egentligen någon skillnad? tänker Jeanette.

"Jag är röksugen. Hänger du på?" avbryter Sofia hennes tankar.

Hon tråkar i alla fall aldrig ut henne. Som Åke.

"Nej... Gå du. Jag sitter kvar med Johan."

Sofia Zetterlund tar på sig sin kappa och går.

Dåtid

Rönnbärsträdet planterades samma dag som hon föddes.
Hon hade en gång försökt att tända eld på det, men trädet
ville inte brinna.

Kupén är varm och det luktar av människorna som suttit
här före henne. Victoria öppnar fönstret och försöker väd-
ra, men det är som om lukterna sitter fast i plyschen.

Huvudvärken hon haft sedan hon vaknat med snaran
runt halsen, på badrumsgolvet på ett hotellrum i Köpen-
hamn, börjar släppa. Men munnen är fortfarande öm och
det ilar i den sönderslagna framtanden. Hon drar med tung-
an över tandraden. En flisa har lossnat och hon vet att hon
måste få den lagad så fort hon kommer hem.

Tåget rycker till och lämnar sakta stationen samtidigt
som det börjar duggregna.

Jag kan göra vad jag vill, tänker hon. Lämna allt bakom
mig och aldrig återvända till honom. Kommer han att tillåta
det? Hon vet inte. Han behöver henne och hon behöver
honom.

I alla fall just nu.

En vecka tidigare har hon, Hannah och Jessica tagit fär-
jan från Korfu till Brindisi, sedan tåg till Rom och Paris.

Grått regn genom rutorna hela vägen. Juli såg ut som november. Två meningslösa dagar i Paris. Hannah och Jessica, klasskamraterna från Sigtuna, hade längtat hem och de hade varit frusna och blöta när de satt sig på tåget från Gare du Nord.

Victoria kryper upp i ett hörn och drar jackan över huvudet. Efter en månads tågluffande genom Europa är det nu bara den sista sträckan kvar.

Under hela resan hade Hannah och Jessica varit som trasdockor. Lealösa, döda ting sammanfogade av sömmar någon annan sytt. Bara tygskal stoppade med fluffig bomull. Hon hade tröttnat på dem och när tåget stannat vid stationen i Lille hade hon bestämt sig för att kliva av. En dansk lastbilschaufför erbjöd henne skjuts, hon hade åkt med ända till Danmark och i Köpenhamn hade hon växlat in de sista resecheckarna och tagit in på hotell.

Rösten hade berättat för henne vad hon skulle göra. Men den hade haft fel.

Hon hade överlevt.

Tåget närmar sig färjeläget i Helsingör och hon undrar om hennes liv hade kunnat vara annorlunda? Antagligen inte. Men det är betydelselöst nu. Hon hör samman med hatet, som åskan med blixten. Som den knutna näven med slaget.

Hennes far har satt sin kniv i hennes barndom och bladet vibrerar fortfarande efter hugget.

I Victoria finns ingenting kvar som ler.

Resan hem till Sverige och Stockholm tar hela natten och hon sover hela vägen. Konduktören väcker henne strax före ankomsten och hon känner sig yr och illa till mods. Hon har drömt men minns inte vad, och det enda som återstår av drömmen är ett obehag som känns i kroppen.

Det är tidig morgon och kyligt i luften. Hon kliver av tåget, tar sin ryggsäck och går in mot den stora, välvda vänthallen. Som väntat är det ingen som möter henne och hon tar rulltrappan ner till tunnelbanan.

Bussen från Slussen ut till Värmdö och Grisslinge tar en halvtimme och hon använder tiden till att dikta ihop små oskyldiga anekdoter från resan. Hon vet att han vill höra allt och inte kommer att nöja sig med en skildring utan detaljer.

Victoria stiger av bussen och går sakta längs gatan där hon en gång namngett så mycket.

Hon ser Klätterträdet och Trappstenen. Den lilla kullen hon kallat Berget och bäcken som en gång varit Floden.

Samtidigt som hon tar sina sjuttonåriga tonårssteg är en annan del av henne bara två år.

Den vita Volvon står på uppfarten och hon ser dem ute i trädgården.

Han står med ryggen mot henne och sysslar med något medan mamma sitter på huk och rensar ogräs i en av rabatterna. Victoria tar av sig ryggsäcken och ställer ner den på altanen.

Först då hör han henne och vänder sig om.

Hon ler mot honom och vinkar, men han betraktar henne uttryckslöst och vänder sig sedan om och fortsätter med sitt arbete.

Mamma ser upp från rabatten och nickar försiktigt mot Victoria. Hon nickar tillbaka, tar upp ryggsäcken och går in i huset.

I källaren packar hon upp sina smutsiga kläder och lägger dem i tvättkorgen. Hon klär av sig och går in i duschen.

Ett plötsligt vinddrag gör att duschdraperiet fladdrar till och hon förstår att han är där utanför.

"Har du haft det bra?" säger han. Hans skugga faller över duschdraperiet och hon känner hur det knyter sig i magen. Hon vill inte svara, men trots de förödmjukelser han utsatt henne för kan hon inte bemöta honom med den sorts tystnad som skulle kunna få honom att blotta sig.

"Jovars. Det har varit bra." Hon försöker låta glad och avslappnad och inte låtsas om att han står där bara några decimeter från hennes nakna kropp.

"Och pengarna räckte hela resan?"

"Ja. Jag har till och med lite kvar. Jag hade ju med mig stipendiet, så…"

"Det är bra Victoria. Du är…" Han tystnar och hon hör hur han snyftar till.

Gråter han?

"Jag har saknat dig. Det har varit tomt här utan dig. Ja, vi har förstås saknat dig båda två."

"Men nu är jag ju hemma." Hon försöker låta glad, men känner hur klumpen i magen växer eftersom hon vet vad han vill.

"Det är bra, Victoria. Duscha färdigt och klä på dig, sen vill mamma och jag prata med dig. Mamma har satt på tevatten." Han snyter sig i näsduken och snörvlar.

Ja, han gråter, tänker hon.

"Jag är strax klar."

Hon väntar tills han går innan hon stänger av vattnet och går ut och torkar sig. Hon vet att han kan komma tillbaka vilken sekund som helst och därför klär hon på sig så fort hon kan. Bryr sig inte ens om att leta upp ett par rena trosor utan tar på sig dem hon haft hela resan från Danmark.

De sitter tysta vid köksbordet och väntar på henne. Det enda som hörs är radion i fönstret. På bordet står tekannan och fatet med mandelkubb. Mamma häller upp en kopp och det luktar starkt av mynta och honung.

"Välkommen hem, Victoria." Mamma sträcker fram fatet med kubb utan att se henne i ögonen.

Victoria försöker fånga hennes blick. Försöker om och om igen.

Hon känner inte igen mig, tänker Victoria.

Fatet med kaffebröd är det enda närvarande.

"Du har väl längtat efter riktiga…" Mamma kommer av sig, ställer ner fatet och stryker några osynliga smulor från bordet. "Efter allt konstigt som…"

"Det ska bli gott." Victoria låter blicken svepa över köket och ser sedan på honom.

"Ni hade nåt ni ville berätta för mig." Hon doppar den sockertäckta bullen i teet och en stor bit lossnar och faller ner i koppen. Fascinerat ser hon hur den genast löser upp sig och hur de små smulorna faller ner till botten, som om helheten aldrig funnits.

"Mamma och jag har tänkt lite medan du varit borta och kommit fram till att vi ska flytta härifrn en tid."

Han lutar sig över bordet och mamma nickar i bifall, som för att förstärka hans påstående.

"Flytta? Vart då?"

"Jag har fått i uppdrag att leda ett projekt i Sierra Leone. Vi kommer att börja med att bo där i sex månader, sen kan vi stanna ytterligare ett halvår om vi vill."

Han tvinnar sina smala händer framför sig och hon noterar att de ser gamla och rynkiga ut.

Så hårda och så ivriga. Brännande.

Hon ryser vid tanken på att han ska röra vid henne.

"Men, jag har ju sökt till Uppsala och…" Tårarna trycker på, men hon vill inte visa sig svag. Det kan ge honom tillfälle att försöka trösta henne. Hon ser ner i koppen, rör med skeden och blandar brödsmulorna till en gröt.

"Det är ju långt ner i Afrika och jag…"

Hon kommer vara helt utlämnad åt honom. Inte känna någon och inte ha någonstans att fly om hon skulle behöva det.

"Vi har ordnat så att du kan läsa några kurser på distans. Sen kommer du att få hjälp några gånger i veckan."

Han ser på henne med sina vattniga, gråblå ögon. Han har redan bestämt sig och hon har inget att säga till om.

"Vadå för kurs?" Hon kanner hur det ilar till i tanden och stryker med handen över hakan.

De har inte ens frågat henne om tanden.

"Det är en grundläggande kurs i psykologi. Vi tror att det skulle passa dig."

Han knyter händerna framför sig och inväntar hennes svar.

Mamma reser sig och tar sin kopp till diskbänken. Utan ett ord sköljer hon den, torkar den omsorgsfullt och ställer sedan upp den i skåpet.

Victoria säger ingenting. Hon vet att det inte tjänar något till att protestera.

Det är bättre att lagra ilskan inom sig och låta den växa sig stor. En dag ska hon släppa på fördämningarna och låta elden skölja över världen och den dagen ska hon vara skoningslös och oförlåtande.

Hon ler mot honom. "Det blir nog bra. Det är ju trots allt bara några månader. Det kan bli kul att se något nytt."

Han nickar och reser sig från bordet för att markera att samtalet är över.

"Nu kan var och en gå till sitt", säger han. "Victoria behöver kanske vila lite. Själv fortsätter jag ute i trädgården. Klockan sex är bastun varm och vi kan fortsätta vårt samtal. Blir det bra?" Han ser uppfordrande först på Victoria och sedan på mamma.

De nickar tillbaka.

På kvällen har hon svårt att somna och hon vrider sig av och an i sängen.

Hon har ont eftersom han varit så hårdhänt. Skinnet svider av det kokheta vattnet och underlivet värker. Men hon vet att det kommer att gå över under natten. Förutsatt att han är nöjd och kan sova.

Hon snusar i den lilla hunden av äkta kaninskinn.

I sin inre anteckningsbok bokför hon oförätterna och ser fram emot den dagen då han och alla andra krypande ska be henne om nåd.

Karolinska

Att döda en människa är enkelt. Problemen är snarare mentala och där är förutsättningarna väldigt olika. För de flesta människor är det en mängd spärrar som måste överbryggas. Empati, samvete och eftertanke fungerar vanligen som ett hinder för att bruka dödligt våld.

Men för vissa är det inte krångligare än att öppna ett mjölkpaket.

Det är besökstid och många människor i rörelse. Utanför vräker regnet ner och stormen piskar mot fönsterrutorna. Då och då lyser en blixt upp den svarta himlen och nästan omedelbart hörs knallen.

Åskovädret är alldeles nära.

På väggen vid hissarna sitter en karta och eftersom hon inte vill fråga någon om vägen går hon fram och kontrollerar att hon inte har gått fel.

Golvet är blankpolerat och korridoren luktar av rengöringsmedel. I ena handen håller hon krampaktigt en bukett med gula tulpaner och varje gång hon möter någon ser hon ner för att undvika ögonkontakt.

Hennes kappa är alldaglig, likaså byxorna och de vita skorna med mjuk gummisula. Ingen lägger märke till henne och om någon senare mot förmodan erinrar sig henne, kommer man inte att minnas några detaljer av hennes utseende.

Hon är vem som helst och van vid att bli ignorerad. Numera gör det henne ingenting, men en gång hade nonchalansen gjort ont.

För länge sedan hade hon varit ensam, men det är hon inte längre.

63

I varje fall inte på det vis hon en gång varit.

När hon är framme vid intensivvårdsavdelningen stannar hon till, ser sig om och sätter sig ner i en av sofforna utanför ingången. Hon lyssnar och iakttar.

Ovädret tilltar och nere på parkeringen går några billarm igång. Försiktigt öppnar hon sin väska och kontrollerar att hon inte har glömt något, men allt finns där.

Hon reser sig och går beslutsamt mot entrén, öppnar dörren och kliver in. De mjuka gummisulorna gör att hon rör sig nästan ljudlöst. Hon hör några röster på avstånd. Ljudet från en teve, luftkonditioneringens surrande och de oregelbundna knäppen från lysrören.

Hon ser sig om. Korridoren är öde.

Hans rum är andra dörren till vänster. Snabbt går hon in, stänger dörren bakom sig och stannar till och lyssnar, men hon kan inte höra någonting oroväckande.

Det är tyst och hon finner honom, som väntat, ensam i rummet.

I fönstret står en liten lampa vars svaga, gula ljus ger rummet ett febersjukt sken och får det att verka ännu mindre än det är.

På sänggaveln sitter hans journal och hon tar upp den och läser.

Karl Lundström.

Bredvid sängen står ett antal olika apparater och två ställningar med dropp som via en slang är fäst på halsen, strax bredvid nyckelbenet. Från hans näsa löper två tunna genomskinliga sonder och i munnen har han ytterligare en slang. Den är grön och något grövre än de i näsan.

Han är bara en klump kött, tänker hon.

Ett sövande, rytmiskt pipande hörs från en av de livsuppehållande apparaterna. Hon vet att hon inte bara kan stänga av dem. Larmet kommer att gå och inom någon minut kommer personalen att vara här.

Samma sak om hon försöker kväva honom.

Hon ser på honom. Hans ögon rör sig oroligt under de slutna ögonlocken. Kanske är han medveten om hennes närvaro.

Kanske han till och med förstår varför hon är där, utan möjlighet att göra någonting.

Hon ställer ner väskan vid fotänden på sängen, öppnar den och innan hon går bort till droppställningen tar hon fram en liten spruta.

Det skramlar ute i korridoren, hon hejdar sig och lyssnar, gör sig beredd att gömma sprutan om någon skulle komma in, men efter en halv minut är det åter tyst.

Bara regnet utanför och ljudet från respiratorn.

Hon läser på förpackningarna med dropp.

Morphine och Nutrition.

Hon tar upp sprutan, sticker in den i övre kanten på plastpåsen med näringslösning och trycker ut innehållet. När hon drar ut nålen skakar hon försiktigt på påsen så att morfinet blandar sig med sockerlösningen.

När hon har lagt tillbaka sprutan i väskan går hon fram till nattygsbordet, tar en av vaserna och fyller den med vatten inne på toaletten.

Sedan tar hon bort pappret runt tulpanerna och sätter dem i vasen.

Innan hon lämnar rummet tar hon fram sin polaroidkamera.

Kamerablixten synkroniseras med ljuset från ytterligare en åskvigg utanför fönstret, bilden skjuts ut ur kameran och börjar långsamt framträda för hennes ögon.

Hon ser på fotografiet.

Effekten från blixten har gjort väggarna i rummet och lakanen i sängen fullständigt utfrätta, medan Karl Lundströms kropp och vasen med de gula blommorna har fått en perfekt exponering.

Karl Lundström. Han som under flera år förgrep sig på sin dotter. Han som inte ångrade sig.

Han som ville ta sitt värdelösa liv genom ett patetiskt försök att hänga sig.

Han som till och med misslyckades med det som vem som helst kan klara av.

Att öppna ett paket mjölk.

Men hon ska hjälpa honom att fullfölja tanken. Hon ska avsluta och sätta punkt.

När hon försiktigt öppnar dörren hör hon hur hans andetag blir långsammare.

Snart kommer de att upphöra helt och frigöra ett antal kubikmeter frisk luft för de levande att andas.

Gamla Enskede

De sitter tysta i bilen. Det enda som hörs är ljudet av vindrute-torkarna och det svaga knastret från polisradion. Jens Hurtig kör och Jeanette sitter i baksätet tillsammans med Johan. Hon noterar att det läcker vatten från sidofönstret, vid backspegeln.

Hurtig svänger in på Enskedevägen och kastar ett öga mot Johan.

"Du är okej, ser jag." Han ler i backspegeln.

Johan nickar tyst, vänder bort huvudet och tittar ut.

Vad är det som har hänt honom? tänker Jeanette och återigen är hon på väg att öppna munnen för att fråga honom hur han mår. Men den här gången hejdar hon sig. Hon vill inte pressa honom. Hennes tjat får honom inte att berätta och hon vet vid det här laget att det första steget måste komma från honom själv. Det får ta den tid det tar. Kanske vet han ingenting om vad som har hänt, men hon känner på sig att det är något han inte berättar.

Tystnaden i bilen känns tryckande när Hurtig svänger in på uppfarten till villan.

"Mikkelsen ringde i morse", säger han och slår av motorn. "Lundström dog i natt. Jag vill bara berätta det innan du läser det i kvällstidningarna."

Hon känner hur hon sjunker ihop. Regnets intensiva smatt-rande mot vindrutan får henne för ett ögonblick att tro att bilen fortfarande är i rörelse, fast hon vet att den står parkerad fram-för garageporten. Hennes enda spår i jakten på den som dödat pojkarna är död.

En kraftig vindstöt sköljer regnvattnet från vindrutan och får trycket i karossen att stiga. Jeanette gäspar för att få locket i öronen att släppa. Regnet avtar och illusionen av att bilen är i rullning försvinner. Hennes puls sjunker i takt med regnvattnet som letar sig ner längs sidorna på vindrutan.

"Vänta här är du snäll, jag kommer strax", säger hon och öppnar bildörren. "Kom, Johan. Vi går in."

Johan går före henne genom trädgården, uppför trappan och in i hallen. Utan att säga någonting tar han av sig skorna, hänger upp sin blöta jacka och går in på sitt rum.

Hon blir stående en stund och ser efter honom.

När hon går tillbaka ner till garageuppfarten har regnet övergått i ett stillsamt duggregn. Hurtig står och röker bredvid bilen.

"Har du gjort det till en vana?"

Han flinar och räcker henne cigaretten.

"Karl Lundström dog alltså i natt", säger hon.

"Ja, det verkar som om hans njurar till slut gav upp."

Två korridorer bort. Samma natt som Johan vaknade."Inget konstigt, alltså?"

"Nej, förmodligen inte, snarare alla mediciner de tryckte i honom. Mikkelsen lovade oss en rapport imorgon, och... ja, jag ville bara att du skulle få veta."

"Inget annat?" frågar hon.

"Nja, inget speciellt. Men han hade besök strax innan han dog. Sköterskan som hittade honom sa att han hade fått en bukett blommor under kvällen. Gula tulpaner. Från hans fru eller hans advokat. De enda registrerade besöken under kvällen."

"Annette Lundström? Är inte hon inlagd?"

"Nej, inte kliniskt inlagd. Isolerad, snarare. Mikkelsen sa att Annette Lundström knappt har lämnat villan i Danderyd på flera veckor, annat än för att hälsa på sin man. De besökte henne i morse och meddelade vad som hänt och... ja, det luktade visst rejält instängt."

Någon har gett Karl Lundström gula blommor, tänker Jeanette. Gult brukar symbolisera svek.

"Hur mår du?" frågar han. "Skönt att vara hemma, va?"

"Jätteskönt", svarar hon och tystnar. Tänker på Johan igen.

"Är jag en dålig mamma?" frågar hon.

Hurtig skrattar osäkert. "Nej, fan. Johan är snart tonåring. Han rymde, träffade nån som bjöd honom på sprit. Han blev full, allt gick fel och han skäms."

Muntra upp mig bara, tänker Jeanette. Men det där stämmer inte.

"Är du ironisk?"

Hon ser genast att han inte är det.

"Nej, Johan skäms. Det syns på honom."

Hon lutar sig mot motorhuven. Han har kanske rätt ändå, tänker hon. Hurtig trummar med fingrarna på biltaket.

"Och hur har det gått med kvinnan i Bandhagen?" säger hon och märker hur enkelt det är att falla tillbaka in i yrkesrollen. Hur skönt det är att fokusera på någonting annat än oron.

"Schwarz förhörde hennes man, men jag ska prata med honom igen."

"Då skulle jag vilja vara med."

"Visst, men du är ju inte insatt i fallet."

"Du får mejla mig det du har, så läser jag på ikväll."

När de skiljts åt går hon tillbaka in i huset och ut i köket där hon häller upp ett glas vatten som hon tar med sig in till Johan.

Han har somnat så hon ställer glaset på nattygsbordet och smeker honom på kinden.

Sedan går hon ner i källaren där hon snabbt plockar ihop en tvättmaskin med Johans smutskläder. Hans träningströja och fotbollsstrumpor. Och Åkes kvarlämnade skjortor.

Hon skakar ur det sista av tvättmedlet, stänger luckan och sätter sig ner framför den roterande trumman. Spår av ett tidigare liv snurrar runt framför henne.

Hon tänker på Johan. Tyst i bilen hela vägen hem. Inte ett ord. Inte en blick. Han har bestämt sig för att hon är diskvalificerad. Medvetet valt bort henne.

Det gör ont.

Vita bergen

Sofia Zetterlund har städat, betalat räkningar och försökt att ordna med det praktiska.

Vid lunch ringer hon Mikael.

"Så du lever fortfarande?" Hon hör att han låter sur.

"Vi måste prata..."

"Det passar inte just nu. Jag ska iväg på ett lunchmöte. Varför ringer du inte på kvällen istället? Du vet ju hur mina dagar ser ut."

"Du är rätt så upptagen på kvällarna också. Jag har lämnat några meddelanden..."

"Du, Sofia." Han suckar. "Vad är det vi håller på med? Ska vi inte bara ta och skita i alltihop?"

Hon blir stum och sväljer några gånger. "Vad menar du?"

"Ja, vi har ju uppenbarligen inte tid att träffas. Så varför envisas vi?"

När det går upp för henne vad han menar känner hon en stor lättnad. Han har föregripit henne med bara några sekunder. Han vill göra slut. Enkelt. Inga krusiduller.

Hon undslipper sig ett kort skratt. "Mikael, det är faktiskt anledningen till att jag har försökt nå dig. Har du inte tid i fem minuter så vi får prata?"

Efter samtalet sätter Sofia sig ner i soffan.

Tvätta, tänker hon. Städa och betala räkningar. Vattna blommor. Avsluta ett förhållande. Praktiska förehavanden av jämförbar storhet.

Hon tror inte att hon kommer att sakna honom.

På bordet ligger polaroidbilden hon funnit i sin jackficka.
Vad ska jag göra med den? tänker hon.
Hon förstår inte. Det är hon på bilden, men ändå inte.

Å ena sidan är hennes minnesbilder inte att lita på, Victoria Bergmans barndom är ännu full av luckor, men å andra sidan känner hon sig själv så pass väl att hon vet att detaljerna på fotografiet definitivt är av den art att de bör väcka ett minne hos henne.

Hon har en röd täckjacka på sig, med vita inslag, och hon har vita gummistövlar och röda byxor. Så skulle hon aldrig klä sig. Det ser ut som om någon klätt ut henne.

Också fyren i bakgrunden är röd och vit, vilket gör att bilden verkar arrangerad med tanke på färgerna.

Man ser inte så mycket av naturen, förutom stranden med de avbrutna träpålarna. Landskapet ser kargt ut, låga kullar med högt, gulnat gräs.

Det skulle kunna vara på Gotland, kanske på engelska sydkusten eller i Danmark. Skåne? Nordtyskland?

Platser hon varit på, men inte som så liten.

Det ser ut att vara sensommar, möjligen höst med tanke på hennes kläder. Det tycks blåsa och ser kallt ut.

Den lilla flickan som är hon själv har ett leende på läpparna, men ögonen ler inte. När hon ser närmare på bilden tycker hon att de ser förtvivlade ut.

Hur hamnade det här i min jackficka? Har det legat där hela tiden? Var det något jag stoppade på mig ute på Värmdö, innan huset brann ner?

Nej, jag hade inte den jackan på mig då.

Victoria, tänker hon. Berätta för mig vad det är jag inte minns.

Ingen reaktion.

Inte en känsla kommer till henne.

Kvarteret Kronoberg

Mord är en liten brottskategori men brottets allvar gör att det på goda grunder kan kallas för ett symbolbrott, vilket i sin tur gör att det kriminalpolitiskt är viktigt att de blir ordentligt utredda och att uppklarandenivån är hög.

I Sverige begås det varje år omkring tvåhundra mord och i nästan alla fall är förövaren en offret närstående person.

Leif Karlsson ser av flera begripliga skäl ledsen ut när Jeanette och Hurtig kliver in genom dörren till förhörsrummet och slår sig ner mitt emot honom.

Graden av misstanke mot Karlsson är den allra lägsta och lyder "kan misstänkas" och Jeanette vet att det i praktiken kan innefatta nästan vem som helst.

Hon öppnar en flaska med bordsvatten, sträcker sig efter bandspelaren och bläddrar i mappen med anteckningar hon gjort under kvällen sedan Johan somnat.

De betraktar varandra under tystnad.

Leif Karlsson är fyrtio år och något under medellängd. Han är klädd i en mörk jacka och ett par illasittande, slitna jeans.

Jeanette antar att hans stillasittande arbete som högstadielärare i franska och engelska i kombination med en alltför stor kärlek till feta såser och goda viner är orsaken till hans begynnande kulmage. Vid en första anblick skulle man nog utgå ifrån att han är fullkomligt oskyldig.

Leif Karlsson ser ut som en person som hellre öppnar fönstret åt en störande fluga än mosar den med en tidning.

Hans blick är stadigt trotsig utan att för den skull förefalla aggressiv. Av erfarenhet vet hon att människor som känner sig hotade eller som är på väg att avslöjas ofta intar en aggressiv hållning. Anfall som bästa försvar när ingenting annat finns att tillgå.

Men Leif Karlsson verkar inte ha någonting att dölja och det är han som börjar tala.

"Behöver jag en advokat?" frågar han.

Jeanette ser på Hurtig som rycker på axlarna.

"Varför tror du att du skulle behöva det?" säger Jeanette och vänder sig mot honom.

"Jag antar att jag är här för Elisabeths skull, men jag förstår inte riktigt varför. En av era kollegor, Schwarz hette han tror jag, har ju redan förhört mig och jag vet inte..."

Han slår ut med armarna i en frågande gest och Jeanette ser att hans ögon är blanka. "Jag har aldrig varit inblandad i nåt kriminellt och ja, jag vet inte riktigt hur jag ska svara."

"Det har framkommit en del nya uppgifter som min kollega Schwarz inte hade tillgång till."

Hurtig rycker till och Jeanette låtsas läsa i sina papper.

Hon nickar för sig själv och avvaktar mannens reaktion, men han sitter bara tyst och väntar. Hon märker att Hurtig börjar bli otålig.

Jeanette ser upp. "Hur var ert förhållande?" börjar hon.

"Vad menar du?" Han stirrar på henne. "Står inte det i dina papper?" fortsätter han och pekar på pappersbunten.

"Självklart står det här, men jag skulle vilja höra dig berätta lite själv." Jeanette tystnar och formulerar om frågan.

"Hur var ert kärleksliv?"

Mannen skakar på huvudet, himlar med ögonen och ler ett uppgivet leende. "Du undrar om vi låg med varandra?"

"Precis. Gjorde ni det? Låg med varandra alltså."

"Ja, det gjorde vi."

"Ofta?"

"Men, vad har det här att göra med..." Han suckar djupt och fortsätter. "Ja, vi låg väl med varandra så ofta som man gör när man varit tillsammans i femton år."

Ofta är ett relativt begrepp, tänker Jeanette.

Under det sista året tillsammans med Åke hade de kanske legat med varandra en gång i månaden.

Ibland inte ens så frekvent.

Jeanette minns hur det var när hon träffade Åke. Hur de den första tiden spenderat all vaken tid i sängen och knappt ens tagit sig tid att äta. Men det var då.

Sedan kom Johan, karriären och vardagens alla krav och det hade liksom inte blivit tid över. Jeanette känner ett stråk av sorg när hon tänker på hur enkelt det är att låta en relation ebba ut och övergå i slentrian.

Hon lutar sig fram och söker hans blick. När hon till slut fångar upp den ser hon honom djupt i ögonen och drar efter andan.

"Antingen berättar jag vad jag tror hände eller så berättar du själv och så får vi det här överstökat."

"Vad menar du?" svarar han och Jeanette kan se hur svårt han har att låta bli att flacka med blicken. Svettpärlor börjar tränga fram på hans överläpp.

"Om jag säger Mottagningen för våldtagna kvinnor på Södersjukhuset i början av maj, låter det bekant?"

Jeanette ser hur han kämpar emot och förstår att hon haft rätt.

"Eller Kvinnohusgruppen på Blekingegatan. Men det var i mars, eller hur?"

Han stirrar tomt på henne.

"Störningsjouren i april och sen Blekingegatan igen. Två ytterligare besök på Södersjukhuset." Hon avvaktar innan hon fortsätter. "Vill du att jag ska…"

Leif Karlsson snyftar till och gömmer ansiktet i händerna. "Sluta!" ber han.

Hurtig vänder sig mot Jeanette och gör en oförstående min samtidigt som han skakar på huvudet.

Jeanette skjuter tillbaka stolen, reser sig upp och samlar ihop sina papper. "Jag tror att vi är klara nu." Hon ser på Hurtig. "Skicka in Schwarz så får han avsluta det han påbörjat. Det ser bättre ut så."

Kungsgatan

Efter flera års grävningsarbete genom Brunkebergsåsen invigdes Kungsgatan i november 1911. Under arbetet hade man upptäckt lämningarna av den vikingaby som en gång legat vid nuvarande Hötorget.

Gatan som från början hade namnet Helsingegathun döptes i början av 1700-talet om till Luttnersgatan och var en ruffig gata med små skjul och gamla trähus.

Författaren Ivar Lo-Johansson har skrivit om gatan, om Klarabohemerna och de prostituerade kvinnorna som levde och verkade där.

Under sextiotalet när huvudstadens centrum flyttades söderut mot Hamngatan började gatan förfalla, men efter åttiotalets renovering återfick den lite av sin forna status.

Åklagare Kenneth von Kwist stiger av tunnelbanan vid Hötorget och har som vanligt svårt att orientera sig. Det är alltför många uppgångar och hans lokalsinne fungerar inte under jord.

Några minuter senare står han utanför Konserthuset.

Det regnar och han fäller upp sitt paraply och börjar sakta gå Kungsgatan västerut.

Han har inte bråttom.

Snarare drar han sig för att komma fram till sitt kontor på åklagarmyndigheten.

Anledningen är att han är bekymrad. Hur han än vänder och vrider på problemet blir det fel. Hur han än agerar kommer han själv att bli sittande med Svarte Petter.

Han korsar Drottninggatan, Målargatan och Klara Norra Kyrkogata.

Vad kommer att hända om han inte gör någonting alls och bara gömmer undan dokumenten längst in i den nedersta skrivbordslådan?

Det finns ju en chans att hon aldrig kommer att få höra talas om dem och med tiden kommer nya fall att dyka upp och de gamla falla i glömska.

Men när det gäller Jeanette Kihlberg tvivlar han på att hon bara kommer att gå vidare.

Hennes engagemang i de döda pojkarna har varit alltför stort och hon är alldeles för envis. Alltför hängiven sitt arbete.

I sitt sökande efter ofördelaktiga fakta om henne har han inte hittat någonting.

Inte en enda anmälan om tjänstefel.

Hon är tredje generationens polis. Både hennes far och farfar har tjänstgjort i Västerort och inte heller i deras akter finns något att anmärka på.

Han passerar Oscarsteatern och Casino Kosmopol i dansrestaurangen Bal Palais gamla lokaler.

En jävla soppa är vad det är och just nu är han den ende som kan lösa problemet.

Eller är det något han inte har tänkt på?

En infallsvinkel han missat.

Just nu är Jeanette Kihlberg fullt upptagen med sin son, men när han har återhämtat sig kommer hon att vara tillbaka i arbete och förr eller senare kommer hon också att få kännedom om de nya uppgifterna.

Det är inget han kan förhindra.

Eller kan han det?

Kvarteret Kronoberg

Efter förhöret med Leif Karlsson går Jeanette tillbaka in på sitt rum och väntar på att Hurtig ska komma efter. Hon känner sig nöjd, hon har återfått greppet över utredningsgruppen och framför allt hade hon haft rätt. Hennes inre kompass hade visat vägen.

Det förvånar henne att Leif Karlsson inte ens kommenterat händelsen. Hans hustru hade efter år av misshandel slutligen dödats av slumpen. Av ett blixtnedslag. Hade det inte skett hade misshandeln fortsatt och han hade kanske aldrig åkt fast. På morgonen hade hon ringt några korta telefonsamtal. Först till Södersjukhuset och sedan till Kvinnohusgruppen på Blekingegatan. Inte svårare än så.

Att en sådan som Schwarz kunde missa det förstår hon, men att också Hurtig underlåtit att kontrollera Elisabeth Karlssons bakgrund var oroande.

Hon tröstar sig med att alla har rätt till en dålig dag. Hon har haft många sådana dagar själv. Ja, var det i själva verket inte så att utredningen av de döda pojkarna hade varit en enda lång rad av sådana dagar?

Det knackar på dörren och polischef Dennis Billing kliver in på hennes rum.

Jeanette noterar att han ser solbränd ut.

"Så? Du är tillbaka?" frågar han flåsande, drar fram besöksstolen och tvingar ner sin långa, tunga kropp i den. "Hur mår du?"

Jeanette anar att den sista frågan rymmer mer än bara en fråga om hennes välbefinnande.

"Under kontroll. Jag sitter just nu och väntar på att Hurtig ska rapportera om Schwarz förhör med Leif Karlsson."

"Är det maken till kvinnan i Bandhagen?" Billing ser tveksam ut. "Och du tror att han har med saken att göra?"

"Jag vet att han har med saken att göra. Och just nu berättar han för Schwarz hur han våldtagit henne i skogsdungen bredvid fotbollsplanen där vi fann henne. Hon ville väl göra slut med honom, hade kanske träffat någon annan. Han följer efter henne, slår ner henne, våldtar henne. Och så träffas hon av blixten."

"Otroligt." Billing ruskar på sig, reser sig upp och gör sig redo att gå. "Så vad gör du nu?" Han öppnar dörren ut till korridoren där Hurtig står, i färd med att gå in.

"Bra jobbat, Jens." Polischef Dennis Billing vänder henne ryggen och dunkar en förvånad Hurtig på axeln. "Snabbt och snyggt. Precis som jag vill ha det."

"Har du nåt nytt åt oss?" Jeanette lutar sig tillbaka och betraktar Billings breda ryggtavla. En stor svettfläck strax ovanför byxlinningen. Ett tydligt tecken på att han sitter alldeles för ofta, tänker hon.

"Nej, inte precis. Det är lugnt just nu, så ni kanske ska ta och fortsätta era respektive semestrar."

Jeanette och Hurtig skakar samtidigt på sina huvuden, men det är Hurtig som talar. "Absolut inte. Jag tar min i vinter istället."

"Jag med", inflikar Jeanette. "Att vara ledig var alldeles för jobbigt."

Billing vänder sig om och ser på henne. "Då så. Lägg patiens några dagar i väntan på att nåt ska hända. Sortera papper. Ominstallera Windows. Ta det lugnt, helt enkelt. Hej." Utan att vänta på svar tränger han sig förbi Hurtig och går sin väg.

Hurtig stänger flinande dörren bakom honom och drar fram stolen till skrivbordet.

"Har han erkänt?" Jeanette sträcker på sig, rätar ut ryggen och lägger armarna bakom huvudet.

"Case closed." Hurtig sätter sig ner och fortsätter. "Han kommer att åtalas för flera fall av våldtäkt på hustrun, misshandel av densamme och, om han vidhåller sin berättelse i rätten, ett fall av frihetsberövande." Hurtig tystnar och det ser ut som om han tänker efter. "Jag tror han tyckte det var skönt att få berätta."

Jeanette har svårt att känna medlidande med en sådan man.

Att känna sig försmådd är ingen ursäkt, tänker hon och ser Åke och Alexandra framför sig. Det är en del av livet.

"Bra, då kan vi lägga honom åt sidan och få lite tid över till fallet med pojkarna."

Hon drar ut en skrivbordslåda och tar upp en rosa mapp som får Hurtig att fnissa till.

Hon ler. "Jag har lärt mig hur man får det angelägna att se ointressant ut. Ingen skulle någonsin bemöda sig med att öppna den." Hon börjar bläddra bland dokumenten.

"Det är några saker vi måste följa upp", säger hon. "Annette och Linnea Lundström. Ulrika Wendin. Kenneth von Kwist."

"Ulrika Wendin?" Hurtig ser frågande ut.

"Ja, jag tror inte hon har berättat allt."

Jeanette har träffat Ulrika Wendin två gånger och båda gångerna har deras möte gällt flickans anmälan mot Karl Lundström.

Den då fjortonåriga Ulrika hade träffat Lundström på nätet och tillsammans med en kamrat hade hon ordnat ett möte på en restaurang.

Kompisen hade gått därifrån, men Ulrika hade följt med till ett hotell där ytterligare män hade väntat på dem.

Ulrika hade drogats och sedan våldtagits.

Flickan trodde att det hela hade filmats.

Åklagaren hade lagt ner förundersökningen eftersom Lundströms hustru Annette gett honom alibi för den aktuella tidpunkten. Åklagaren hette Kenneth von Kwist.

Jeanette fortsätter. "Kanske har Ulrika Wendin mer att berätta om både von Kwist och Karl Lundström. Vi får gå på magkänsla."

"Och von Kwist?" Hurtig slår ut med armarna.

Åklagare Kenneth von Kwist hade varit en enda stor bromskloss i utredningen av morden på pojkarna och bara namnet på åklagaren gör Jeanette sur.

"Det är nåt skumt med konstellationen von Kwist och familjen Lundström. Jag vet inte vad det är än, men..." Jeanette tar ett djupt andetag innan hon fortsätter. "Sen är det ytterligare ett namn vi måste kolla upp."

"Vilket då?"

"Victoria Bergman."

Hurtig ser förbryllad ut. "Victoria Bergman?"

"Ja. Nån dag innan Johan försvann fick jag besök av en Göran Andersson från Värmdöpolisen. Jag har inte hunnit gå vidare med de uppgifter han gav mig på grund av allt kaos med Johan, men han berättade att Victoria Bergman inte existerar."

"Inte existerar? Vi pratade ju med henne?"

"Jovisst, men jag har kollat numret igen och det har upphört. Hon lever, men under ett annat namn. Nåt hände för tjugo år sen och hon försvann ur alla register. Nåt hände som fick Victoria Bergman att gå under jorden."

"Hennes pappa? Bengt Bergman. Han förgrep sig på henne."

"Ja, antagligen berodde det på honom. Och något säger mig att Bergmanspåret inte är helt dött."

"Bergmanspåret? Men var finns kopplingen till våra fall?"

"Återigen går jag på magkänsla. Du får kalla mig fatalist om du vill, men oavsett om det beror på ödet eller inte frågar jag mig själv hela tiden varför de här två namnen dyker upp framför näsan på oss nästan samtidigt. Ödet? Slumpen? Det gör detsamma vilket. Sambandet mellan våra fall och familjerna Bergman och Lundström finns där lik förbannat. Vet du förresten att de genom åren anlitat samma advokat? Viggo Dürer. Det är knappast en slump."

Jens Hurtig skrattar till, men Jeanette ser att han förstår allvaret i det hon säger.

"Både Bengt Bergman och Karl Lundström har vid sidan av övergreppen mot sina döttrar förgripit sig på andra barn. Du minns anmälan mot Bengt Bergman och de critreanska syskonen? En tolvårig flicka och en pojke på tio. Birgitta Bergman gav som vanligt alibi. Samma sak gäller med Annette Lundström som alltid försvarar sin man, även om han erkänner att han har varit insyltad i sexhandel med barn från tredje världen."

"Jag förstår. Det finns trådar som leder nånstans. Den enda skillnaden är väl att Karl Lundström erkände medan Bengt Bergman nekade."

"Ja. Det är en jävla härva av trådar, men jag tror att de har en gemensam knutpunkt. Allt det här hör ihop och det hör ihop med våra fall. Hela skiten andas hysch-hysch. Vi pratar om framgångsrika människor, Bergman på Sida och Lundström på Skanska. Mycket pengar. Skam i familjerna. Och vi pratar om rättsfall som sköts bristfälligt, kanske rentav medvetet inkompetent."

Hurtig nickar.

"Och det finns människor runt de här familjerna som inte existerar", fortsätter hon. "Victoria Bergman existerar inte. Och ett barn utan namn som man köper på nätet, kastrerar och gömmer i en buske, ett sånt barn existerar inte heller."

"Är du konspirationsteoretiker?"

Fanns det en ironi i Hurtigs kommentar gick den henne fullständigt förbi.

"Nej, det är jag inte. Holist, snarare, om det finns ett sånt ord."

"Holist?"

"Jag tror att helheten är större än summan av delarna. Förstår vi inte kontexten kan vi aldrig förstå detaljerna. Håller du med?"

Hurtig ser eftertänksam ut. "Ulrika Wendin. Annette och Linnea Lundström. Viggo Dürer. Victoria Bergman. Var börjar vi?"

"Jag föreslår att vi börjar med Ulrika Wendin. Jag ringer henne på en gång."

Övergrepp på barn, tänker hon. Från början till slut handlar allt om det. Två identitetslösa barn, den vitryske pojken Jurij Krylov och Samuel Bai, före detta barnsoldat från Sierra Leone. Och tre kvinnor som utsatts för sexuella övergrepp i barndomen. Victoria Bergman, Ulrika Wendin och Linnea Lundström.

Zinkens Krog

Senast Jeanette Kihlberg besökte den lilla kvarterskrogen vid Zinkensdamms idrottsplats var efter en bandymatch. Hon och Åke hade mötts i dörren av den storvuxne servitören som med en axelryckning förklarat att det var stängt på grund av slagsmål.

En överförfriskad bargäst hade somnat med drinken i handen och fallit handlöst till golvet. När han sedan kvicknat till i tron att någon gett honom en smäll gav han sig på första bästa i baren och efter trettio sekunders knytnävsslagsmål hade golvet färgats rött och dekorerats med glasskärvor.

Nu var restaurangen öppen som vanligt och den uttråkade servitören visar henne till ett litet bord vid fönstret.

Hon får vänta i fyrtiofem minuter innan Ulrika Wendin kommer och Jeanette lägger genast märke till att flickan har magrat avsevärt. Hon har samma tröja på sig som hon hade senast de sågs och nu ser den ut att vara flera nummer för stor.

Ulrika slår sig ner i stolen framför Jeanette. "Jävla SL", säger hon och slänger ifrån sig väskan. "Jag har suttit en halvtimme med en skitdryg kontrollant som inte godkände min biljett. Tolvhundra jävla spänn kostar det för att en pantad busschaffis haft fel tid på sin stämpel."

"Vad vill du ha?" Jeanette viker ihop tidningen hon har framför sig. "Jag ska käka, vill du också ha? Jag bjuder."

Leendet i flickans avmagrade ansikte ser ansträngt ut, blicken är fladdrig och kroppsspråket signalerar rastlöshet. "Jag tar samma som du."

Jeanette förstår att hur tuff den här tjejen än vill verka så mår hon inte bra.

"Du då, snuten? Hur mår du?"

Jeanette hejdar servitören och ber om menyerna. "Tack, hyfsat. Under omständigheterna. Jag ligger i skilsmässa och det är lite allmänt kaotiskt. Men annars okej."

Ulrika ser frånvarande på menyn. "Jag tar pommes med bearnaise."

De beställer och Jeanette lutar sig tillbaka i soffan.

"Är det okej om vi röker medan vi väntar på käket?" Ulrika reser sig upp innan Jeanette hinner svara. Flickans rastlöshet ligger som en hinna över hela hennes uppenbarelse.

"Gärna."

De går ut. Ulrika sätter sig ner på fönsterblecket utanför krogen och Jeanette räcker henne cigarettpaketet.

"Ulrika, jag vet att det kanske är svårt, men jag skulle vilja att vi pratar lite om Karl Lundström. Du sa tidigare att du ville berätta allt. Har du gjort det?"

Ulrika Wendin tänder cigaretten och ser nonchalant på Jeanette genom röken. "Vad spelar det för roll nu, han är väl död?"

"Det hindrar ju inte att vi går vidare. Har du överhuvudtaget fått prata med nån om det som hände?"

Flickan tar ett djupt bloss och suckar. "Nej, man la ju ner förundersökningen. Ingen trodde mig. Jag tror inte ens morsan gjorde det. Åklagaren babblade om att det fanns ett socialt skyddsnät för såna som mig, men det visade sig ju att han bara tyckte att jag behövde psykologhjälp för mitt utagerande beteende. Jag var bara en simpel, fjortishora i hans ögon. Och den där jävla advokaten…"

"Vad är det med honom?"

"Jag läste hans sammanfattning. Försvarsdokument, sa von Kwist att det hette."

Jeanette nickar. Det händer att en försvarsadvokat kopplas in redan på förundersökningsstadiet, även om det inte tillhör vanligheterna."Visst, försvarets utlåtande. Fortsätt."

"Han skrev att jag saknade all trovärdighet, att jag bara hade problem… Med allt från skolan till mina alkoholvanor. Trots att han aldrig träffat mig framställde han mig som skit. Inte värd ett jävla dugg. Jag blev så sårad att jag bestämde mig för att aldrig glömma vad han hette."

Jeanette tänker på Viggo Dürer och Kenneth von Kwist. Nerlagda fall.

Fanns det fler? Hon inser att de måste kolla upp dem. Advokatens och åklagarens bakgrunder måste synas grundligt.

Ulrika fimpar cigaretten mot fönsterblecket. "Ska vi gå in?"

Deras beställning står på bordet och Jeanette börjar äta medan Ulrika inte ens ser åt tallriken med pommes frites. Hon ser istället ut genom fönstret. Funderar på något och trummar rastlöst med fingertopparna på bordet.

Jeanette säger inget. Avvaktar.

"De känner varandra", säger Ulrika efter en stund.

Jeanette lägger ifrån sig besticken och ser uppmuntrande på flickan. "Vad menar du? Vilka då?"

Ulrika Wendin tvekar först, men plockar sedan upp sin mobiltelefon. En av de senaste modellerna, i själva verket en liten handdator.

Hur hade hon haft råd med en sån?

Ulrika trycker några gånger på telefondisplayen och vänder den sedan mot Jeanette.

"Jag hittade det på Flashback. Läs."

"Flashback?"

"Ja, läs bara. Du fattar."

Telefondisplayen visar en internetsida med en rad kommentarer.

Ett av inläggen är en lista över svenskar som uppges finansiera en stiftelse som kallar sig Sihtunum i Diasporan.

Listan innehåller ett tjugotal namn och när Jeanette ögnat igenom dem förstår hon vad Ulrika menar.

Förutom de två namn Ulrika syftar på känner hon igen ytterligare ett.

Vita bergen

Sofia Zetterlund sitter i soffan i vardagsrummet och stirrar in i mörkret. Hon har inte brytt sig om att tända sedan hon kommit hem. Det är nästan becksvart, sånär som på ljuset från gatubelysningen.

Sofia känner att hon inte kan hålla emot längre. Hon vet också att det inte är rationellt att försöka hålla det tillbaka.

De är tvungna att samarbeta, hon och Victoria. Annars blir allt bara värre.

Sofia vet att hon är sjuk. Och hon vet vad som måste göras.

Hon och Victoria utgör en komplicerad produkt av ett gemensamt förflutet, men har delats i två personligheter i ett desperat försök att hantera en brutal vardag.

De har helt olika sätt att försvara sig på och olika strategier för att läka. Sofia har hållit sjukdomen borta genom att klamra sig fast vid rutiner. Arbetet på mottagningen ger henne en ordning som dövar kaoset inom henne.

Victoria styrs av hat och raseri, de enkla lösningarna och den svartvita logiken där allt i värsta fall kan skäras bort.

Victoria hatar Sofias svaghet, viljan att smälta in och anpassa sig. De envisa försöken att tränga undan alla oförrätter och likgiltigt acceptera rollen som offer.

Sedan Victoria återvände har Sofia fyllts av ett självförakt och tappat förmågan att se den självklara vägen framför sig. Nu är allt ett gungfly.

Det finns inga självklarheter.

Två vitt skilda viljor ska tillfredsställas och reduceras till en. En hopplös ekvation, tänker hon.

Det påstås att en människa formas av sina rädslor och Sofia har utvecklat sin personlighet ur rädslan att vara Victoria. Victoria har legat latent i Sofia, som en motpol, en trampolin.

Utan Victorias egenskaper upphör Sofia att vara och blir bara ett tomt skal.

Innehållslös.

Varifrån kom Sofia Zetterlund? tänker hon. Hon kan inte minnas.

Hon drar handen över armen.

Sofia Zetterlund, tänker hon. Smakar på namnet och slås av insikten att hon själv är en skapelse av någon annan. Hennes arm tillhör egentligen någon annan.

Allt hade börjat med Victoria.

Jag är en produkt av en annan människa, tänker Sofia. Av ett annat jag. Tanken är svindlande och hon får svårt att andas.

Var kan hon finna den gemensamma punkten? Var i Victoria finns det behov som Sofia fyller? Hon måste finna den punkten, men för att göra det måste hon sluta vara rädd för Victorias tankar. Måste våga se henne i ögonen med öppet sinne. Göra sig mottaglig för det hon ägnat hela sin existens åt att komma undan.

Till att börja med måste hon finna den plats i tiden då hennes minnen är hennes egna och inte Victorias.

Hon tänker på polaroidbilden. Runt tio år, klädd i fula, rödvita kläder på en strand. Det är klart att hon inte minns. Den tiden och den sekvensen tillhör Victoria.

Sofia smeker sin andra arm. De ljusa ärrstrimmorna är Victorias. Hon brukade skära sig själv på armen med rakblad och glasbitar bakom tant Elsas hus i Dala Floda.

När uppstod Sofia? Fanns hon med under tiden i Sigtuna? På tågluffen med Hannah och Jessica? Allt är vaga minnen och Sofia inser att hennes minnesbilder blir logiska och får struktur först vid tiden på universitetet, när hon var tjugo.

Sofia Zetterlund skrevs in på universitetet och bodde fem år i studentlägenhet i Uppsala, sedan flyttade hon till Stockholm. PTP-tjänstgöring på Nacka sjukhus, efter det jobb i ett par år ute på rättspsykiatrin i Huddinge.

Därefter hade hon träffat Lasse och öppnat sin privata mottagning.

Vad mer? Sierra Leone, naturligtvis.

Hennes liv känns plötsligt så deprimerande kort och innehållslöst och hon vet att det beror på en enda person. Hennes pappa, Bengt Bergman, har stulit halva hennes liv och tvingat henne att genomlida den andra halvan som en fånge bland rutiner. Arbete, pengar, höga ambitioner, vara duktig, ha tafatta försök till ett kärleksliv vid sidan av. Hålla borta sina minnen genom att se till att vara så upptagen som det bara går.

Sofia var vid tjugo års ålder tillräckligt stark för att ta över Victorias liv, lägga det bakom sig och påbörja ett eget.

Hon måste ha fått fäste långt innan.

På universitetet fanns bara en person, Sofia Zetterlund som gömde undan Victoria precis som hon glömde sin pappas övergrepp. Utplånade Victorias existens samtidigt som hon förlorade kontrollen över henne.

Zinkens Krog

Tre namn. Tre män.

Först Karl Lundström och Viggo Dürer. Två personer vars öden på ett besynnerligt sätt tycks sammanlänkade. Men samtidigt är det kanske inte så konstigt, tänker Jeanette. Båda är medlemmar i samma stiftelse och har träffats på möten och middagar. När Lundström hamnar i knipa tar han kontakt med den enda advokat han känner. Viggo Dürer. Det är väl så det fungerar. Tjänster och gentjänster.

Listan över namnen på dem som finansierar den för Jeanette okända stiftelsen Sihtunum i Diasporan innefattar också Bengt Bergman.

Den försvunna Victoria Bergmans pappa.

Jeanette Kihlberg känner hur rummet krymper.

"Hur hittade du det här?" Jeanette lägger ifrån sig pappret och ser på den unga kvinnan mitt emot.

Ulrika Wendin ler. "Det var inte svårt. Jag googlade."

Jag måste vara en dålig polis, tänker Jeanette.

"Flashback? Hur tillförlitligt är det?" frågar hon och Ulrika skrattar till.

"Ja du, det finns rätt mycket dynga där, men en del sanningar också. Men för det mesta är det rykten om kändisar som gjort bort sig. De namnges där och när sedan kvällstidningarna gör samma sak skyller de på att det går att läsa på nätet. Ibland undrar man om det inte är journalisterna själva som startar dyngspridningen."

Jeanette antar att flickan har rätt. "Och vad är det för organisation? Sihtunum i Diasporan?"

Ulrika fattar gaffeln och börjar peta i portionen med pommes frites. "Nån stiftelse eller nåt. Men jag hittade inte så mycket om den..."

Något måste det finnas, tänker Jeanette. Jag får sätta Hurtig på det.

Hon betraktar flickans magra uppenbarelse. Blicken är blank som om den ser rakt igenom tallriken medan handen lojt gör små randiga mönster i bearnaisen med en pommes frites.

Flickan behöver hjälp.

"Du... Har du funderat på terapi?"

Ulrika kastar en snabb blick mot Jeanette och rycker på axlarna. "Terapi? Nej, knappast."

"Jag har en väninna som är psykolog och är van vid att arbeta med unga människor. Jag vet ju att du har en del saker inom dig. Det syns på dig." Jeanette gör en paus innan hon fortsätter. "Hur mycket väger du egentligen? Fyrtiofem kilo?"

Återigen en nonchalant ryckning på axlarna. "Nej, fyrtioåtta." Ulrika ler snett och Jeanette fylls av värme för henne.

"Jag vet inte om det passar mig. Jag är nog för dum för att bli hjälpt på det sättet."

Du har fel, tänker Jeanette. Så satans fel.

Trots trasigheten ser Jeanette en styrka i den unga flickan. Hon kommer att fixa det här, bara någon ger henne en hjälpande hand.

"Psykologen heter Sofia Zetterlund. Du kan träffa henne redan nästa vecka om du vill."

Hon vet att hon chansar, men hon känner Sofia tillräckligt väl för att veta att hon kommer att ställa upp. Om bara Ulrika vill det själv.

"Är det okej om jag ger henne ditt nummer?"

Ulrika skruvar på sig. "Det är väl okej... Men inget hokuspokus, va?"

Jeanette skrattar.

"Nej, jag lovar. Hon är seriös."

Vita bergen

Sofia reser sig och går ut till hallspegeln. Hon ler mot sin egen spegelbild och ser tanden Victoria slog av på ett hotellrum i Köpenhamn. Halsen hon la snaran om. Hon känner hur senig den är, så stark.

Hon knäpper upp sin blus, låter handen vandra in under. Känner den mogna kvinnans kropp, minns beröringarna av Lasse, av Mikael och av Jeanette.

Trevande letar sig handen över hennes hud. Hon sluter ögonen och känner inåt. Det är tomt. Hon tar av sig blusen och ser sig själv stå där. I spegeln följer hon sina egna konturer.

Kroppens slut är så definitivt. Där huden slutar tar världen vid.

Allt innanför är jag, tänker hon.

Jag.

Hon lägger armarna i kors över bröstet och händerna på axlarna, som en omfamning. Händerna upp över kinderna, stryker över läpparna. Sluter ögonen. Hon överrumplas av kväljningen, den sura smaken i munnen.

Den är på samma gång bekant och främmande.

Långsamt tar Sofia av sig byxorna och trosorna. Betraktar sig själv i hallspegeln. Sofia Zetterlund. Varifrån kommer du? När lämnade Victoria över till dig?

Sofia tittar på sin hud och läser den som en karta över sitt och Victorias liv.

Hon känner på sina fötter, de ömmande hälarna, vars förhårdnader aldrig blir tjocka nog för att inte slitas sönder igen.

Det är Sofias hälar.

Hon stryker händerna längs vaderna, stannar vid knäna. Hon känner ärrbildningen på dem och känner gruset under dem från när Bengt tog henne bakifrån och hans tyngd pressade och gned hennes knäskålar mot grusgången.

Victorias knän, tänker hon.

Låren. De känns mjuka i handen. Hon sluter ögonen och vet hur de sett ut efteråt. Det blåa som hon försökt dölja. Känner hur senorna på insidan värker, som efter när han tagit grepp om dem istället för benen.

Victorias lår.

Hon stryker uppåt, mot ryggen, över den. Känner ojämnheter hon aldrig registrerat tidigare.

Hon sluter sina ögon och där finns doften av varm jord, den speciella doften som hon bara känt från den röda jorden i Sierra Leone.

Sofia minns Sierra Leone, men hon minns inte ärren på ryggen, ser inte sambandet Victoria försöker visa för henne. Ibland får man nöja sig med symbolik, tänker hon och erinrar sig hur hon vaknat upp i en övertäckt jordgrop, förvissad om att hon skulle begravas levande av de barnsoldater som härskade genom ursinne. Hon känner tyngden i kroppen, det hotfulla mörkret, doften av unket tyg. Hon hade lyckats ta sig därifrån.

Nu betraktar hon det som en övermänsklig bedrift, men då hade hon inte insett att det hon gjorde egentligen var omöjligt.

Hon var den enda i sällskapet som överlevt.

Den enda som lyckats överbrygga klyftan mellan verklighet och fantasi.

Dåtid

När de skulle cykla till stranden frågade de vilken paket-
hållare hon helst ville åka på. Hans eller hennes?
Hon ville inte såra någon och började gråta.

"Ät upp nu, Victoria." Han blänger på henne över frukost-
bordet. "När du är klar kan du lägga en klortablett i poolen.
Jag ska ta mig ett dopp efter morgonmötet."

Det är redan över trettiofem grader ute och han torkar
svetten ur pannan. Hon nickar till svar och petar i den
rykande, vämjeliga gröten. Varje tugga sväller i munnen och
hon avskyr den sötade kanelen han tvingar henne att strö
över. Hans kollegor från Sida är snart här och han kommer
att lämna bordet. Då kan hon slänga resten av frukosten.

"Hur går studierna?"

Hon möter inte hans blick, men känner hur han iakttar
henne. "De går bra", svarar hon tonlöst. "Vi läser Maslow.
Det handlar om behov och motivation." Hon tror inte han
känner till Maslow och hoppas att hans okunskap ska få
tyst på honom.

Hon har rätt. "Motivation", mumlar han. "Ja, det kan du
ju behöva." Hans blick viker undan och återvänder till tall-
riken.

Behov, tänker hon.

De primära behoven måste vara tillfredsställda för att människan ska kunna förverkliga sig själv.

Det låter så självklart, men hon förstår inte vad som ska uppnås.

På samma gång är hon medveten om varför hon inte förstår. Det är hans fel.

Medan hon låtsas äta av gröten tänker hon på vad hon läst om behovshierarkin som börjar med de kroppsliga behoven. Behov som mat och sömn och hur han systematiskt berövar henne dem.

Därefter kommer behovet av trygghet, efter det behovet av kärlek och gemenskap och sedan behovet av uppskattning. Allt har han berövat henne och fortsätter att beröva henne.

I toppen av hierarkin är behovet av självförverkligande, ett ord hon inte ens har förmågan att förstå. Hon vet inte vem hon är och vad hon vill, hennes självförverkligande är ouppnåeligt eftersom det finns bortom henne, utanför hennes jag. När det gäller hennes behov har han berövat henne allt.

Dörren från altanen öppnas och en liten flicka, några år yngre än Victoria, står i dörröppningen.

"Där är du ju!" ropar han med ett leende på läpparna och ser på flickan som arbetar som allt-i-allo. Redan från första dagen har Victoria tyckt om henne.

Bengt har också fattat tycke för den lilla späda, glada flickan och han uppvaktar henne med komplimanger och inställsamma kommentarer.

Vid middagen den första kvällen hade han bestamt att hon av praktiska skäl skulle flytta från tjänstebostaden och in i det stora huset. Från den dagen har Victoria sovit tryggare än på länge och även mamma verkar tillfreds med arrangemanget.

Din blinda kossa, tänker hon. En dag hinner allt i kapp dig och du får betala för att du blundar.

Den lilla flickan kommer in i köket. Hon ser rädd ut först, men lugnar sig något när hon får syn på Victoria och Birgitta.

"Dukar du undan när vi är klara", fortsätter han vänd mot flickan, men avbryts av ljudet från en bilmotor och däck mot grus utanför det öppna fönstret. "Fan, de är här redan."

Han reser sig, går fram till flickan och rufsar henne i håret. "Har du sovit gott?" Victoria ser på flickan att hon förmodligen inte har sovit alls. Ögonen är svullna och rödsprängda och hon ser osäker ut när han tar i henne.

"Sätt dig och ät nu."

Han blinkar åt flickan och sticker åt henne en sedel som hon genast stoppar på sig innan hon sätter sig vid bordet bredvid Victoria.

"Se där", säger han innan han går ut, "du skulle kunna lära min Victoria en del om aptit." Han nickar mot tallriken och försvinner skrattande ut i hallen.

Victoria vet att kvällen kommer att bli jobbig. Är han på ett sådant här bra humör på morgonen slutar dagen oftast fullständigt nattsvart.

Han beter sig som en jävla kolonialist, tänker hon. Sida och mänskliga rättigheter? Bara ett täcknamn för att sprätta omkring som en satans slavägare.

Hon ser på den lilla späda flickan som nu är helt koncentrerad på frukosten.

Vad har han gjort med henne? Hon har några svullnader på halsen och ett litet sår på örsnibben.

"Ja, jag säger då det…" suckar mamma. "Jag ska ta hand om tvätten. Ni reder er, va?"

Victoria svarar inte. Ja, jag säger då det? Du säger aldrig någonting. Du är en tyst, blind skugga utan konturer.

Flickan har ätit färdigt och Victoria skjuter över sin tallrik till henne. Då skiner hon upp och Victoria kan inte låta bli att le tillbaka när hon går lös på den grå sörjan som är uppluckrad av ljummen mjölk.

"Du kanske vill hjälpa mig med poolen? Jag ska visa hur man gör." Flickan ser på henne över tallriken och nickar jakande mellan tuggorna.

När hon ätit klart går de ut i trädgården och Victoria visar var klortabletterna finns.

Den svenska biståndsorganisationen Sida disponerar flera hus i utkanten av Freetown och de bor i ett av de största, men också det som ligger mest avsides. Det vita trevåningshuset är omgärdat av en hög mur och infarten vaktas av några beväpnade män i kamouflagekläder.

Innanför muren finns en stor trädgård med höga palmer och täta buskage av rhododendron.

Framför den stora, stenlagda verandan finns en njurformad pool.

En liten stig leder ner till det sydvästra hörnet där ett par mindre byggnader fungerar som tjänstebostäder åt personalen vilken består av en kock, en hushållerska och en trädgårdsmästare.

Victoria kan höra männens röster inifrån huset. De har förlagt konferensen hit eftersom det just nu inte är tillräckligt säkert inne i Freetown.

"Riv av kanten på den där förpackningen", uppmanar Victoria. "Sen lägger du försiktigt ner tabletten i vattnet."

I flickans ögon ser hon en tveksamhet och erinrar sig att poolen är strikt förbjuden för tjänstefolket att använda.

"Jag säger att du får", envisas Victoria. "Det är faktiskt min pool också. Jag kan också bestämma över den och jag säger att du får."

Flickan ler ett triumferande leende som bara finns hos den som för ett ögonblick tillåts ta plats bland de upphöjda medan hon med överdrivna gester stoppar ner handen i poolen. Handen sveper fram och tillbaka innan hon släpper taget och följer med blicken hur tabletten sakta sjunker ner till botten. Hon tar upp sin våta hand och tittar på den.

"Var det skönt i vattnet", frågar Victoria och får en försiktig nick till svar.

"Ska vi bada innan han kommer?" fortsätter hon.

Flickan är tveksam och efter en stund ruskar hon på huvudet och säger något om att det inte är tillåtet. Victoria har fortfarande svårt att förstå brytningen, engelska uppblandat med något stamspråk.

"Du får för mig", säger hon, kastar ett öga mot huset och börjar klä av sig. "Strunta i dem, vi hör när de börjar bli klara."

Hon dyker ner i poolen och simmar två längder under vattnet.

Hon känner sig trygg där nere, stryker nästan botten med magen, andas ut luften i lungorna och låter kroppen sjunka.

Hon föreställer sig att hon är inuti en dykarklocka, ett upp och nervänt glas av gjutjärn som sänkts ner i vattnet och ställts på botten med en trygg luftficka att andas i, där bara hennes andetag ryms.

Hon svävar stilla en stund strax ovanför botten och njuter av trycket i trumhinnorna.

Vattnet mellan henne och världen där uppe utgör ett kompakt skydd.

När syret börjar ta slut simmar hon vidare och när hon närmar sig bassängkanten ser hon att flickan har stuckit ner benen i vattnet. Victoria dyker upp bredvid och möts av den bländande solen. Flickan sitter på badstegen och ler i motljuset.

"Like fish", säger hon och pekar på Victoria, som skrattar tillbaka.

"Hoppa i du med. Vi säger att jag tvingade dig." Hon spjärnar med benen mot kanten och häver sig bakåt. "Kom nu!"

Flickan flyttar sig ett trappsteg närmare vattnet, men gör ingen ansats att hoppa i.

"Cannot swim", säger hon och ser ut att skämmas.

Victoria vänder och simmar tillbaka till badstegen. "Kan du inte simma? I så fall måste jag lära dig."

Snart är flickan övertalad, men hon vägrar att bada i bara trosor och behå som Victoria.

"Sandalerna måste av i alla fall och du kan ju dra på dig den här." Hon slänger åt henne det tunna linnet hon själv nyss burit.

Under det att flickan drar av sig klänningen och snabbt byter om till linnet hinner Victoria se att hon har flera, stora blåmärken på magen och i ryggslutet. Känslan som kommer över henne är egendomlig.

Det första hon känner är vred över vad han gjort, sedan lättnad över att det inte är hon själv som blivit slagen.

Därefter kommer skammen krypande tillsammans med en ny känsla hon inte upplevt förut. Hon känner skam över att hon är sin pappas dotter, men samtidigt spirar något i henne som gör att hon tappar lusten att lära flickan simma.

Hon ser på den magra gestalten som leende står vid poolkanten i det allt för stora linnet. Hennes eget linne med ett färgtryck av Sigtunaskolans emblem.

Hon mår plötsligt illa av att se på flickan som bär hennes kläder och är på väg ner i vattnet på bassängens grunda sida. Victoria försöker se vad det är han ser i flickan. Hon är vacker och oförstörd, hon är yngre och hon säger antagligen inte emot honom som Victoria börjat göra.

Vem fan är du som tror att du kan ta min plats? tänker hon.

Flickan rör sig mer självsäkert nu, vattnet når henne snart till bröstet och det stora linnet flyter upp på ytan. Hon skrattar generat och förgäves försöker hon skyla sig genom att dra ner linnet över kroppen.

"Kom hit." Victoria försöker låta vänlig, men hon hör att tonen nu snarare är befallande.

En minnesbild dyker upp i hennes huvud. En liten pojke som hon älskade, men som svek henne och sedan drunknade. Så enkelt det skulle vara, tänker hon.

"Fall framåt i vattnet, så håller jag i dig underifrån."

Victoria placerar sig vid sidan av flickan som först tvekar. "Såja, var inte feg. Jag tar emot dig."

Försiktigt glider hon ner i vattnet.

Hon känns lätt som ett litet barn i Victorias famn.

Flickan rör armarna och benen enligt instruktionerna, men när Victoria låter henne flyta själv så slutar hon genast att simma och börjar sprattla istället. Victoria blir irriterad varje gång, men uthärdar och styr flickan sakta men säkert ut på djupare vatten.

Här bottnar hon inte, tänker Victoria som håller sig över ytan genom att trampa vatten.

Så släpper hon taget.

Kvarteret Kronoberg

"Sihtunum i Diasporan? Vad betyder det?" Jens Hurtig ser frågande på Jeanette Kihlberg.

"Det är runsvenska för Sigtuna och klassisk grekiska för att leva i exil. Det betyder alltså Sigtuna utanför Sigtuna och är en stiftelse som består av utflyttade Sigtunabor. Den gemensamma nämnaren verkar vara att medlemmarna har eller har haft en koppling till internatskolan där."

"Internatskolan? Den Jan Guillou gick på?"

"Nej, inte den. Det här är kungens gamla skola. Sigtuna humanistiska läroverk är Sveriges största och förnämsta internatskola. Olof Palme gick där, Povel Ramel och Peter och Marcus Wallenberg, om namnen är bekanta?" Jeanette flinar och Hurtig ler tillbaka.

Han stänger dörren och sätter sig ner på andra sidan skrivbordet. "Stöder kungen den här stiftelsen, menar du?"

"Nej, namnen i stiftelsen är inte lika kända, men jag är säker på att du åtminstone känner igen tre av dem."

Hurtig visslar till när Jeanette visar honom utskriften på donatorer.

"Dürer, Lundström och Bergman uppges ha skänkt stora summor pengar till stiftelsen sedan mitten av sjuttiotalet", fortsätter Jeanette. "Men stiftelsen saknas i länsstyrelsens förteckning, vilket är märkligt eftersom den är verksam i Sverige."

"Hur vet du det här?"

"Mestadels tack vare Ulrika Wendin. Känner du till Flashback?"

Hurtig nickar. "Dyngspridaren?"

"Ulrika antydde något liknande. Vill du veta vilka av dina grannar som är pedofiler eller vilka kändisar som har stora könsorgan är det sannolikt att du får veta det där..." Hon avbryts av Hurtigs skratt. "Vad är det som är så roligt?"

"Liam Neeson", säger han, "har en stor. Brad Pitt en liten. Har redan kollat."

"Fan, vad barnslig du är." Hon kan inte låta bli att le åt honom. Hon hade bara tagit ett exempel, ryckt ur luften. "Ja, ja. Då vet du att du hittar rykten och spekulationer, men där finns också mycket som stämmer. Flashbacks användare publicerar icke offentliggjorda uppgifter på brottslingar som står under utredning. Till och med förhörsprotokoll, som verkligen inte borde få finnas där. En användare var särskilt intresserad av Karl Lundström och under perioden som han utreddes publicerades en rad inlägg. Bland annat listan över donatorer till stiftelsen och en beskrivning av deras verksamhet. Flashbackanvändaren ondgör sig över vad de pysslar med, med tanke på att Lundström var pedofil."

"Intressant. Vad står det i verksamhetsbeskrivningen?"

Jeanette tar fram ett papper och läser högt. "Stiftelsens ändamål är att stävja fattigdom och att främja barns livsvillkor i alla delar av världen."

"En pedofil som hjälper barn, alltså?"

"Två pedofiler, minst. Listan innehåller tjugo namn, av vilka vi med säkerhet vet att två är pedofiler. Bergman och Lundström. Det är tio procent. Övriga namn är för mig obekanta, förutom Dürer, som är familjernas advokat. Kanske finns det fler intressanta namn? Du förstår vad jag menar?"

"Jag fattar. Nåt annat?"

"Inget som vi inte redan vet." Jeanette lutar sig fram över skrivbordet och sänker rösten. "Hurtig, du verkar känna till den här sajten och är bättre på datorer än vad jag är. Tror du att det är möjligt att spåra användaren? Kan du göra det?"

Hurtig ler, men svarar inte på frågan. "Bara för att jag är man är jag inte bättre än du på datorer."

Hon antar att han genom åren uppmärksammat hennes intresse för könsroller, och nu vill kasta det hon sagt tillbaka till henne.

"Nej, inte för att du är man", säger hon. "För att du är yngre, du spelar ju för fan dataspel fortfarande."

Hurtig ser förlägen ut. "Dataspel? Nja..."

"Skitsnack. När vi är ute på stan dröjer du kvar vid skyltfönstren utanför spelbutikerna och du har förhårdnader på fingertopparna, ibland till och med blåsor. En gång när vi lunchade sa du att pizzabagaren liknade din karaktär i GTA. Du är en storspelare, Hurtig. Punkt."

Nu skrattar han igen, nästan avslappnat. "Nåja, det är ju ändå mitt privatliv. Men att spela dataspel är inte samma sak som att vara bra på datorer..."

"Du umgås med dem dagligen", avbryter Jeanette.

Hurtig ser förvånat på henne. "Hur vet du det?"

Jeanette rycker på axlarna. "En kvalificerad gissning. Jag har hört dig och Schwarz diskutera datorer. Bland annat tyckte du att vårt datasystem för övertidsregistrering såg ut som nåt från teknikens stenålder."

"Okej, men..." Han ser tveksam ut. "Att spåra användaren? Är inte det dataintrång?"

"Ingen behöver veta nåt. Har vi en IP-adress så kanske vi har ett namn. Kanske leder det oss vidare, kanske inte. Vi behöver inte göra nån stor affär av det. Vi ska inte trakassera nån, inte spionera, inte registrera åsikter. Allt jag vill ha är ett namn."

"Du är okonventionell."

Och jag bryter mot lagen, tänker Jeanette. Men ändamålen helgar ibland medlen.

"Okej, jag gör ett försök", fortsätter Hurtig. "Funkar det inte känner jag kanske någon som kan hjälpa oss."

"Utmärkt. Sen är det listan över donatorer. Kolla upp dem också när du ändå är igång, så tar jag tag i Victoria Bergman."

När Hurtig lämnat rummet gör hon en slagning på Victoria Bergman i polisens register, men som väntat utan resultat.

Visserligen finns det två Victoria Bergman daktade, men ingen av dem stämmer i ålder med den Victoria som gått på Sigtuna.

Nästa steg är att kolla folkbokföringen och Jeanette loggar in på Skatteverkets register över alla nu levande svenska medborgare.

Det finns trettiotvå personer döpta till Victoria Bergman.

De flesta med den vanligare stavningen Viktoria, men det betyder inte att dessa går att utesluta. Stavning är något som kan förändras med tiden och Jeanette tänker på en klasskamrat på högstadiet som bytte ut sina S mot Z och med ett enkelt penndrag förvandlade det alldagliga Susanne till det mer exotiska Zuzanne. Några år senare hade Zuzanne dött av en överdos heroin.

Hon utökar sökningen och får fram alla de berörda personernas självdeklarationer.

Allas utom en.

Som nummer tjugotvå på listan finns en Victoria Bergman folkbokförd på Värmdö.

Våldtäktsmannen Bengt Bergmans dotter.

Jeanette ändrar sökningen till att gälla skattedeklarationen för året innan, men samma sak där. Victoria Bergman på Värmdö struntar uppenbarligen i att lämna in uppgifter om sina inkomster och eventuella avdrag.

Hon söker tio år tillbaka i tiden, men ingenting.

Inte en uppgift.

Bara ett namn, ett personnummer och så adressen ute på Värmdö.

Jeanette blir ivrigare och söker i alla de dataregister hon har tillgång till, men hur hon än letar bekräftas det hon fått veta av Göran Andersson på Värmdöpolisen.

Victoria Bergman har bott på samma plats sedan hon var barn, aldrig tjänat en krona och heller aldrig haft en utgift, inga betalningsanmärkningar, inga skulder hos kronofogden och inte ett endaste litet sjukhusbesök under nästan tjugo år.

Hon beslutar sig för att under dagen kontakta Skatteverket per telefon för att ta reda på om det kan vara något fel.

Sedan erinrar hon sig att hon talat med Hurtig om att göra en gärningsmannaprofil och kommer att tänka på Sofia.

Kanske är det dags att göra slag i saken.

Det som från början varit ett hugskott kanske ändå inte var en så dålig idé när allt kom omkring. Av det hon vet så har Sofia tillräcklig erfarenhet för att kunna göra en temporär gärningsmannaprofil.

Samtidigt kan det vara förödande att låsa sig vid en beskrivning och helt förlita sig på ett psykologiskt utlåtande.

Det var nästan lika vanligt att en utredning blev missledd av en dåligt utformad gärningsmannaprofil som den blev hjälpt av en kompetent beskrivning av en eventuell förövare och Jeanette tänker på Niklas Lindgren, den så kallade Hagamannen. Var det inte så att utredningen försvårats av att gärningsmannaprofilen varit helt uppåt väggarna? Jo, så var det.

Flera av landets skickligaste rättspsykiatriker ansåg att det måste handla om en udda person, utan närmare vänner och kärleksfulla relationer.

När han sedan greps misstänkt för åtta grova överfall, våldtäkter och mordförsök, visade det sig att han var en till synes beskedlig tvåbarnsfar med samma arbete och samma relation sedan ungdomstiden.

Alltså måste hon vara vaksam och inte låta sig styras av Sofia Zetterlund.

Det får bära eller brista och hon har trots allt ingenting att förlora. Dessutom måste hon tala med henne om Ulrika Wendin. Hon lyfter luren, slår numret till mottagningen vid Mariatorget och ställer sig vid fönstret.

Utanför ligger Kronobergsparken öde, bortsett från en yngre man som håglöst rastar sin hund samtidigt som han knappar på en mobiltelefon. Jeanette betraktar med slött intresse hur hunden hela tiden fastnar med kopplet runt en papperskorg, stannar och ser uppfordrande på sin frånvarande husse.

Det är Ann-Britt som svarar, men hon kopplar genast Jeanette vidare.

"Sofia Zetterlund."

Jeanette blir glad över att höra hennes röst. Hon tycker om den mjuka, mörka tonen.

"Hallå?"

"Hej, det är bara jag" skrattar Jeanette. "Vad vet du om arbetet med att skapa en gärningsmannaprofil?"

"Va?" skrattar Sofia tillbaka och Jeanette tycker hon låter lugn och avslappnad. "Är det du, Jeanette?"

"Ja, vem annars?"

"Det borde jag ha förstått. Rakt på sak, som vanligt." Sofia tystnar och Jeanette hör hur hon lutar sig tillbaka. Det knarrar från arbetsstolen. "Du undrar vad jag vet om gärningsmanna-profilering?" fortsätter hon. "Rent praktiskt inte mycket alls faktiskt, men jag antar att man studerar de mest troliga demo-grafiska, sociala och beteendemässiga egenskaper gärningsman-nen kan tänkas ha. Sen skulle i varje fall jag börja leta i den grupp där det är mest troligt att man hittar honom och med lite tur så…"

"Mitt i prick!" avbryter Jeanette och gläds över att Sofia utan att tveka börjar spekulera. "Faktum är att vi idag kallar det för ärendeanalys", fortsätter hon. "Det låter lite torrare, men det är också mindre laddat med förväntningar." Hon tänker efter inn-an hon utvecklar. "Syftet med arbetet är precis som du sa att minska antalet möjliga misstänkta och förhoppningsvis kunna inrikta utredningen mot en speciell person."

"Vilar du aldrig?" utbrister Sofia.

Det har bara gått några dagar sedan Johan kommit hem från sjukhuset och Jeanette har redan kastat sig tillbaka in i arbetet. Är det *det* Sofia menar? Att hon är känslokall och rationell. Men vad skulle hon annars göra?

"Det vet du att jag gör", svarar hon sedan, tveksam över om hon ska känna sig förnärmad eller omhuldad. "Men jag behöver verkligen din hjälp med det här. Av olika skäl har jag ingen annan att fråga." Hon inser att hon måste vara uppriktig. Om Sofia inte åtar sig uppdraget har Jeanette ingen annan att vända sig till.

"Okej", svarar Sofia efter viss tvekan. "Jag antar att hela idén bygger på teorin om att det vi människor gör i livet utförs i över-ensstämmelse med vår personlighet. Typ, en tvångsmässig per-son har i regel ordning på skrivbordet och bär sällan en ostruken skjorta."

"Precis", svarar Jeanette. "Och genom att rekonstruera hur ett brott har utförts kan man dra slutsatser om personen som har gjort det. Det har visat sig att avvikande personer begår brott på ett sätt som stämmer överens med personligheten."

"Jag antar att ni dessutom använder er av statistik."

Jeanette fascineras av Sofias rörliga intellekt och snabba analysförmåga.

"Självklart."

"Och nu vill du ha hjälp av mig?"

"Det handlar om en förmodad seriemördare och vi har några namn att gå på. Vissa signalement och lite annat." Hon gör en konstpaus för att understryka vikten av det hon nu ska säga. "Den som ska göra ärendeanalysen måste undvika att titta på eventuella misstänkta. Det stör helt enkelt den totala bilden och blir till ett filter som försvårar sikten."

Sofia är tyst och Jeanette hör hur hennes andning blir häftigare, men hon säger ingenting.

"Skulle vi kunna ses hemma hos mig senare ikväll och fortsätta prata?" frågar Jeanette för att fånga upp Sofia om det är så att hon börjat tveka. "Jag har också en annan sak jag skulle vilja be dig om."

"Jaha, vadå?"

"Det tar vi ikväll om det funkar för dig."

"Visst. Jag kommer", svarar Sofia med en ton som plötsligt är helt befriad från entusiasm.

De lägger på och Jeanette slås än en gång av att hon inte vet någonting om Sofia.

De plötsliga humörsvängningarna.

Över telefonen framstår hon än mer svårgripbar.

Att fatta tycke för en person kan ta ett par minuter, att lära känna någon kan ta år.

Samtidigt som Jeanette vill komma Sofia närmare känns det henne övermäktigt.

Som att stirra upp i himlen och sakta lära sig känna igen stjärnbilderna, lära sig deras namn och historia.

Först därefter kommer hon att kunna känna sig trygg.

Men hon kan inte låta bli. Hon vill åtminstone försöka.

Hon bestämmer sig för att ringa upp Åkes mamma och ordna så att Johan kan vara hos henne och farfar över helgen. Han är trygg hos dem och kan behöva lite ombyte. Nån som pysslar om honom och ger honom full uppmärksamhet. Allt det hon själv just nu inte kan erbjuda.

Åkes mamma blir glad över att få ställa upp och de kommer överens om att hon ska hämta honom under kvällen.

Så var det samtalet om Victoria Bergman.

Telefonkön hos Skatteverket gör inte skillnad på folk och folk och kriminalkommissarie Jeanette Kihlberg inordnar sig snällt i ledet.

En metallisk datorröst informerar henne vänligt men omutligt att hennes samtal behandlas av trettiosju handläggare och att hon har könummer tjugonio. Väntetiden uppskattas till fjorton minuter.

Jeanette knäpper på högtalarfunktionen och passar på att vattna blommorna och tömma papperskorgen medan den entoniga rösten malande räknar ner.

Du har könummer tjugotvå. Väntetid är elva minuter.

Någon måste en gång ha läst in alla möjliga och omöjliga siffror, tänker hon samtidigt som det knackar på dörren och Hurtig kliver in.

När han hör rösten från högtalartelefonen gör han en min av att inte vilja störa, men Jeanette visar med en gest att det är okej.

"Jag ska strax gå hem och ville bara kolla läget", viskar han och börjar sakta gå tillbaka ut mot korridoren.

"Vänta", säger hon och sätter sig ner igen. "Sofia Zetterlund kommer hem till mig ikväll. Hon har lovat att hjälpa oss att utforma en gärningsmannaprofil."

"Är det sanktionerat?"

"Nej, det är helt på mitt eget initiativ och stannar mellan dig och mig."

"Jag vet inte vad du pratar om." Han skrattar till och fortsätter. "Jag gillar hur du tänker, Jeanette. Hoppas det kan ge nåt."

"Vi får se. Det är första gången för henne, men jag litar på henne och tror att hon kan bidra med nya infallsvinklar."

Det piper till i telefonen åtföljt av ett knastrande. "Skattemyndigheten, vad gäller det?"

Hurtig vinkar, backar ut och stänger försiktigt dörren bakom sig.

Jeanette presenterar sig och handläggaren ursäktar väntetiden, men frågar samtidigt varför hon inte har använt sig av direktlinjen. Jeanette förklarar att hon inte kände till den och att hon trots allt fått en stund över för lite kontemplation och eftertanke.

Handläggaren skrattar och frågar om hennes ärende och när hon förklarar att hon ville ha precis allting som finns om Victoria Bergman, född 1970 och mantalsskriven på Värmdö, så ombeds hon vänta.

Efter ett par minuter återkommer handläggaren och låter förbryllad.

"Jag antar att det är Victoria Bergman, 700607, du syftar på?"

"Kanske. Jag hoppas det."

"I så fall finns det ett litet problem."

"Jaha, vad då för problem?"

"Ja, allt jag får fram är en hänvisning till Nacka tingsrätt. I övrigt finns ingenting."

"Men vad står det, ordagrant?"

Handläggaren harklar sig. "Jag läser högt. Enligt beslut av Nacka tingsrätt omfattas personen av identitetsskydd. Alla frågor gällande vederbörande hänvisas därför till tidigare nämnd myndighet."

"Är det allt?"

"Ja." Handläggaren suckar lakoniskt.

Jeanette tackar för sig, lägger på luren, ringer upp polisens växel och ber att få bli kopplad till Nacka tingsrätt. Helst via ett direktnummer.

Tingsnotarien är inte fullt lika tillmötesgående som handläggaren på Skatteverket, men lovar att skicka över allt som finns om Victoria Bergman så fort som möjligt.

Jävla byråkrat, tänker Jeanette, önskar avslutningsvis notarien en trevlig kväll och lägger på.

Klockan tjugo över fyra får hon ett mail från tingsrätten.

Jeanette Kihlberg öppnar det bifogade dokumentet. Till sin besvikelse ser hon att de samlade uppgifterna från Nacka tingsrätt ryms på två rader.

VICTORIA BERGMAN, 1970– XX – XX – XXXX
ÄRENDET KONFIDENTIELLT.

Gamla Enskede

Gärningsmannaprofil anses särskilt användbart när det gäller seriebrott. Idén är att man utifrån kunskap om mordoffret och brottsplatsen analyserar allt som kan avslöja speciella egenskaper hos gärningsmannen.

Hur gick morden till? Hur behandlades offren före och efter döden? Finns tecken på sexuellt eller rituellt beteende? Kan man anta att gärningsmannen kände offret?

Utifrån kriminaltekniska fynd görs en systematisk analys där man använder psykologisk och rättspsykiatrisk kunskap för att skaffa sig en bild av mördaren vilken kan vara till nytta under utredning och spaning.

I Sverige skapades en speciell gärningsmannaprofilgrupp vid Rikskriminalen och hade delvis att göra med fallet som rörde den styckmördade Catrine da Costa.

Jeanette hör bilen komma, den svänger upp på garageinfarten och parkerar bakom hennes Audi.

Bildörren slås igen, sedan steg mot grusgången och ringklockans skorrande i hallen.

Det pirrar till i hennes mage och hon känner sig nervös.

Innan hon går för att släppa in Sofia ser hon sig i spegeln och rättar till håret lite.

Kanske borde jag ha sminkat mig, tänker hon. Men eftersom hon inte gör det annars skulle det bara kännas konstigt och påklistrat. Faktum är att hon knappt vet hur man gör. Lite läppstift och mascara klarar hon av, men sedan?

Hon öppnar dörren och Sofia Zetterlund kliver in i hallen och stänger efter sig.

"Hej och välkommen." Jeanette ger Sofia en lätt kram men är rädd för att hålla kvar för länge. Vill inte vara alltför tydlig.

För tydlig för vad då, tänker hon och släpper taget.

"Vill du ha ett glas vin?"

"Gärna." Sofia betraktar henne med ett litet leende. "Jag har saknat dig."

Jeanette ler till svar och undrar var all nervositet kommer ifrån. Hon betraktar Sofia och noterar att hon ser härjad ut. Ett sting av oro går igenom Jeanette som hittills bara sett en oklanderlig Sofia.

Jeanette går ut i köket och Sofia följer efter.

"Var är Johan?" frågar Sofia.

"Han är hos sin farmor över helgen", svarar Jeanette. "Åkes mamma hämtade honom nyss och han sa knappt hej när han stack. Det är tydligen bara mig han vägrar tala med."

"Avvakta. Det går över, tro mig."

Sofia ser sig om i köket, som om hon försöker undvika att titta Jeanette i ögonen. "Vet du något mer om vad som hände på Gröna Lund?"

Jeanette suckar och öppnar en vinflaska. "Han säger att han träffade en tjej som bjöd honom på öl. Sen minns han inget mer. Åtminstone påstår han det."

Jeanette räcker Sofia ett glas.

"Tror du honom?" frågar Sofia och tar emot.

"Jag vet inte. Men han mår helt klart bättre nu och jag har bestämt mig för att inte vara tjatig morsa. På det sättet får jag ingenting ur honom. Jag är bara så tacksam över att han är hemma igen." Jeanette pekar mot köksbordet.

"Och vad säger Åke?" Sofia sätter sig ner och lägger armarna på bordet.

"Ingenting", säger Jeanette och skakar på huvudet. "Han är övertygad om att det bara är Johans första tonårsrevolt."

"Och vad tror du?" Sofia tittar Jeanette i ögonen när hon frågar.

"Jag vet inte. Men jag fattar att det inte är lönt att rota vidare just nu. Johan behöver stabilitet."

Sofia ser fundersam ut. "Vill du att jag ordnar en tid åt honom på BUP?"

"Nej, för fan. Han skulle skrika rakt ut. Det jag menar är att han behöver normalitet, till exempel en mamma som är hemma på kvällarna när han kommer hem från skolan."

"Så du och Johan är överens om att allt är ditt fel?" säger Sofia.

Jeanette hejdar sig mitt i rörelsen. Mitt fel, tänker hon och smakar på orden. Att göra fel mot sitt barn smakar beskt, det smakar igengrodd diskbänk och nersölade golv. Det smakar unken svett om den däckade morsan, inpyrd cigarettrök och obytt blöja.

Hon fäster blicken på Sofia och hör sig själv fråga vad hon menar.

Sofia lägger leende handen över Jeanettes. "Ta det lugnt", säger hon tröstande. "Det som hänt kan vara en reaktion på er skilsmässa och han ger dig skulden därför att du är den som står honom närmast."

"Han tycker att jag svikit honom, menar du?"

"Ja", svarar Sofia med samma mjuka stämma. "Men det är givetvis irrationellt. Det är Åke som svikit. Kanske Johan betraktar dig och Åke som en enhet. Ni är föräldrarna som svikit honom. Åkes svek blir ert svek som föräldrar..." Hon gör en paus innan hon fortsätter. "Förlåt mig, det låter som om jag raljerar."

"Ingen fara. Men hur tar man sig ur det? Hur förlåter man ett svek?" Jeanette tar en djup klunk ur glaset innan hon uppgivet ställer det ifrån sig på bordet.

Det milda i Sofias ansikte försvinner och hennes röst hårdnar. "Svek förlåter man inte. Man lär sig leva med det."

De sitter tysta och Jeanette ser Sofia djupt i ögonen.

Jeanette förstår, om än motvilligt, vad hon menar. Ett liv är fullt av svek och lär man sig inte hantera dem är man knappt livsduglig.

Jeanette lutar sig tillbaka och i en djup utandning gör hon sig av med hela dagens lagrade anspänning och oro över Johan.

Ett djupt andetag och hjärnan börjar arbeta.

Hon säger: "Kom, vi går upp."

Sofia ler mot henne.

Efteråt är sängen varm och fuktig och Jeanette för täcket åt sidan. Sofias hand smeker henne över magen i långsamma, mjuka rörelser.

Hon ser ner på sin nakna kropp. Den ser bättre ut när hon ligger ner än när hon står. Magen blir plattare och vecket efter kejsarsnittet slätas ut.

Kisar hon med blicken ser hon ganska bra ut. Ser hon efter noga så syns bara leverfläckar, ådernät och celluliter.

Hon saknar ord för att beskriva sin kropp.

Den ser bara använd ut.

Sofias är renare, nästan som en tonårings, och just nu är den svettblank.

"Du", säger Jeanette avvaktande. "Jag skulle vilja att du träffade en tjej jag känner, eller jag har i princip lovat henne att få träffa dig, det kanske var dumt men…"

Hon avbryter sig för att få ett godkännande från Sofia och när hon ser på henne får hon en nickning till svar.

"Den här tjejen är ganska trasig och jag tror inte att hon är kapabel att reda ut sin situation själv."

"Vad har hon för problem?" Sofia vänder sig i sängen och lägger armarna under kudden. Konturen av hennes nakna höfter distraherar Jeanette.

"Ja, jag vet inte så mycket mer än att hon råkat ut för Karl Lundström."

"Oj då", replikerar Sofia. "Ja, det räcker för mig. Jag kollar upp tider imorgon så hör jag av mig."

Sofias ansikte är gåtfullt. Leendet ser nästan blygt ut.

"Du är bra du", säger Jeanette och vilar i känslan av att hon inte är förvånad över att Sofia ställer upp. När det handlar om att hjälpa finns det ingen tvekan hos henne.

"Jag antar att Lundström inte längre är misstänkt för morden eftersom du vill upprätta en gärningsmannaprofil?"

Jeanette fnyser. "Nja, för det första är han ju död, men jag tror i grund och botten att han bara agerat syndabock. Vad vet du om sexualmördare?"

"Återigen rakt på och utan krusiduller." Sofia lägger sig på rygg igen och funderar lite innan hon fortsätter. "Det finns två typer av dem. Organiserade och kaotiska. De organiserade kommer ofta från socialt välordnade förhållanden, åtminstone på ytan, och ter sig överhuvudtaget som osannolika mördare. De planerar sina mord och lämnar få spår. De binder och torterar sina offer innan de mördar dem, och de letar upp offren på platser de själva inte kan spåras till."

"Och den andra typen?"

"De är de kaotiska sexualmördarna. Oftast har de svåra bakgrundsförhållanden och så utför de sina mord slumpmässigt. Det händer till och med att de känner sina offer. Kommer du ihåg Vampyren?"

"Nej, inte bara så där."

"Han dödade sina två styvsystrar och avslutade med att dricka av deras blod och jag tror till och med att han åt…" Sofia tystnar och gör en min av äckel innan hon fortsätter. "Visserligen har många mördare drag av bägge typerna men erfarenheten är att huvuduppdelningen för det mesta stämmer och jag antar att de olika mördartyperna lämnar olika slags spår på en brottsplats?"

Åter slås hon av Sofias snabbhet.

"Fan, du är helt otrolig! Är det säkert att du aldrig gjort en gärningsmannaprofil förut?"

"Aldrig. Men jag är läskunnig, utbildad psykolog, har arbetat med psykopater och bla, bla, bla."

De skrattar tillsammans och Jeanette känner hur mycket hon tycker om Sofia. De tvära kasten mellan allvar och skämt. Förmågan att ta livet på så stort allvar att det till och med går att skämta om det. Om allt.

Hon tänker på Åkes bistra uppsyn, den allvarstyngda kroppshållningen som hon inte förstod varifrån den kommit. Han hade ju aldrig tagit något ansvar.

Med blicken följer hon konturerna på Sofias ansikte.

Den smala halsen, de höga kindbenen.

Läpparna.

Hon ser på hennes händer och de välmanikyrerade naglarna som är målade i en ljus pärlemorskimrande nyans. Så ren, tänker hon och vet att hon tänkt tanken förut.

Nu ligger hon här, öppen. Vad som sedan händer får framtiden utvisa.

"Hur arbetar ni?"

Sofia avbryter hennes funderingar och Jeanette känner att hon rodnar.

"Gruppen sätter sig in i spaningsmaterialet. Allt man vet om brottsplatsen, man läser obduktionsprotokoll, förhör och kollar upp offrets bakgrund. Syftet är att skaffa tillräcklig grund för att kunna rekonstruera brottet. Att så exakt som möjligt förstå vad som hände före, under och efter brottet."

Sofia smeker Jeanette över pannan. "Och vad har ni?"

Jeanette tänker efter, känner att hon helst vill prata om någonting annat, men vet att hon behöver Sofias hjälp.

"Vid sidan av Samuel, ytterligare tre mördade unga pojkar. Den första hittades i rabatten inte långt från lärarhögskolan och var mumifierad."

"Han har alltså hållits instängd nånstans?"

"Ja, och den andra låg ute på Svartsjölandet och var från Vitryssland. Den tredje hittades vid Danvikstull."

"Illegala flyktingar? Ja, förutom Samuel då?"

Jeanette förvånas av Sofias kylighet. Samuel hade fått behandling av Sofia och ändå ger hon inte sken av att känna någonting inför att pojken mördats. Ingen saknad, ingen oro över att hon kanske hade kunnat göra mer.

Hon tränger undan obehaget och fortsätter. "Japp, och det gemensamma är att alla var svårt misshandlade och dessutom fulla av bedövningsmedel."

"Nånting annat?"

"De hade märken på ryggarna som visade att de blivit piskade."

Gamla Enskede

Kvällen med Jeanette Kihlberg innebär flera överraskningar. Det är inte bara det att Jeanette anlitar henne som rättspsykolog för att göra en gärningsmannaprofil vilket kommer att ge henne fullständig tillgång till allt material om morden på pojkarna.

Hon dras mer och mer till Jeanette och hon förstår varför. Det finns en fysisk attraktion. Det är motsägelsefullt. Hon vet att Jeanette också anat mörkret i henne.

Sofia sitter i soffan bredvid någon hon lärt sig tycka om. Hon känner sig trygg när hon anar Jeanettes hjärtas slag genom tröjans tunna tyg och kan bara konstatera att hon inte får grepp om vem Jeanette Kihlberg är och vad hon är ute efter. Jeanette förvånar henne och utmanar henne, på samma gång som hon uppriktigt verkar respektera henne. Däri ligger attraktionen.

Sofia tar ett djupt andetag och dofterna fyller hennes lungor. Ljudet av Jeanettes andetag ackompanjeras av regnet som slår mot fönsterblecken.

Hon hade impulsivt tackat ja när Jeanette bett henne om hjälp med sin utredning, men nu är hon redan på väg att ångra sig.

Rent rationellt borde Jeanettes förslag göra henne livrädd, det vet hon. Men samtidigt finns det en möjlighet att utnyttja situationen. Hon kommer att få veta allt om polisens utredning och ha möjlighet att vilseleda dem.

Jeanette berättar sakligt och lugnt om detaljerna i mordfallen.

Samtidigt insikten om vem hon själv är, den hon inte borde vara.

Den hon inte *vill* vara.

"De hade märken på ryggarna som visade att de blivit piska-de."

Djupt därinne i hennes medvetande slås dörrar upp. Hon minns märkena på sin egen rygg.

Hon vill lämna alla jag bakom sig, kläs av in på bara benet.

Sofia inser att hon aldrig kan integreras med Victoria såvida hon inte accepterar vad hon gjort. Hon måste förstå, hon måste betrakta Victorias handlingar som sina egna.

"Och de har dessutom blivit stympade. Genitalierna var bort-skurna."

Sofia känner att hon vill fly in i det enkla, åter stänga dörren för Victoria, låsa fast henne djupt därinne med en förhoppning om att hon sakta ska tyna bort.

Nu måste hon agera som en skådespelare som läser ett manus och sedan låter rollfiguren växa inuti.

Och för det krävs något större än empati.

Det handlar om att *bli* den andra människan.

"En av pojkarna var intorkad, men en av dem var balsamerad på ett närmast professionellt vis. Blodet hade tömts ut och ersatts med formaldehyd."

De sitter tysta en stund. Sofia känner hur svettiga hennes hän-der är. Hon stryker av dem mot benet innan hon börjar tala.

Orden kommer av sig själv. Lögnen kommer automatiskt.

"Jag måste studera den information du gett mig, men såhär långt skulle jag tro att det rör sig om en man mellan trettio och fyrtio år. Tillgången till bedövningsmedel tyder på att han jobbar inom vårdsektorn. Kan vara läkare, sjuksköterska, veterinär eller liknande. Men som sagt, jag måste analysera det här när-mare. Sen återkommer jag."

Jeanette ser tacksamt på henne.

Tvålpalatset

Sofia Zetterlund sitter vid skrivbordet inne på sin mottagning och äter lunch. Dagens schema har blivit tajt sedan Jeanette Kihlberg övertalat henne att träffa Ulrika Wendin.

Medan hon knölar ner snabbmatsresterna i papperskorgen öppnas en dialogruta på laptopen.

Ett inkommande mail.

Bland oläst skräppost finns en opersonlig hälsning från Mikael och längst upp ett meddelande som får henne att haja till.

Annette Lundström?

Hon öppnar mailet och läser.

Hej, jag vet att du träffade min man vid ett par tillfällen. Jag skulle behöva tala med dig om Karl och Linnea och vore tacksam om du så snart som möjligt kunde kontakta mig på telefonnumret nedan.

Mvh Annette Lundström

Intressant, tänker hon och ser på klockan. Fem i ett. Ulrika ska snart vara här, men hon lyfter ändå telefonluren och slår numret.

En ung, mager kvinna sitter i soffan och läser i en Illustrerad vetenskap.

"Ulrika?"

Flickan nickar åt Sofia, lägger ifrån sig tidningen på bordet och reser sig.

Sofia betraktar Ulrikas späda kropp och osäkra kroppshållning, registrerar att hon inte vågar lyfta blicken när hon passerar henne och går in i behandlingsrummet.

Sofia stänger dörren om dem.

Ulrika sätter sig i besöksstolen med benen i kors, armbågarna på armstöden och knyter händerna i knäet. Sofia sätter sig likadant.

Det handlar om spegling, att kopiera fysiska signaler såsom rörelsemönster och ansiktsuttryck. Ulrika Wendin ska känna igen sig själv i Sofia, känna att hon har att göra med någon som står på hennes sida. Om det lyckas kommer Ulrika själv att börja spegla Sofia, och då kan hon med små, knappt märkbara förändringar i kroppsspråket styra flickan till att bli mer avslappnad.

Just nu är benen och armarna slutna och armbågarna pekar vasst ut i rummet, som taggar.

Osäkerheten syns i hela kroppen.

Man kan inte skydda sig mer än såhär, tänker Sofia och lyfter det ena benet från det andra innan hon lutar sig fram.

"Hej Ulrika", börjar hon. "Välkommen hit."

Det första mötet går ut på att få Ulrika Wendin att lita på Sofia. Förtroendet måste komma omedelbart. Ulrika får fritt styra in samtalen på de vägar där hon känner sig trygg.

Sofia lyssnar, tillbakalutad och intresserat.

Ulrika berättar att hon nästan aldrig träffar andra människor.

Hon kan sakna umgänge, men varje gång hon hamnar i en social situation grips hon av panik. Hon hade kommit in på en kurs på komvux. När första skoldagen inföll hade hon gått dit full av förhoppningar om nya vänner och nya kunskaper men vid skolans entré hade hennes kropp stannat.

Hon hade aldrig vågat gå in.

"Jag förstår inte hur jag vågade gå hit", säger Ulrika och fnissar nervöst.

Sofia förstår att flickan fnissar för att dölja allvaret i det hon just sagt. "Minns du vad du tänkte när du öppnade dörren hit?"

Ulrika tar frågan på allvar och tänker efter.

"Nu jävlar, tror jag", säger hon förvånat. "Men det låter ju jättekonstigt, varför skulle jag tänka det?"

"Det kan bara du själv veta", säger Sofia och ler.

Hon förstår att hon framför sig har en flicka som bestämt sig.

En som inte vill vara offer längre.

Av det Ulrika berättar förstår Sofia att hon lider av en rad svårigheter. Mardrömmar, tvångstankar, yrselattacker, stelhet i kroppen, sömnproblem och äckel inför att både äta och dricka.

Ulrika säger att det enda hon får ner utan problem är öl.

Sofia inser att flickan behöver regelbundet stöd och en fast hand att hålla i.

Någon måste öppna hennes ögon och visa henne att möjligheten till ett annat liv finns där, precis framför henne.

Helst skulle Sofia vilja träffa henne två gånger i veckan.

Går det för lång tid mellan sessionerna är risken stor att hon börjar ifrågasätta och tveka, vilket skulle försvåra processen avsevärt.

Men Ulrika vill inte.

Hur mycket Sofia än lirkar kan hon inte få Ulrika att gå med på mer än ett möte var fjortonde dag, inte ens när hon lovar att inte ta betalt.

När Ulrika går säger hon något som gör Sofia orolig.

"Det är en sak…"

Sofia tittar upp från sina anteckningar. "Ja?"

Ulrika ser så liten ut. "Jag vet inte… Jag har ibland svårt att… att veta vad som egentligen hände."

Sofia ber henne att stänga dörren och sätta sig igen.

"Berätta mer", säger hon, så mjukt hon kan.

"Jag… jag tror ibland att jag inbjöd till att de förnedrade mig och våldtog mig. Jag vet ju att det inte är sant, men ibland när jag vaknar på morgonen är jag säker på att jag gjorde det. Jag skäms så mycket… sen förstår jag att det inte är så."

Sofia tittar bestämt på Ulrika. "Det är bra att du berättar det här för mig. Att känna som du gör är vanligt när man upplevt det du har gjort. Du tar på dig en del av skulden. Jag förstår att det inte känns mindre obehagligt för att jag berättar att det är vanligt, men du får lita på mig. Framförallt måste du lita på mig när jag säger att du inte gjort något fel."

Sofia inväntar Ulrikas reaktion, men hon sitter tyst i stolen, nickar lojt.

"Är det säkert att du inte vill komma redan nästa vecka?" försöker Sofia igen. "Jag har två lediga tider, en på onsdag och en på torsdag."

Ulrika reser sig. Hon tittar förläget ner i golvet, som om hon försagt sig. "Nej, jag tror inte det. Jag måste gå nu."

Sofia hindrar impulsen att resa sig upp och ta hennes arm för att understryka allvaret. Det är för tidigt för sådana gester. Istället tar hon ett djupt andetag, samlar sig. "Det är okej. Ring om du ändrar dig. Jag håller tiderna åt dig så länge."

"Hej", säger Ulrika och öppnar dörren. "Och tack."

Ulrika försvinner ut genom dörren och Sofia sitter kvar vid skrivbordet och hör henne gå in i hissen och surret när den åker ner.

Försiktigheten i Ulrikas tack sitter kvar i henne som en övertygelse om att hon nått fram. Av det enda ordet kan Sofia utläsa att Ulrika inte är van att bli sedd som den hon egentligen är.

Sofia beslutar sig för att ringa upp Ulrika imorgon för att höra om hon tänkt över situationen och är redo att komma tillbaka redan nästa vecka. Om det inte går ska hon föreslå Jeanette att åka och hälsa på Ulrika under veckan. Hon får inte tappa taget om henne.

Hon vill hjälpa ett nytt liv resa sig ur askan.

Sofia lägger armarna om sig och känner den ärrade ojämnheten över ryggen.

Victorias ärr.

Dåtid

*Hon fattade tag i pojkens hår, så hårt att hon slet loss en
stor tuss. I hennes hand såg hårrötterna ut som små trådar.
Hon slog honom i huvudet, i ansiktet och på kroppen och
hon slog honom länge. Förvirrad reste hon sig, lämnade
bryggan och hämtade en stor sten nere vid åstranden.
Det är inte jag, sa hon och lät pojkens kropp sjunka ner i
vattnet. Nu måste du simma...*

Flickan börjar genast flaxa med armar och ben men får en
kallsup och sjunker.

Victoria glider bort någon meter och ser på.

Två gånger kommer flickan hostande upp till ytan, för att
sedan sjunka igen när hon utan framgång försöker ta sig till
kanten. Det stora linnet är så vattensjukt att det inte flyter
på ytan. Hon trasslar in sig, vilket gör det svårare för henne
att komma upp.

Men strax därpå simmar Victoria lugnt fram och tar tag
under flickans armar och drar upp henne. Hon har svårt att
hålla sig stilla och hostar krampaktigt. Victoria förstår att
hon måste ha fått i sig en del vatten och skyndar sig att få
upp henne ur poolen.

Flickans ben bär henne inte och hon faller ihop på sten-
läggningen vid bassängkanten. Hon vänder sig på sidan och
får en våldsam uppkastning. Först kommer klorvattnet och
sedan de grå, sega strängarna av gröten hon åt till frukost.

Victoria håller handen på hennes panna.

"Såja, det är ingen fara. Jag fick ju upp dig till slut."

Efter några minuter lugnar sig flickan och Victoria vaggar henne i famnen. "Du förstår…" säger Victoria. "Du gav mig en spark så att jag nästan tuppade av."

Flickan gråter och efter en stund snyftar hon fram ett tyst förlåt.

"Ingen fara", säger Victoria och ger henne en kram. "Men vi ska nog inte berätta det här för någon."

Flickan ruskar på huvudet. "Sorry", upprepar hon och Victoria hatar inte längre.

Tio minuter senare står hon och spolar stenläggningen med trädgårdsslangen. Flickan sitter påklädd i solstolen under parasollet på verandan. Hennes korta hår har redan torkat och när hon ler åt Victoria ser det ut som om hon skäms. Ett ångerfullt leende över att ha gjort något dumt.

Slå och smeka om vartannat, först skydda och sedan förstöra, tänker Victoria. Det är han som har lärt mig det.

Det har tystnat inifrån salongen, fönstrena är stängda och Victoria hoppas att ingen har hört något. Porten slås igen och fyra män kliver in i den stora, svarta Mercedesen som står parkerad på uppfarten. Hennes pappa står kvar på trappan och ser bilen försvinna ut genom grindarna. Med sänkt huvud och med händerna i fickorna går han sedan nerför trappan och ut på gången som leder bort till poolen. Victoria ser att han är besviken.

Hon stänger av vattnet och vevar tillbaka slangen på plåtcylindern på verandaväggen. "Hur var mötet?" Hon hör själv hur retfull hon låter.

Han svarar inte och klär av sig under fortsatt tystnad. Flickan tittar bort när han tar av sig kalsongerna och byter till badbyxor. Victoria kan inte låta bli att fnittra åt de tajta, sjuttiotalsblommiga reliker han vägrar att göra sig av med.

Plötsligt vänder han sig om och tar två steg fram mot henne.

Hon ser i hans ögon vad som kommer att hända.

Han har försökt slå henne en gång tidigare, men då hade

hon hunnit undan. Hon hade tagit en kastrull och slagit den i huvudet på honom. Efter det har han inte försökt igen.

Inte förrän nu.

Nej, inte ansiktet, tänker Victoria innan allt blir rött och hon ramlar bakåt mot verandaväggen.

Ytterligare ett slag träffar henne i pannan och nästa i magen. Det blixtrar för ögonen och hon viker sig dubbel.

Liggande på stengolvet hör hon plåtskramlet från slangrullen, sedan bränner det till över hennes rygg och hon ger upp ett högt skrik. Han står kvar tyst bakom henne och hon vågar inte öppna ögonen. Värmen sprider sig i ansiktet och på ryggen.

Hon hör hans tunga steg mot stenen när han går förbi henne och ner till poolen. Han har alltid varit för feg för att dyka och tar badstegen innan han glider ut i vattnet. Hon vet att han sin vana trogen simmar tio längder, varken mer eller mindre, och hon räknar tyst hans simtag och de dova stönen vid varje vändning. När han är färdig kliver han upp och kommer tillbaka till henne. "Se på mig", säger han.

Hon öppnar ögonen och vrider på huvudet. Det droppar från hans kropp ner på hennes rygg och det känns skönt mot hettan. Han sätter sig på huk bredvid och lyfter försiktigt på hennes huvud.

Han suckar och drar handen över hennes rygg. Hon känner att munstycket på slangen slitit upp ett stort sår under vänster skulderblad.

"Du ser ju för jävlig ut." Han reser sig igen och sträcker ut handen mot henne. "Kom med in, så får vi plåstra om dig."

Efter att han tagit hand om hennes sår sitter hon i soffan insvept i handduken och döljer sitt leende under den. Slå, smeka, skydda och förstöra, upprepar hon ljudlöst medan han berättar att förhandlingarna strandat och att de därför snart kommer att åka hem.

Hon njuter av att projektet i Freetown uppenbarligen blivit ett fiasko.

Ingenting har fungerat.

Han säger att det beror på den kraftiga inflationen och den sjunkande diamantexporten.

Smugglingen av hårdvaluta i form av amerikanska dollar undergräver den inhemska ekonomin och man använder sedlar som toalettpapper eftersom det är billigare.

Han säger att pengar försvinner, att människor försvinner och att slagorden om konstruktiv nationalism och en New Order ekar lika tomt som statskassan.

Han berättar att Sidas misslyckande med konstbevattningen i landets norra delar fått rent symboliska följder.

Trettio människor har dött av förgiftning och man talar om sabotage och förbannelser. Projektet är avbrutet och hemresan kommer att bli tidigarelagd med nästan fyra månader.

När han gått ut ur rummet sitter hon kvar och ser på hans samling av fetischfigurer.

Tjugo träskulpturer av kvinnokroppar har han hunnit samla på sig och de står nu uppradade på skrivbordet, färdiga att packas ner.

Kolonialist, tänker Victoria. Här för att samla troféer.

Där finns också en ansiktsmask i naturlig storlek. En släktmask från temnestammen som påminner henne om deras tjänsteflicka.

Medan hon drar fingrarna över den skrovliga träskulpturen föreställer hon sig att ansiktet är levande. Hon smeker ögonlocken, näsan och munnen. Ytan börjar kännas varm mot fingertopparna och träfibrerna blir till riktig hud av hennes beröring.

Hon tycker inte längre illa om tjänsteflickan, eftersom hon förstått att det inte finns någon rivalitet mellan dem.

Det insåg hon när han slog henne nere vid poolen.

Hon är viktigast för honom, deras tjänsteflicka är bara en leksak, en trädocka eller en trofé.

Han kommer att ta med sig masken hem.

Hänga upp den någonstans, kanske i vardagsrummet.

Något exotiskt att visa upp för middagsgästerna.

Men för Victoria ska trämasken bli mer än en prydnadssak. Med sina händer kan hon ge den ett liv och en själ.

Tar han med sig masken hem kan hon också ta med sig flickan. Hon är rättslös, nästan som en slav. Ingen kommer att sakna henne, för hon är inte bara rättslös, hon är också föräldralös.

Flickan har berättat för Victoria att hennes mor dog i barnsäng och att hennes far avrättades då han befanns skyldig till att ha stulit en höna. Ett urgammalt sätt att pröva skuld som kallas rättegång med rött vatten.

Han matades på tom mage med stora mängder ris, sedan tvingades han att dricka en halv tunna vatten blandat med bark från kolaträd. Kräkningar av rött vatten är ett tecken på oskuld, men han kunde inte kräkas. Han svällde bara upp av riset och slogs ihjäl med en spade.

Hon har ingen här som tar hand om henne, tänker Victoria. Hon ska följa med hem till Sverige och hon ska heta Solace.

Det betyder tröst och med Solace kan hon dela på sjukdomen.

Hon vet också att hon kommer att bära med sig någonting annat till Sverige.

Ett frö som såtts i henne.

Gamla Enskede

Jeanette Kihlberg noterar att det är släckt i huset och förstår att Johan inte är hemma än. Helgen hos farmor verkar inte ha gjort någon större skillnad. Han är lika inbunden som tidigare och hon känner sig fullständigt villrådig. Det är som om hon inte vill erkänna problemet för sig själv. Många ungar mår skit, men inte hennes lilla pojke.

När hon ser det mörka huset blir hon först orolig, men erinrar sig att han på morgonen nämnt något om att han skulle hämta ett kvarglömt tevespel hos en kamrat.

Hon parkerar på uppfarten, andas ut och inser att det kanske är lika bra att han inte är hemma. Det kan ge henne en stund för sig själv att tänka igenom det som behöver sägas.

Hon vet att hon måste vara varsam med vad hon säger till Johan.

Om det som hände när han försvann. Om Åke och om skilsmässan.

Han är så bräcklig nu att hon anar att minsta lilla missförstånd kan få honom att gå sönder helt. Han har förmodligen inte kunnat föreställa sig att hon och Åke skulle bryta upp. De har ju alltid funnits där för honom.

Hon slår av motorn och blir sittande en stund i bilen.

Hade det varit hennes fel? Hade hon, som Billing ansåg, arbetat för mycket och inte ägnat familjen tillräckligt med tid?

Hon tänker på Åke som sett sin chans att lämna ett grått, händelselöst liv med fru och barn ute i förorten.

Nej, tänker hon. Det är inte mitt fel.

Hon gräver fram cigarettpaketet ur handskfacket och vevar

ner rutan. Hon hostar till av det första blosset. Det smakar inte alls bra och hon knäpper iväg cigaretten ut på gräset redan innan den är halvrökt.

Några regndroppar träffar vindrutan och medan hon tänker på Johan och vad hon ska säga till honom tilltar regnet.

När hon kommit in i huset och tänt upp går hon in i köket och värmer ärtsoppan hon ätit dagen innan. Stygnen i huvudet har börjat läka och det kliar intensivt.

Hon häller upp ett glas öl och slår upp tidningen.

Det första hon ser är en bild på åklagare Kenneth von Kwist som skrivit en debattartikel om säkerhetsbristerna på Sveriges fängelser.

Jävla pajas, tänker hon, slår ihop tidningen och börjar äta.

Så ljudet av att dörren öppnas. Johan är hemma.

Hon lägger ifrån sig skeden och går ut i hallen. Han är dyng-blöt från topp till tå och när han tar av sig tennisskorna ser hon att strumporna är så genomsura att det plaskar på hallgolvet.

"Men Johan... Ta av dig strumporna. Det blir ju en sjö här inne."

Tjata inte, tänker hon. "Äh, det är ingen fara. Jag tar hand om det. Har du ätit?" tillägger hon.

Han nickar trött till svar, tar av sig strumporna och tassar snabbt förbi henne genom hallen och in på toaletten.

Hon öppnar ytterdörren och vrider ur strumporna på farstu-bron, hänger dem sedan på elementet bakom skohyllan och hämtar golvsvabben. När hon är klar går hon in i köket, värmer soppan för andra gången och sätter sig ner för att äta igen. Magen skriker av hunger.

Efter tio minuter vid köksbordet med soppan och tidningen undrar hon vad Johan gör på toaletten. Inga ljud från duschen, inga ljud överhuvud taget.

Hon knackar på dörren. "Johan?"

Hon hör hur han rör sig därinne.

"Vad gör du? Har det hänt något?" frågar hon.

Till sist pratar han, men så lågt att hon inte hör vad han säger.

"Johan, kan du inte öppna? Jag hör inte."

Efter några sekunder vrids låset om, men han öppnar inte.

Under ett par tysta ögonblick står hon bara där och stirrar på dörren. En barriär mellan oss, tänker hon. Som vanligt.

När hon till slut öppnar dörren sitter han uppkurad på toalettlocket. Hon ser att han fryser och tar ner en handduk för att svepa om honom.

"Vad var det du sa?" Hon slår sig ner på badkarskanten.

Han andas djupt och hon förstår att han gråtit. "Hon är konstig", säger han tyst.

"Konstig? Vem då?"

"Sofia." Johan vänder bort blicken.

"Sofia? Vad fick dig att tänka på henne?"

"Ingenting särskilt, men hon blev så konstig", fortsätter han. "Däruppe i Fritt fall. Hon skrek åt mig och kallade mig för Martin..."

Sofia fick panik, tänker Jeanette. Det är inte konstigare än så. Hon rättar till handduken som fallit ner från Johans smala axlar.

"Vad hände sen?"

"Det sista jag minns är att jag såg när gubben slog dig i huvudet med flaskan och du föll ihop. Sen tror jag att Sofia sprang iväg och ramlade ihop hon också... Sen vaknade jag på sjukhuset."

Hon ser på sin son. "Johan, det är jättebra att du berättar."

Hon kramar honom hårt, sedan kommer gråten samtidigt för båda två.

Edsviken

Eftermiddagssolen sjunker bakom den stora sekelskiftesvillan som ligger undanskymd nere vid vattnet. En liten grusad allé av lönnar leder ner till huset och Sofia Zetterlund parkerar bilen på gårdsplanen, slår av motorn och ser ut genom vindrutan. Himlen är stålgrå och regnet som tidigare vräkt ner har avtagit något.

Så det är alltså så här familjen Lundström bor?

Den stora trävillan är nyrenoverad. Rödmålad med vita knutar, två våningar, en glasveranda och ett tornrum på den östra flygeln, där det också finns en entrédörr. Ett stycke bort kan hon se ett båthus mellan träden. På tomten ligger ytterligare en byggnad och en swimmingpool skyddad av ett högt staket. Huset ser ödsligt ut, som om ingen någonsin flyttat in. Sofia kastar ett öga på sin klocka för att försäkra sig om att hon inte är för tidig, men nej, hon är till och med ett par minuter sen.

Hon kliver ur bilen, går längs grusgången mot huset och när hon stiger upp på den breda stentrappan till entrédörren tänds lampan i tornets hall, dörren öppnas och en kortväxt, mager kvinna insvept i en mörk filt skymtar i dörröppningen.

"Stig på och lås efter dig", säger Annette Lundström. "Du kan hänga av dig i rummet till vänster."

Sofia stänger dörren efter sig och Annette Lundström vaggar in i hallen och viker av åt höger. Överallt står travar av stora flyttlådor. Sofia hänger av sig kappan, tar handväskan under armen och följer efter kvinnan in i rummet.

Annette Lundström är fyrtio år gammal, men ser ut att vara närmare sextio. Håret är risigt och hon ser trött ut där hon sitter djupt nersjunken i en soffa helt belamrad av kläder.

"Slå dig ner", säger hon lågt och gör en gest mot fåtöljen på andra sidan bordet. Sofia kastar en frågande blick på den stora lampan som ligger på sittdynan.

"Ja, du kan ställa ner den på golvet", säger Annette och hostar till. "Ursäkta röran, jag ska flytta."

Rummet är kallt och Sofia förstår att värmen redan är avslagen.

Hon tänker på familjen Lundströms situation. Åtal om pedofili och barnpornografi följt av ett självmordsförsök. Incest. Karl Lundström hade hängt sig i häktet. Sedan hade han hamnat i koma och senare avlidit. Läkarslarv, viskades det om.

Dottern är omhändertagen av socialen.

Sofia ser på kvinnan framför sig. En gång hade hon nog varit vacker, men det var innan hon drabbades av livets baksida.

Sofia lyfter ner lampan från fåtöljen.

"Vill du ha kaffe?" Annette sträcker sig efter bistrokannan som står halvfull på bordet.

"Ja, tack. Det vore gott."

"Du kan ta en kopp ur lådan på golvet."

Sofia böjer sig ner. I en kartong under bordet ligger allehanda porslin slarvigt nerpackat. Hon hittar en kantstött mugg och låter Annette hälla upp.

Kaffet är knappt drickbart. Alldeles kallt.

Sofia låtsas som ingenting, tar några klunkar och ställer ifrån sig muggen på bordet.

"Varför ville du träffa mig?"

Annette hostar igen och drar filten tätare om sig.

"Som jag sa till dig på telefon… Jag vill prata om Karl och om Linnea. Och så har jag en vädjan till dig."

"En vädjan?"

"Ja, jag kommer till det sen… Mjölk?"

"Nej, tack. Jag tar det svart."

"Det är så här…" Annettes blick blir skarpare. "Jag vet hur rättspsykiatrin fungerar. Inte ens döden inkräktar på tystnadsplikten. Karl är död och det är ingen idé att jag frågar dig om vad ni pratade om. Men en sak undrar jag. Han sa nåt till mig efter ert möte, att du förstått honom. Att du förstod hans... ja, hans problem."

Sofia huttrar till. Det är en rå kyla i huset.

"Jag har aldrig förstått hans problem", fortsätter Annette, "och nu är han död så jag behöver inte försvara honom längre. Men jag förstår inte. Min uppfattning är att det bara hände en gång. I Kristianstad, när Linnea var tre. Det var ett misstag och jag vet att han berättade det för dig. Det var en sak att han hade de där äckliga filmerna, det kunde jag kanske stå ut med. Men inte att han och Linnea... Jag menar, Linnea tyckte ju om honom. Hur kunde du förstå hans problem?"

Sofia känner närvaron av Victoria.

Annette Lundström irriterar henne.

Om Karl Lundström och Bengt Bergman var samma sorts man är Annette Lundström och Birgitta Bergman samma sorts kvinna. Det var bara åldern som skilde.

Jag vet att du är där Victoria, tänker Sofia. Men jag sköter det här själv.

"Jag har sett det förut", svarar hon till sist. "Många gånger. Men du ska nog inte dra för stora slutsatser av det han sa. Jag träffade honom bara vid ett par tillfällen och då var han ganska obalanserad. Linnea är viktigare nu. Hur är det med henne?"

Annette Lundström ser mycket svag ut. "Ursäkta mig", viskar hon. Kinderna dallrar slappt när hon hostar, ringarna under ögonen är djupblå och kroppen insjunken.

Det är en sak som väsentligen skiljer Annette Lundström från Birgitta Bergman. Victorias mor var fet och den här kvinnan har nästan försvunnit i sitt magrande. Huden har ätit sig in i benen på henne och det kommer snart inte att finnas något kvar.

Hon kommer att självdö.

Men det är något som är bekant med henne.

Sofia glömmer sällan ett ansikte och blir med ens säker på att hon sett Annette Lundström förut.

"Hur är det med Linnea?" upprepar Sofia.

"Det var just det jag ville be dig om."

"Din vädjan?"

Blicken blir fast igen. "Ja... Om du förstod Karls problem kanske du förstår vad som är på väg att hända med Linnea. Jag hoppas det i alla fall... De har tagit henne ifrån mig och hon är på BUP inne i Danderyd nu. Hon vill knappt veta av mig och jag får inte höra nånting alls därifrån. Kan du inte be om att få träffa henne? Du har väl kontakter?"

Sofia tänker efter men vet att det är omöjligt såvida inte Linnea själv ber om det.

Flickan är omhändertagen av socialen och när psykologerna i Danderyd finner henne tillräckligt frisk kommer hon att hamna i en fosterfamilj.

"Jag kan inte bara kliva in och begära att få tala med henne", säger Sofia. "Enda möjligheten för mig att träffa henne är om hon själv uttrycker en sådan önskan och det vet jag ärligt talat inte hur det skulle gå till."

"Jag kan prata med BUP.", säger Annette.

Sofia ser att hon menar allvar.

"Det var en sak till..." fortsätter Annette. "Det är något jag vill visa dig." Hon reser sig ur soffan. "Vänta här, jag kommer strax."

Annette går ut ur rummet och Sofia kan höra hur hon stökar med lådorna ute i hallen.

Efter någon minut kommer hon tillbaka med en liten kartong som hon ställer på bordet.

Hon sätter sig ner i soffan igen och lättar på locket på vilket dotterns namn står skrivet med tusch.

"Det här..." Annette tar fram några gulnade papper. "Det här har jag aldrig förstått."

Hon skjuter undan bistrokannan och radar upp tre teckningar på bordet.

Alla tre är tecknade med färgkritor och signerade "Linnea" med barnslig handstil.

Linnea fem år, Linnea nio år och Linnea tio år.

Sofia slås av teckningarnas detaljrikedom och de för åldern ovanligt exakta avbildningarna av motiven. "Hon är begåvad", konstaterar hon genast.

"Jag vet. Men det är inte därför jag visar dem", svarar Annette. "Du kanske kan se på dem en stund i lugn och ro. Jag sätter på nytt kaffe så länge."

Annette reser sig igen, stönar till och masar sig ut.

Sofia tar upp en av teckningarna.

Den är undertecknad Linnea 5 år, med en bakvänd femma, och föreställer en blond flicka som står i förgrunden bredvid en stor hund. Ur munnen på hunden hänger en jättelik tunga som Linnea har försett med en mängd prickar. Smaklökar, tänker Sofia. I bakgrunden finns ett stort hus och på tomten något som liknar en liten fontän. Från hunden löper en lång kedja och Sofia lägger särskilt märke till hur noggrant flickan tecknat länkarna, vilka blir mindre och mindre innan de försvinner in bakom ett träd på tomten.

Vid trädet har Linnea skrivit något, men Sofia kan inte se vad det står.

Från teckncn en pil som pekar på trädet, bakom vilket en kutryggig man med glasögon leende skymtar fram.

I ett av fönstren på huset står en figur vänd ut mot tomten. Långt hår, en glad mun och en liten söt näsa. Det som skiljer sig från den i övrigt omsorgsfullt detaljrika teckningen är att Linnea inte har försett figuren med ögon.

Med tanke på den bild Sofia har av familjen Lundström är det inte svårt att lista ut att figuren i fönstret föreställer Annette Lundström.

Annette Lundström som inte såg. Som inte ville se.

Med den utgångspunkten blir scenen på tomten intressantare.

Vad var det Linnea försökte visa att Annette Lundström inte ville se?

En kutryggig man med glasögon och en hund med en stor, prickig tunga?

Nu ser hon att det står U1660.

U1660?

Dåtid

Vi cyklar runt i världen, vi spelar på gator och torg.
Vi spelar på allt som låter, ja till och med på vår hoj.

Inne i villan på Värmdö står Victoria Bergman och betraktar fetischfigurerna på väggen i vardagsrummet.

Grisslinge är ett fängelse.

Hon vet inte vad hon ska göra av dygnets alla döda timmar. Tiden rinner genom henne som ett oregelbundet flöde.

Vissa dagar minns hon inte att hon vaknar. Vissa minns hon inte att hon somnar. Vissa dagar är borta.

Andra dagar läser hon i psykologiböckerna, tar långa promenader, går ner till vattnet vid havsbadet eller tar Mormors väg ner till Skärgårdsvägen, sedan Riksväg 222 nästan spikrakt mot Värmdöleden, där hon vänder vid rondellen och går tillbaka. Promenaderna hjälper henne att tänka och den kalla luften mot kinderna påminner henne om att hon har en gräns.

Hon är inte hela världen.

Hon reser sig och plockar ner ansiktsmasken som liknar Solace i Sierra Leone och sätter den framför ansiktet. Den luktar starkt av trä, nästan som parfym.

Inuti masken finns ett löfte om ett annat liv, någon annanstans, som Victoria vet att hon aldrig ska kunna ta del av. Hon är fjättrad vid honom.

Hon ser knappt genom de små hålen i masken. Hon hör sina egna andetag, känner värmen av dem slå tillbaka och lägga sig som en fuktig hinna över kinderna. Ute i hallen ställer hon sig framför spegeln. Masken får hennes huvud att se mindre ut. Som om hon vore en sjuttonåring med en tioårings ansikte.

"Solace", säger Victoria."Solace Aim Nut. Nu är vi tvillingar, du och jag."

Då öppnas ytterdörren. Han är tillbaka från jobbet.

Victoria tar genast av sig masken och springer tillbaka in i vardagsrummet. Hon vet att hon inte får röra hans saker.

"Vad gör du?" Han låter tvär.

"Inget", svarar hon och hänger tillbaka masken på sin plats. Hon hör skostället gnissla och trägalgarna rassla mot varandra. Sedan hans fotsteg i hallen. Hon sätter sig i soffan och rycker åt sig en tidning från bordet.

Han kommer in i rummet. "Pratade du med någon?" Han ser sig om i rummet innan han slår sig ner i fåtöljen bredvid soffan.

"Vad gör du?" frågar han igen.

Victoria slår armarna i kors och stirrar på honom. Hon vet att det gör honom nervös. Hon njuter av att se paniken växa i honom, hur han nervöst slår med händerna på armstöden, byter kroppsställning gång på gång och inte får ur sig ett ord.

Men när hon suttit tyst en stund känner hon oron växa. Hon märker att hans andetag blir snabbare. Det ser ut som om hans ansikte ger upp. Det förlorar färg och sjunker ihop.

"Vad ska vi göra med dig, Victoria?" säger han uppgivet och gömmer ansiktet i händerna. "Om inte psykologen får ordning på dig snart vet jag inte vad vi ska ta oss till", suckar han.

Hon svarar inte.

Hon ser att Solace står tyst och tittar på dem.

De liknar varandra, hon och Solace.

"Kan du gå ner och slå på bastun", säger han bestämt och reser sig. "Mamma är på ingång, så snart blir det mat."

Victoria tänker på att det borde finnas en räddning. En arm som kan sträckas ut från oväntat håll och ta tag i henne, rycka henne därifrån, eller att hennes ben var tillräckligt starka för att ta henne långt bort. Men hon har glömt hur man gör när man lämnar, glömt hur man skapar sig ett mål.

Efter middagen hör hon att mamma stökar inne i köket. Ett evigt sopande, dammande och plockande med saker som aldrig leder någonstans. Hur mycket hon än städar och plockar undan ser det alltid exakt likadant ut.

Victoria vet att allt utgör ett slags trygg bubbla som mamma kan krypa in i för att slippa se det som händer omkring henne och särskilt högt skramlar kastrullerna när Bengt är hemma.

Hon går nerför trappan till källaren och ser att mamma återigen missat att städa i springorna mellan trappstegen där barren från julgranen fortfarande ligger kvar.

Bengt hade huggit ner den ute i Nackareservatet och han hade sagt att det är idiotiskt att ha ett naturreservat så nära en storstad. Det är kontraproduktivt, hejdar utvecklingen av infrastruktur och markexploatering. Det kostar bara pengar och står i vägen för ett samhälle i högkonjunktur.

Att granen stått här i julas hade varit en protest mot allt det.

Hon går ner till bastun, klär av sig och väntar på honom.

Utanför huset är det februari och iskyla, men här inne har temperaturen krupit upp till nästan nittio grader. Det beror på att det nya bastuaggregatet är så effektivt och han har skrutit om hur han olovligen kopplat det till elnätet. Han känner någon på elbolaget som förklarat hur han skulle göra och han hade varit stolt när han berättat för henne att han lurat kommunisterna som inte begriper att elindustrin måste släppas fri.

Precis som sjukvården och kollektivtrafiken.

Hans snilleblixt har dock medfört en stank.

Utanför bastun finns ett avloppsrör från köket som leder ner i källaren och värmen från det nya bastuaggregatet gör att lukten från avloppet förstärks.

Stanken av lök och diverse matrester, paltbröd, fläsk, rödbetor och surnad grädde blandas med en lukt som påminner om bensin.

Så kommer han ner till henne. Han ser ledsen ut. I andra änden av avloppsröret står mamma och diskar medan han tar av sig handduken.

När hon öppnar ögonen står hon i vardagsrummet med handduken runt kroppen. Hon förstår att det har hänt igen. Hon har tappat tid. Hon känner skavet i underlivet, ömheten i armarna och känner sig tacksam över att hon slapp vara med under de minuter eller timmar som passerat.

Solace hänger på sin plats på vardagsrumsväggen och Victoria går ensam upp på sitt rum. Hon sätter sig på sängen, slänger handduken på golvet och kryper ner.

Lakanen är svala och hon lägger sig på sidan och ser mot fönstret. Februarikylan får rutorna att nästan spricka och hon hör hur glaset kvider i den hårda omfamningen av de femton minusgraderna.

Ett sexdelat fönster med spröjsade rutor. Sex ramade tavlor i vilka årstiderna växlat sedan de kommit hem. I de två översta rutorna ser hon toppen av trädet utanför, i de mellersta grannhuset och trädstammen och kedjorna till hennes gamla gunga. I fönsterramarna längst ner ser man ett vitt snötäcke och den röda plastgungan som vinden för fram och tillbaka.

I höstas var det gulnat bränt gräs, därefter löv som förmultnade och föll av. Och sedan mitten av november ett täcke av snö som sett olika ut varje dag.

Bara gungan är sig lik. Den hänger i sina kedjor bakom de sex spröjsade små fönsterrutorna som är ett galler omgivet av iskristaller.

Glasbruksgränd

Hösten sveper in över Saltsjön och bäddar in Stockholm i ett täcke av tung, kylig fukt.

Från Glasbruksgatan uppe på Katarinaberget, nedanför Mosebacke, kan man knappt skymta Skeppsholmen genom regnet och Kastellholmen längre ut är höljd i ett grått dis.

Klockan är strax efter sex.

Hon stannar till under en av gatlyktorna, tar upp lappen i fickan och kontrollerar adressen en gång till.

Ja, hon har kommit rätt, nu är det bara att vänta.

Hon vet att han slutar vid sextiden och att han kommer hem en kvart senare.

Visserligen kanske han har något ärende att uträtta som kommer att försena honom, men hon har inte bråttom. Hon har väntat så länge att en timme hit eller dit inte spelar någon roll.

Men tänk om han inte vill släppa in henne i lägenheten? Allt bygger på antagandet att han kommer att bjuda in henne och hon förbannar sig själv för att hon inte tänkt ut en alternativ plan.

Regnet tilltar, hon drar sin koboltblå kappa tätare omkring sig och trampar med fötterna för att hålla värmen uppe medan nervositeten får hennes mage i uppror.

Vad ska hon göra om hon behöver gå på toaletten? Hon ser sig om, men det finns inget kafé eller liknande i närheten. Bortsett från några parkerade bilar är gatan helt tom.

När hon för tredje gången går igenom sin plan och visualiserar de kommande händelserna ser hon en svart bil som sakta närmar sig. Fönstren på bilen är tonade, men genom framrutan skymtar hon en ensam man. Bilen stannar snett framför henne och backar sedan in på en ledig parkeringsruta. Efter en halv minut öppnas förardörren och han kliver ut.

Hon känner genast igen Per-Ola Silfverberg och går fram till honom. Han ser på henne, stannar till och skuggar ögonen med handen för att se bättre.

Hennes tidigare farhågor visar sig vara ogrundade. Han ler mot henne.

Per-Ola Silfverbergs leende väcker minnen till liv. Ett stort hus i Köpenhamn, en bondgård på Jylland och ett grisslakteri. Stanken av ammoniak och hans fasta grepp om den stora kniven när han visade henne hur man skulle skära snett uppåt för att komma åt hjärtat.

"Det var inte igår!" Han går fram till henne och ger henne en hård och hjärtlig kram. "Är det en slump att du är här eller har du pratat med Charlotte?"

Hon undrar om det har någon betydelse vad hon säger och kommer fram till att det är helt egalt. Han kommer inte att ha någon möjlighet att kontrollera sanningshalten i hennes svar.

"Slump och slump", säger hon och ser honom i ögonen. "Jag var i närheten och kom ihåg att Charlotte berättat att ni flyttat hit, så jag tänkte att jag skulle gå förbi och se om ni var hemma."

"Det gjorde du förbannat rätt i!" Han skrattar, tar henne under armen och börjar gå över gatan. "Tyvärr kommer inte Charlotte förrän om ett par timmar, men följ med in på en kopp kaffe."

Hon vet att han numera är styrelseordförande på ett stort investmentbolag och en man som är lika van att bli åtlydd som han är ovan vid att bli ifrågasatt. Det finns inga ursäkter för att inte följa med honom in och det gör det hela så mycket lättare än om hon själv tvingats föreslå det.

"Ja, jag har ju ingen tid att passa, så varför inte?"

Hans beröring och lukten av hans rakvatten ger henne kväljningar.

Hon känner hur det bubblar i henne och vet att det första hon måste göra är att låna toaletten.

Han trycker in portkoden, håller upp dörren för henne och går bakom henne upp för trappan.

Lägenheten är enorm och när han visar henne runt hinner hon räkna till sju rum innan han leder henne in i vardagsrummet. Det är smakfullt inrett med dyra men diskreta möbler i skandinavisk, ljus design.

Två stora fönster med utsikt över hela Stockholm och till höger en rymlig balkong med plats för säkert femton personer.

"Ursäkta, men jag skulle behöva låna toaletten", säger hon.

"Du behöver inte ursäkta dig. Till höger ute i hallen." Han pekar. "Kaffe? Eller vill du hellre ha något annat? Ett glas vin kanske?"

Hon börjar gå mot hallen. "Ett glas vin skulle smaka bra. Men bara om du ska ha."

"Visst, det ordnar jag."

Hon går in på toaletten, känner pulsen slå och i spegeln över handfatet ser hon hur några svettdroppar tränger fram i pannan.

Hon sätter sig på toalettstolen och blundar. Minnena kommer till henne och hon ser Per-Ola Silfverbergs leende ansikte, men inte det trevliga affärsleendet han nyss visat henne utan det kalla, tomma.

Hon tänker på hur hon tillsammans med männen på gården rengjort grisarnas inälvor innan de maldes till blodkorv, fläsk-korv eller leverkorv. På hans känslolösa leende när han visat henne hur grishuvudet blev till sylta.

När hon är klar och tvättar händerna hör hon att det ringer ute i lägenheten.

Hygien är a och o vid slakt och hon memorerar allt hon vidrör. Efteråt ska hon torka bort alla fingeravtryck.

Per-Ola Silfverberg står mitt på golvet och nickar hummande med telefonen tryckt mot örat. Hon går fram till en av de stora oljemålningarna i rummet och låtsas ingående betrakta tavlan, samtidigt som hon lyssnar på vad han säger.

Är det Charlotte han pratar med kommer allt att gå åt helvete.

Men till hennes lättnad förstår hon snart att det är en affärs-bekant och att det hela gäller hans arbete.

Det enda som oroar henne är att han sa att han har besök och att han ska ringa upp senare under kvällen.

Han stoppar ner telefonen i fickan, häller upp vin och räcker henne ett glas.

"Nu måste du berätta varför du har kommit hit och var du har hållit hus i alla år."

Hon lyfter vinglaset, sänker näsan över kupan och drar ett djupt andetag. En chardonnay, tänker hon.

Mannen hon hatar betraktar henne medan hon tar en liten klunk av vinet och ser honom djupt i ögonen. Hon sörplar ljudligt och låter vätskan blanda sig med syre så att smakerna träder fram.

"Jag antar att det finns en anledning till att du sökt upp oss efter så här lång tid", säger mannen som gjort henne illa.

Hon uppfattar vinets karaktär som sammansatt. Kryddig frukt i stil med melon, persika, aprikos och citrus. Hon anar en viss smörighet.

Långsamt och njutningsfullt sväljer hon.

"Var vill du att jag ska börja?"

Snett uppåt till höger, tänker hon.

Glasbruksgränd

Larmet når polishuset på Kungsholmen strax före nio.

En kvinna meddelar skrikande att hon just kommit hem och funnit sin man död.

Enligt det vakthavande befäl som tog emot samtalet hade kvinnan, mellan gråtattackerna, använt ordet slaktad när hon försökt förklara vad hon såg.

Jens Hurtig är egentligen på väg hem när larmet kommer men eftersom han inte har några planer för kvällen tycker han att det är ett bra tillfälle att skaffa sig lite komp.

Två veckor i något varmt land kommer att sitta perfekt och han har redan bestämt sig för att ta ut sin semester när vädret är som sämst.

Även om vintern i Stockholm för det mesta är mild och på intet vis påminner om hans barndoms snöhelvete uppe i Kvikkjokk, kan det under några veckor varje år vara nästan outhärdligt att befinna sig i den kungliga huvudstaden.

När han för sina föräldrar, vilka aldrig varit söder om Boden, försökte beskriva klimatet i Stockholm kallade han det för ett varkenellerväder.

Det är inte vinter, men heller ingenting annat.

Det är bara otäckt. Kallt, regnigt och som lök på laxen den bitande havsvinden från Östersjön.

Fem plusgrader känns som minus fem.

Det är fukten som gör det. Allt jävla vatten.

Den enda staden i världen med värre vinterväder än Stockholm är möjligen S:t Petersburg, på andra sidan Östersjön, längst in i finska viken, byggd ovanpå ett träsk. Det var svenskar som var först med att bygga en stad på platsen innan ryssarna tog över. Lika masochistiskt lagda som svenskarna.

Man ska liksom njuta av eländet.

Trafiken på Centralbron står som vanligt stilla och han får slå på sirenerna för att komma fram, men hur välvilligt folk än försöker släppa fram honom så finns det ingenstans att köra åt sidan.

Han kör sicksack mellan filerna fram till avfarten mot Stadsgården där han svänger vänster och tar sig upp på Katarinavägen. Här är trafiken glesare och han trycker gasen i botten.

När han passerar La Mano, minnesmärket över de svenskar som stupade i spanska inbördeskriget, är han uppe i över hundrafyrtio kilometer i timmen.

Han njuter av farten och ser det hela som ett privilegium som ingår i jobbet.

Det ihållande regnvädret har gjort körbanan hal och vid Tjärhovsplan får han vattenplaning och håller på att förlora kontrollen över bilen. Han kopplar ur och när han känner att däcken åter fått fäste tar han höger in på Tjärhovsgatan. Den är enkelriktad, liksom Nytorgsgatan, men det kan inte hjälpas och han hoppas att han slipper möte.

Han parkerar utanför porten där det redan står två piketer med påslagna blåljus.

I porten möts han av en kollega han inte känner igen som är på väg ut. Han har tagit av sig mössan, håller den krampaktigt i handen och Hurtig ser att han är kritvit i ansiktet. Vit på gränsen till grön och Hurtig gör plats så att han hinner ut på gatan innan han kräks. Halvvägs upp hör Hurtig den yngre kollegan hulka ute på gatan.

Stackars sate, tänker han. Första gången är aldrig rolig. Eller, vad fan, roligt är det väl aldrig. Man vänjer sig inte. Möjligen trubbas man av, vilket på intet sätt gör att man blir en bättre polis även om det blir lättare att klara av uppgifterna.

Tillvänjningen gör att jargongen kan låta raljerande och okänslig för en utomstående. Men den är också en strategi för att skapa distans.

När Jens Hurtig kliver in i lägenheten är han glad över tillvänjningen.

Tio minuter senare inser han att han är tvungen att ringa upp Jeanette Kihlberg för assistans och då hon frågar vad som hänt beskriver han det hela som det jävligaste av allt jävligt han sett under hela sin jävla karriär.

Gamla Enskede

Snälla Johan, tänker hon. Världen går inte under för att vi vuxna beter oss illa.

Det ordnar sig ska du se.

"Förlåt. Det var inte meningen att det skulle bli så här..." Hon lutar sig fram och kysser honom på kinden. "Du ska veta att jag aldrig överger dig. Jag finns här för dig och det kommer Åke också att göra, det lovar jag."

Hon är inte helt övertygad om det där sista, men innerst inne tror hon inte att Åke kommer att svika Johan. Det kan han bara inte.

Hon reser sig försiktigt från hans säng och innan hon stänger dörren vänder hon sig om och ser på honom.

Han har redan somnat och hon funderar fortfarande på vad hon ska göra med honom när telefonen ringer.

Jeanette lyfter luren och till hennes besvikelse är det Hurtig. För ett ögonblick hade hon hoppats att det skulle vara Sofia.

"Jaha, och vad är det nu som hänt? Säg att det är viktigt annars blir jag..."

Hurtig avbryter henne genast. "Ja, det är viktigt."

Han tystnar och i bakgrunden hör Jeanette ljudet av upprörda röster. Enligt Hurtig finns det ingenting annat att göra för Jeanette än att återvända in till stan.

Det han just sett är inte mänskligt.

"Nån sjuk jävel har knivhuggit mannen minst hundra gånger, styckat honom och sen använt en vanlig roller och målat hela lägenheten!"

Helvete, tänker hon. Inte nu.

"Jag kommer så fort jag kan. Ge mig tjugo minuter."

Jaha, så sviker jag Johan igen.

Hon lägger på luren och skriver ett kort meddelande till Johan om han skulle vakna under kvällen. Eftersom han ibland kan vara mörkrädd tänder hon alla lamporna i huset innan hon går ut till bilen och kör tillbaka mot Södermalm.

Ett styckmord är det sista hon behöver just nu. Det är inte nog med att hon har Johan att tänka på. Hon har också den nedlagda utredningen.

Karl Lundström och Viggo Dürer.

Och inte minst Victoria Bergman. Där hade det tagit tvärstopp med Nacka tingsrätt.

Regnet har börjat avta men här och var finns fortfarande stora vattenpölar och hon vågar inte köra för fort av rädsla för vattenplaning. Det är kallt i luften. Termometern på Hammarbyverken visar elva grader.

Grenarna på träden i Koleraparken dignar av höstfärger och när hon från Johanneshovsbron ser in mot stan tycker hon att den är fantastiskt vacker.

Edsviken

"Påtår?" Annette Lundström hostar till och spiller nästan ut kaffet.

"Ja, tack."

Annette sätter sig ner och häller upp.

"Vad tror du?"

"Jag vet inte…"

Sofia ser på de andra teckningarna. Den ena visar ett rum med ett sällskap bestående av tre män, en flicka som ligger på en säng och en figur med bortvänt huvud. Den andra är mer abstrakt utförd och svårtolkad, men här finns figuren med två gånger. I bildens mitt är den ögonlös och omgiven av ett virrvarr av ansikten och i det vänstra, nedre hörnet är ytterligare en figur på väg att försvinna ut ur teckningen. Bara halva kroppen syns, inte ansiktet.

Hon jämför med den första teckningen. Samma ögonlösa figur i ett fönster betraktande en scen nere i en trädgård. En stor hund och en man bakom ett träd. U1660?

"Vad är det du inte förstår med teckningarna?" frågar Sofia över kaffekoppen.

Annette Lundström ler osäkert. "Det är den där figuren utan ögon. Jag visade Linnea teckningarna vid ett tillfälle och påpekade att hon glomt att rita dit ögonen, men då sa hon bara att det skulle vara så. Jag antar att det är hennes självporträtt, att figuren är hon. Men jag förstår inte vad det är hon vill säga med dem. Någonting måste det väl vara. Jag vet inte om det är hennes sätt att förklara att hon inte ville veta av vad som pågick."

Hur blind får man bli? tänker Sofia. Kvinnan har ägnat hela

sitt liv åt att försöka blunda. Nu tror hon att hon kan kompensera det genom att bekänna för en psykolog att hon faktiskt ser något konstigt på sin dotters gamla teckningar. Ett lamt bekräftande som syftar till att visa att hon också ser, men att hon gör det först nu. Skulden skjuts över till maken och hon svär sig fri från inblandning.

"Vet du vad det här betyder?" frågar Sofia och pekar på tecknen invid trädet på den första teckningen. "U1660?"

"Ja, jag förstår kanske inte så mycket, men det förstår jag åtminstone. Linnea kunde inte skriva då utan fick rita av hans namn. Det är han som är lite puckelryggig bakom trädet."

"Och vem är han?"

Annette ler ansträngt. "Det står inte U1660. Det står Viggo. Det är Viggo Dürer, min väninnas man. Det är huset i Kristianstad som Linnea ritat. De var ofta på besök nere hos oss, fast de bodde i Danmark då."

Sofia rycker till. Hennes föräldrars advokat.

Akta dig för honom.

Annette ser plötsligt sorgsen ut.

"Henrietta, en av mina bästa väninnor, var gift med Viggo. Hon dog förra året i en olycka. Jag tror att Linnea var lite rädd för Viggo och det är kanske därför hon inte vill se honom på teckningen. Hon var rädd för hunden också. Det var en rottweiler och den är sig faktiskt ganska lik." Annette tar upp teckningen och ser närmare på den. "Och där är poolen som vi hade på tomten." Hon pekar på det som Sofia först trott vara en fontän. "Visst var hon duktig på att rita?"

Sofia nickar. "Men om du tror att det är Linnea som står i fönstret utan ögon, vem är då flickan som står bredvid hunden?"

Annette ler plötsligt. "Det är nog jag. Här har jag min röda klänning på mig." Hon lägger ifrån sig den första teckningen och tar upp den andra. "Och på den här ligger jag i sängen och sover medan grabbarna har fest." Hon skrattar generat åt minnet.

Sofia blir äcklad av att se på henne. Blicken är tom bakom skrattet och de magra dragen gör att hon påminner om en utmärglad fågel. En struts som stoppar huvudet i sanden.

För Sofia är det glasklart vad Linneas teckningar handlar om. Annette Lundström förväxlar sig själv med flickan på bilderna och för henne blir den ömsom ögonlösa, ömsom bortvända och flyende figuren Linnea.

Annette Lundström är inte förmögen att se vad som pågått i hennes närhet.

Medan Linnea har förstått allt sedan hon var fem år gammal.

Sofia vet att hon måste ordna ett möte med Linnea Lundström, med eller utan hjälp från hennes mamma.

"Är det okej om jag fotograferar av teckningarna?" Sofia sträcker sig efter handväskan och mobiltelefonen. "Kanske jag kommer på nåt senare."

"Ja, det går bra."

Sofia tar upp mobiltelefonen, tar några bilder av Linneas teckningar och reser sig sedan ur fåtöljen.

"Jag ska nog gå nu. Var det något mer du ville tala om?"

"Nej, egentligen inte", säger Annette. "Men jag hade ju som sagt hoppats på att du kunde träffa Linnea."

Sofia hejdar sig.

"Vi gör så här. Du och jag åker till Danderyd tillsammans. Överläkaren på psykiatrin är en gammal bekant till mig. Vi får förklara situationen för henne och kanske låter hon mig träffa Linnea om vi spelar våra kort väl."

När Sofia Zetterlund svänger ut på Norrtäljevägen har klockan blivit nästan sex. Mötet med Annette Lundström har tagit längre tid än hon trott, men det har varit mycket givande.

Viggo Dürer? Varför kan hon inte minnas honom? De gjorde bouppteckningen tillsammans över telefon. Minnet av hans rakvatten. Old Spice och Eau de Vie. Det är det enda.

Men Sofia förstår att Victoria känt Viggo Dürer. Det måste vara så.

Hon passerar Danderyds sjukhus och bron över Stocksundet. Nere i Bergshamra blir hon tvungen att tvärbromsa, då köbildning uppstått på grund av ett vägarbete längre fram. Trafiken kryper fram.

Hon känner sig rastlös och slår på radion. En mjuk kvinnoröst berättar om hur det är att leva med ätstörningar. Oförmågan att äta och dricka på grund av rädslan att svälja, en fobi utlöst av trauma. Grundläggande kroppsliga reflexer som sätts ur funktion. Så enkelt det verkar vara.

Sofia tänker på Ulrika Wendin och Linnea Lundström.

Två unga flickor vars problematik beror på handlingar som utförts av en man Sofia nyligen utrett i Huddinge. Karl Lundström.

Ulrika Wendin äter inte, Linnea Lundström är stum.

Ulrika och Linnea är konsekvenserna av en enda mans handlingar och snart kommer de att sitta framför henne med fortsättningen på mannens berättelse.

Den mjuka kvinnorösten på radion och ljusen från den krypande trafiken i det disiga mörkret gör att Sofia faller in i ett nästan hypnotiskt tillstånd.

Hon ser två hålögda och insjunkna ansikten och Ulrikas avmagrade gestalt flyter ihop med Annette Lundströms.

Då står det plötsligt klart för henne vem Annette Lundström är. Eller snarare varit.

Det är nästan tjugofem år sedan. Ansiktet hade varit rundare och hon hade skrattat.

Snäckorna

i öronen lyssnar på lögnerna. Han får inte släppa in det osanna, för då når det snart magen och förgiftar kroppen.

Han har tidigare lärt sig att inte tala och nu försöker han lära sig att inte lyssna på orden.

När han var liten brukade han gå till Den gula tranans pagod i Wuhan för att lyssna på en munk.

Alla sa att den gamle mannen var galen. Han talade ett främmande språk som ingen förstod och han luktade illa och var smutsig, men Gao Lian tyckte om honom för att hans ord blev till Gaos egna.

Munken gav honom ljud som Gao gjorde till sina när de nådde hans öron.

När den ljusa kvinnan gör mjuka ljud i vackra melodier tänker han på munken och då fylls hjärtat med en skön värme som bara är hans.

Gao ritar ett stort, svart hjärta med kritorna hon gett honom.

magen
smälter lögnerna om man inte är försiktig, men hon har lärt honom att man kan skydda sig genom att låta syran i magsäcken blandas med kroppens vätskor.

Gao Lian från Wuhan smakar på vattnet och det smakar salt.

Länge sitter de där mitt emot varandra och Gao ger henne av sitt eget vatten.

Efter en stund kommer det inte längre något vatten ur honom. Från halsen rinner det istället blod och det smakar rött och lite sött.

Gao letar efter någonting som smakar surt och sedan efter någonting beskt.

När hon lämnat honom ensam sitter han kvar på golvet och rullar en krita mellan fingrarna tills huden färgas svart.

Varje dag gör han nya teckningar och han märker att han blir bättre och bättre på att överföra sina inre bilder till pappret. Handen och armen är inte längre någonting som ligger i vägen. Hans hjärna behöver inte tala om för handen vad den ska göra. Den lyder och ifrågasätter inte hans idé. Det är så enkelt. Han bara flyttar bilderna från en punkt inne i fantasin, via armen och handen, ut på pappret.

Han lär sig hur han ska använda de svarta skuggorna för att förstärka det vita och i mötet mellan kontrasterna skapar han nya effekter.

Han ritar ett brinnande hus.

Patologiska institutionen

Den delvis styckade kroppen ligger på en rullvagn av rostfritt stål. Gapande djupa snitt längs armar och ben visar var Ivo Andrić frilagt delar av Per-Ola Silfverbergs skelett för att närmare kunna fastställa skadorna.

Per-Ola Silfverbergs fingrar och handflator har djupa skärsår som visar att han har försökt värja sig genom att gripa tag i knivbladet och det är uppenbart att han kämpat för sitt liv mot en övermäktig motståndare.

Den eller de som dödat honom har skurit av pulsådern på den högra underarmen och kroppen bär spår efter ett stort antal knivstick, som om någon i raseri huggit kniven i honom om och om igen.

Obduktionen visar talrika blåmärken och på halsen ser Ivo Andrić skador efter stryptag.

Ett kraftigt slag har krossat några leder på hans fingrar och flera små blödningar i bröstkorgens muskler tyder på att förövaren kan ha pressat honom mot golvet under sin egen kroppstyngd.

Med all sannolikhet mördad och sedan styckad.

Det sätt på vilket bäckenet utrymts och samtliga organ och inälvor tagits bort tyder på en person kunnig i anatomi. Samtidigt finns också tecken på ett grovt och okunnigt förfaringssätt.

Kroppen har styckats med ett eggvasst föremål såsom en kraftigt eneggad kniv. Med tanke på huggens placering tyder mycket på att åtminstone styckningen utförts av två personer.

Helhetsbilden ger intryck av grov överdrift och det mesta pekar på att det rör sig om någon med sadistiska böjelser.

I sin rapport till Jeanette Kihlberg skriver Ivo Andrić. "Med sadism menas i sammanhanget att en individ stimuleras av att tillfoga andra smärtor eller förödmjukelser. Det bör tilläggas att enligt rättsmedicinsk erfarenhet visar mördare av den typen som tagit Silfverbergs liv stor benägenhet att upprepa gärningen på ett mer eller mindre liknande sätt, på mer eller mindre liknande offer. När det handlar om ett så här svårt och sällsynt fall måste relevant litteratur noggrant studeras, vilket är ytterst tidskrävande. Jag återkommer."

Ivo Andrić kommer att tänka på styckningen av Catrine da Costa. En av de huvudmisstänkta hade arbetat här i Solna och till och med haft Ivos före detta chef som handledare för en avhandling.

Två personer med olika kunskaper om anatomi.

Kvarteret Kronoberg

INDUSTRIMAN BRUTALT MÖRDAD lyder rubriken och när Jeanette öppnar tidningen ser hon att man kartlagt hela Per-Ola Silfverbergs liv och karriär. Han har växt upp i en förmögen familj och efter gymnasiet studerade han industriell ekonomi, läste kinesiska och insåg tidigt vikten av att exportföretag inriktade sig på den asiatiska marknaden.

Han flyttade till Köpenhamn och blev vd för en firma som tillverkade leksaker.

I samband med en brottsutredning som senare lades ner flyttade han och hans fru till Sverige. Det var tretton år sedan och ingenstans stod att läsa vad han varit misstänkt för. I Sverige gjorde han sig snabbt känd som en duktig företagsledare och de prestigefyllda styrelseuppdragen hade genom åren ökat i omfattning.

Jens Hurtig kommer in i rummet med Schwarz och Åhlund i hasorna.

"Ivo Andrić har skickat sin rapport och jag har hunnit läsa den nu på morgonen." Hurtig räcker över en bunt papper.

"Bra, då kan du berätta för oss vad han har att säga."

Schwarz och Åhlund ser förväntansfulla ut. Hurtig harklar sig innan han börjar och Jeanette tycker att han verkar lite skärrad.

"Till att börja med beskriver Ivo Andrić hur det såg ut i lägenheten, men det vet vi redan eftersom vi var där så det hoppar jag över." Han tystnar, byter ordning på papprena och fortsätter.

"Då ska vi se, här står 'Vid slakt sticker man in kniven i en speciell vinkel för att komma åt de stora blodkärlen runt hjärtat.'"

"Alla män är djur, tycker inte du det?" flinar Schwarz varpå

Hurtig vänder blicken mot Jeanette och inväntar hennes kommentar.

"Jag är benägen att hålla med Schwarz om att det verkar vara ett symboliskt mord, men betvivlar att det är könet som är Per-Ola Silfverbergs största skuld. Jag tänker snarare på termen kapitalistsvin, men låt oss inte fastna i den tankegången."

Jeanette nickar åt Hurtig som ett tecken att han ska fortsätta läsa ur rapporten.

"Obduktionen av Per-Ola Silfverberg visar en annan ovanlig typ av knivskada. Skadan finns på mannens hals. Kniven har stuckits in under huden och vridits om, varefter huden sprättats upp underifrån." Han tittar på den samlade skaran. "Ivo har aldrig sett en sådan skada tidigare. Sättet att skära av pulsådern i armen på offret var också ovanligt. Detta tyder på att gärningsmannen agerat utifrån vissa anatomiska kunskaper."

"Alltså inte en läkare, men jägare eller slaktare är tänkbart", skjuter Åhlund in.

Hurtig rycker på axlarna. "Ivo antyder dessutom att det är fler än en gärningsman. Antalet stick och det faktum att vissa verkar utförda av en högerhänt och vissa av en vänsterhänt tyder på det."

"Så det kan vara en gärningsman med goda anatomiska kunskaper och en utan?" frågar Åhlund samtidigt som han gör några anteckningar i blocket han har framför sig.

"Kanske det", svarar Hurtig tvekande och tittar på Jeanette som nickar stumt. Lösa trådar och ingenting mer, tänker hon.

"Vad säger hans fru?" frågar hon. "Har hon någon känsla av att Per-Ola levt under en hotbild?"

"Vi lyckades inte få ett vettigt ord ur henne igår", svarar Hurtig. "Men vi ska prata med henne lite senare."

"Låset var i alla fall intakt så rimligen var det någon han kände", börjar Jeanette men avbryts av att det knackar på dörren. De sitter tysta i några sekunder innan den öppnas och Ivo Andrić kliver in i rummet.

Jeanette ser att Hurtig sjunker ihop av lättnad efter den anspänning som dragningen tydligen utgjort.

Hon har inte registrerat den sidan hos honom tidigare.

"Ja, jag hade vägarna förbi", säger Ivo.

"Så du har något mer?" frågar Jeanette.

"Ja, förhoppningsvis en något klarare bild", suckar Ivo, tar av sig baseballkepsen och sätter sig på bordet vid Jeanette.

"Anta följande", börjar han. "Silfverberg möter förövaren på gatan och följer frivilligt med till bostaden. Eftersom kroppen inte visar spår av att ha bundits bör mötet med förövaren från början varit en normal samvaro som sedan urartat."

"Urartat är väl det minsta man kan säga", inflikar Schwarz.

Ivo Andrić svarar inte utan fortsätter. "Jag tror trots allt att mordet har föregåtts av planering."

"Vad får dig att dra den slutsatsen?" Åhlund ser upp från sitt anteckningsblock.

"Gärningsmannen visar inga tecken på att ha varit berusad och saknar antagligen synliga tecken på psykisk sjukdom. Vi hittade två vinglas, men båda var noggrant avtorkade."

"Vad kan du säga om styckningen?" fortsätter Åhlund.

Jeanette sitter tyst och lyssnar. Iakttar sina kollegor.

"Styckningen som följer är inte en vanlig så kallad transportstyckning och förmodligen sker den i badrummet."

Ivo Andrić beskriver i vilken ordning delarna sannolikt styckats och hur förövaren har placerat dem i lägenheten. Hur lägenheten, under natten och morgonen, grundligt undersökts i jakten på avslöjande spår. Vattenlåsen i badrummet hade genomsökts, liksom avloppsrör och gallret till golvbrunnen.

"Anmärkningsvärt är att låren skickligt avlägsnats från höftlederna med endast ett fåtal snitt och med samma skicklighet har också underbenen skurits loss i knälederna."

Ivo tystnar och Jeanette avslutar med att själv ställa två frågor rakt ut i luften, utan egentlig adress.

"Så vad säger styckningen av kroppen om gärningsmannens läggning? Och kommer han att göra det igen?"

Jeanette ser från den ena till den andra. Möter deras blickar.

De sitter tysta i det syrefattiga konferensrummet, förenade av maktlösheten.

Klara sjö

Namnet till trots är Klara sjö ett smutsigt vattenområde, otjänligt för både fiske och bad.

Avloppsnätet är stort och områdets industrier och trafiken från Klarastrandsleden har orsakat stora föroreningar i form av mycket höga halter av kväve, fosfor och en lång rad metaller och tjärämnen. Siktdjupet är nästan obefintligt, precis som på den närbelägna åklagarmyndigheten.

En spaningsledning har sin hierarki. Det finns en chef och ett antal spanare och varje fall har en förundersökningsledare, åklagaren, som bestämmer siktdjupet.

Kenneth von Kwist bläddrar bland fotografierna av Per-Ola Silfverberg.

Det här är bara för mycket, tänker han. Jag klarar inte mer.

Om åklagaren hade haft förmågan att omvandla sin känsla till en symbolisk bild hade han sett sig själv sprängas i småbitar, som när en spegel träffas av en kula och ingen av glasbitarna är större än en tumnagel. Men den förmågan saknar han och hans enda tanke är en oro för att han har haft att göra med fel människor.

Hade det inte varit för Viggo Dürer hade han kunnat sitta här, lugn och trygg och bara räkna ner dagarna fram till pensionen.

Först Karl Lundström, sedan Bengt Bergman och så nu Peo Silfverberg. Alla presenterade för honom av Viggo Dürer, men det är inga personer åklagaren någonsin betraktat som sina nära vänner. Han hade haft med dem att göra och det hade räckt.

Räckte det för en nyfiken journalist? Eller en nitisk utredare som Jeanette Kihlberg?

Av egen erfarenhet vet han att de enda människor man kan lita på är dem som är renodlat själviska. De följer alltid ett bestämt mönster och man vet precis vad de kommer att företa sig.

Men råkar man ut för någon som Jeanette Kihlberg, en person med en underliggande fond av rättvisepatos, är situationen inte lika lätt att förutspå. De enda man kan lura med gott utbyte är de hundraprocentigt själviska.

Alltså kan han inte försöka tysta Jeanette Kihlberg på det vanliga sättet. Han måste helt enkelt se till att hon inte får tillgång till det material han sitter på och han vet att det han nu ska göra är att betrakta som kriminellt.

Ur den understa lådan i skrivbordet tar han fram en tretton år gammal mapp och slår på dokumentförstöraren. Den går igång med ett väsande och innan han börjar mata maskinen med papper läser han vad Per-Ola Silfverbergs danske försvarare hade framhållit.

Anklagelserna är många, opreciserade till tid och rum och därmed särskilt svåra att motbevisa. Utgången i målet vilar i allt väsentligt på de berättelser som flickan har lämnat och den tilltro som kan sättas till hennes utsaga.

Sakta stoppar han in pappret. Det rasslar till och ut kommer små, smala oläsliga remsor.

Nästa papper.

Den övriga bevisningen som har åberopats i målet kan antingen förstärka eller förringa tilltron till flickans uppgifter. Hon har i förhör berättat om vissa handlingar som Per-Ola Silfverberg skall ha begått mot henne. Hon har dock inte orkat fullfölja förhören. Vissa av hennes utsagor har därför endast kunnat redovisas genom uppspelning av polisens videoförhör med flickan.

Fler papper, flera remsor.

Försvaret har gentemot videoförhören i huvudsak gjort gällande att förhörsledaren har ställt ledande frågor och tvingat fram svaren. Vidare har flickan haft motiv för att beskylla Per-Ola Silfverberg för gärningarna. Om flickan kunde visa att Per-Ola Silfverberg var orsaken till hennes psykiska ohälsa skulle hon få lämna fosterhemmet och flytta hem till i Sverige.

Hem till Sverige, tänker åklagare Kenneth von Kwist och slår av dokumentförstöraren.

Dåtid

Det finns ingen bra anledning att börja om, hade han sagt.
Du har alltid tillhört mig och kommer alltid att göra det.
Hon kände det som om hon var två personer.
En som tyckte om honom och en som hatade honom.

Tystnaden känns som ett vakuum.

Han andas tungt och ljudligt genom näsan under hela resan till Nacka och det ljudet upptar henne fullständigt.

När de är framme vid sjukhuset stänger han av motorn.

"Då så", säger han och Victoria går ur bilen. Bildörren går igen med ett dovt ljud och hon vet att han kommer att sitta kvar i tystnaden som uppstår.

Hon vet också att han stannar där så hon behöver inte vända sig om för att försäkra sig om att avståndet mellan dem faktiskt ökar. Hennes steg blir lättare och lättare för varje meter hon går bort från honom. Lungorna växer och hon fyller dem med luft som är så olik den som finns i närheten av honom. Så frisk.

Utan honom vore jag inte sjuk, tänker hon.

Utan honom vore hon ingenting, vet hon, men hon undviker att tänka tanken klart.

Terapeuten hon träffar har passerat pensionsåldern, men jobbar kvar i alla fall.

Sextiosex år gammal, klok som sin ålder. I början hade det gått trögt, men efter bara några få möten hade Victoria känt att det blev lättare att öppna sig.

När hon stiger in på mottagningen är ögonen det första Victoria ser.

Det är dem hon i första hand längtar efter. Dem kan hon landa i.

Kvinnans ögon hjälper Victoria att förstå sig själv. De är uråldriga, de har sett allt och de är pålitliga. De drabbas inte av panik och de säger inte att hon är galen, men de säger inte heller att hon har rätt, eller att de förstår henne.

Kvinnans ögon fjäskar inte.

Därför kan hon se in i dem och känna sig lugn.

"När var senaste gången du kände dig riktigt bra?" Hon inleder varje samtal med en fråga som hon sedan använder som klangbotten under hela sessionen.

Victoria sluter ögonen som hon uppmanats att göra om hon inte omedelbart kan svara på frågorna hon ställs inför.

Tänk inåt, säg hur du känner istället för att försöka svara rätt.

Det finns inget rätt. Det finns inget fel.

"Sist jag strök pappas skjortor sa han att de var perfekta." Victoria ler för hon vet att det inte fanns en skrynkla kvar på dem och kragarna var precis lagom stärkta.

De där ögonen ger henne total uppmärksamhet, de är där bara för henne.

"Om du fick välja en sak som du fick göra i resten av ditt liv, skulle det då vara att stryka skjortor?"

"Nej, absolut inte!" utbrister Victoria. "Att stryka skjortor är skittråkigt." Och med ens inser hon vad hon sagt, varför hon sagt det och hur det egentligen borde vara. "Jag brukar möblera om i hans skrivbord och byrålådor", fortsätter hon av bara farten, "för att se om han märker nåt när han kommer hem. Det gör han nästan aldrig, inte ens när jag sorterade hans skjortor i garderoben efter gråskalan. Från vitt via olika nyanser av grått till svart."

Ögonen ser intresserat på henne. "Intressant. Men han berömde dig i alla fall förra gången du strök skjortorna?"

"Ja, han gjorde väl det."

"Hur går det med studierna?" bryter den gamla in utan att med en min reagera på Victorias svar.

"Sådär." Victoria rycker på axlarna.

"Vad fick du för omdöme på din senaste uppgift?"

Victoria tvekar.

Visst minns hon hur det löd, men hon vet inte hur hon ska få det ur sig.

Det låter så löjligt.

Kvinnan väntar på att hon ska svara och Victoria andas in luft från rummet de sitter i, känner hur syret vandrar genom blodomloppet och väcker del efter del av henne.

Hon känner benen, armarna, musklerna som rör sig när hon stryker håret ur pannan.

"Utmärkt stod det", säger hon ironiskt. "Du har en fenomenal förståelse för de neurala processerna och tillför egna och spännande funderingar som jag gärna ser dig utveckla i ett större arbete."

Terapeuten tittar stort på henne och slår ihop sina händer. "Men det är ju fantastiskt, Victoria, kände du dig inte nöjd när du fick tillbaka din tentamen med ett sånt utlåtande?"

"Men", försöker Victoria. "Det spelar ändå ingen roll. Det är ju på låtsas."

"Victoria", säger psykologen allvarligt. "Jag vet att du har pratat om din svårighet att skilja det som är på låtsas och det som är på riktigt, som du brukar säga, eller det viktiga för dig och det oviktiga för dig, som jag brukar säga... Om du tänker efter, är inte det här ett exempel på just det? Du påstår att du känner dig bra när du stryker skjortor, men du vill egentligen inte göra det. Och när du studerar, vilket du tycker om att göra, presterar du utmärkt, men..." Hon höjer ett finger och fäster blicken i Victorias. "Du tillåter dig inte att bli glad när du får beröm för det du tyckt om att göra."

De där ögonen, tänker Victoria. De ser allt hon själv aldrig sett, bara anat. De förstorar henne när hon försöker förminska sig och de visar försiktigt på skillnaden mellan vad hon inbillar sig se, höra och känna och det som sker i alla andras verklighet.

Victoria önskar att hon kunde se med gamla, kloka ögon. Som psykologen.

Lättnaden hon känner i psykologens rum varar bara under de tjugoåtta trappstegen som leder ner till huvudentrén.

Han sitter kvar i bilen och väntar när hon kommer ut.

Hans ansikte är orörligt, tungt, och även hon förstenas när hon ser det.

Sedan tystnaden i bilen hem.

De passerar kvarter efter kvarter, hus efter hus, familj efter familj.

De åker igenom Hjortängen och Backaböl.

Hon ser de självklara.

De som rör sig på gatorna som om de hade en medfödd rätt att befinna sig där.

Hon ser en jämnårig flicka gå arm i arm med sin mamma.

De ser så obesvärade ut.

Den flickan hade kunnat vara jag, tänker Victoria.

Hon inser att hon hade kunnat bli vem som helst.

Men hon blev hon.

Hon förbannar ordningen, hon förbannar slumpen, men biter ihop och försöker undvika att andas in hans lukt.

"Vi ska ha rådslag över middagen", säger han när han öppnar bildörren och kliver ut på gatan. Han tar tag i sina byxor och drar dem så långt över magen att man kan se konturerna av hans pung. Victoria vänder bort blicken och går mot huset.

Till vänster står rönnbärsträdet som planterats när hon föddes. Bären är mogna och lyser provocerande rött, som för att demonstrera att trädet är vinnaren och Victoria är förloraren.

Huset är som ett svart hål som tillintetgör alla som går in i det och hon öppnar dörren och låter sig slukas.

Mamma säger ingenting när de kommer in, men hon har middagen klar. De sätter sig runt bordet. Pappa, mamma och Victoria.

När de sitter där förstår hon att de liknar en familj.

Domningen sprider sig sakta genom kroppen. Hon hoppas att den ska nå hjärtat innan han tar till orda.

"Victoria", börjar han medan hennes hjärta fortfarande slår. Han knäpper sina ådriga händer och placerar dem på bordet. Vad han än tänker säga vet hon att det här inte är ett rådslag. Det är en order.

"Vi tror att du skulle må bra av lite miljöombyte", fortsätter han, "och mamma och jag har kommit fram till att det bästa vore att förena nytta med nöje." Han ser uppfordrande på mamma, som nickar och serverar honom mer potatis.

"Du minns Viggo?" Han ser frågande på Victoria.

Hon kommer ihåg Viggo.

En dansk man som kommit på besök med jämna mellanrum när hon var liten.

Aldrig när mamma var hemma.

"Ja, jag minns honom. Vad är det med honom?" Hon förstår inte hur hon lyckas formulera ord, meningar, men det är någonting som vaknar i henne.

"Jag skulle komma till det. Viggo har en gård på Jylland och behöver någon som sköter hushållet. Inga tunga uppgifter, det förstår vi ju av ditt nuvarande tillstånd."

"Mitt nuvarande tillstånd?" Nu känner hon igen den pulserande vreden som lägger sig som ett självlysande raster över förlamningen.

"Du vet vad vi menar", säger han med högre röst. "Du går och pratar för dig själv. Du har låtsaskompisar fast du är sjutton år. Du får vredesutbrott och beter dig som en barnunge!"

Hon gnisslar tänder och stirrar ner i bordet.

Han suckar uppgivet åt hennes tystnad.

"Ja, ja. Den skyldige tiger alltid. Men vi vill ju ditt bästa och Viggo har kontakter i Ålborg som kan hjälpa dig. Du åker ner till honom under våren, därmed basta."

De är tysta medan han fullbordar måltiden med en kopp te. Han stoppar en sockerbit mellan läpparna och snart kommer han att sila teet genom den tills den löser upp sig.

De är tysta medan han dricker. Sörplar, som han alltid gör.

"Det är för din skull", avslutar han, reser sig från bordet och går fram till diskhon och spolar ur koppen med ryggen mot dem. Mamma skruvar på sig och ser bort.

Han stänger av vattnet, torkar av händerna och lutar sig mot diskbänken. "Du är inte myndig än", säger han. "Vi ansvarar för dig. Det finns inget att diskutera."

Nä, jag vet det, tänker hon. Det finns inget att diskutera och det har det aldrig gjort.

Kvarteret Kronoberg

När Ivo Andrić, Schwarz och Åhlund lämnat konferensrummet lutar sig Hurtig fram över bordet och tilltalar Jeanette med låg röst. "Innan vi går vidare med Silfverberg, var står vi med de gamla fallen?"

"Ganska stilla. Åtminstone från min sida. Och du? Har du hittat nåt?"

Hon tycker att han skiner upp lite. Stolt över sitt arbete, tänker hon. En klar tillgång.

Något i hans blick avslöjar en spelad nonchalans som hon vet betyder att han egentligen är otålig.

Hon ser det som ytterligare en bekräftelse på att han är rätt person att arbeta med.

"Både bra och dåliga nyheter", säger han. "Var vill du att jag börjar…"

"Börja inte med en klyscha, i alla fall", avbryter Jeanette. Han kommer av sig och hon ler brett åt honom. "Förlåt, jag skojar. Börja med de dåliga. Du vet att jag föredrar det."

"Okej. Först Dürers och von Kwists rättshistoria. Förutom att det finns fem eller sex nedlagda fall där de stått på varsin sida ser jag inga konstigheter. Och egentligen är det inte särskilt förvånande eftersom de är specialiserade på samma typ av brott. Jag har hittat flera andra advokater som varit försvarare i flera fall där von Kwist varit åklagare. Du får gärna dubbelkolla, men jag tror inte att du kommer att hitta något."

Jeanette nickar. "Fortsätt."

"Listan över donatorer. Sihtunum i Diasporan stöds av en grupp före detta elever på Sigtunaskolan, företagare och politiker, framgångsrika människor med fläckfritt förflutet. Det är bara ett fåtal som inte har en direkt koppling till skolan, men man kan väl anta att de känner någon före detta elev eller har andra kontakter som leder dit."

Tvärstopp, än så länge i alla fall, tänker Jeanette och ger ett tecken till Hurtig att fortsätta.

"Med IP-numret var det lite knepigt. Användaren som publicerade listorna över donatorer har bara skrivit ett enda inlägg och jag fick rota länge innan jag kunde identifiera IP-adressen. Gissa vart den leder."

"In i en återvändsgränd?"

Han slår ut med armarna. "En Seven Eleven-butik i Malmö. Jag antar att det är en återvändsgränd eftersom du vet lika väl som jag att de inte sparar sina övervakningsfilmer från dag till dag om inget ovanligt inträffar. Har du tjugonio kronor så är det bara att fullständigt anonymt köpa en biljett i en automat och sätta dig framför datorn en timme."

"Men vi har i alla fall en exakt tidpunkt när personen som skrivit inlägget befunnit sig i Malmö. Det är alltid nåt, eller hur? Är du färdig med de dåliga nyheterna?"

"Ja."

"Kan du fixa så att jag har alla papper på mitt skrivbord imorgon bitti? Jag skulle vilja göra en dubbelkoll för säkerhets skull. Ta inte illa upp, du vet att jag litar på dig, men fyra ögon ser mer än två och två hjärnor tänker bättre än en."

"Självklart."

"Och de goda nyheterna?"

Jens Hurtig flinar. "Att Per-Ola Silfverberg är en av donatorerna."

Innan Jeanette Kihlberg lämnar polishuset för dagen meddelar Dennis Billing henne de ekonomiska förutsättningarna för utredningen i fallet Silfverberg och när hon kör förbi Rådhuset tänker hon på att den budget Billing lovat henne redan inledningsvis är mer än tio gånger så stor som den hon tilldelades för arbetet med de mördade pojkarna.

Döda barn utan papper är mindre värda än döda svenskar med karriär och pengar på banken, konstaterar hon under stigande vrede.

Hon tänker på vilka faktorer som egentligen bestämmer värdet av ett människoliv.

Är det antalet sörjande på begravningen, den finansiella kvarlåtenskapen eller det mediala intresset kring dödsfallet?

Den dödes samhälleliga inflytande? Den dödes ursprung eller hudfärg?

Eller summan av de polisiära resurserna i en mordutredning?

Hon vet att kostnaden för utrikesminister Anna Lindhs död slutade på femton miljoner kronor när Svea hovrätt dömde mördaren Mijailo Mijailović till rättspsykiatrisk vård och hon vet också att det allmänt inom polisväsendet anses som en låg kostnad i jämförelse med de trehundrafemtio miljoner statsminister Olof Palmes död hittills kostat samhället.

Vita bergen

När Sofia Zetterlund vaknar är hennes kropp öm som om hon sprungit flera mil i sömnen och hon reser sig upp och går in i badrummet.

Fan så jag ser ut, tänker hon när hon ser sitt ansikte i spegeln ovanför handfatet.

Håret är rufsigt och hon har glömt att ta av sminket innan hon gick till sängs. Den utsmetade mascaran ser ut som blåtiror och läppstiftet är en rosa hinna över hakan.

Vad hände igår egentligen?

Hon vrider på kranen och låter det kalla vattnet spola över händerna en stund innan hon formar dem till en kupa för att skölja ansiktet.

Hon minns att hon varit hemma och sett på teve. Men vad mer?

Hon torkar av ansiktet, vänder sig om och drar duschdraperiet åt sidan. Badkaret är fyllt till bredden med vatten. En tom vinflaska ligger på botten och etiketten som stilla flyter på vattenytan bekräftar att det är den dyra Riojan som stått längst in i barskåpet i flera år.

Det är inte jag som dricker, tänker hon. Det är Victoria.

Men vad mer än några flaskor vin och ett bad? Har jag varit ute inatt? Lämnat lägenheten?

Hon öppnar dörren och ser ut i hallen. Ingenting konstigt.

Men när hon går in i köket ser hon att det står en plastpåse nedanför skåpet under diskbänken och redan innan hon böjt sig ner och knutit upp påsen förstår hon att den inte innehåller sopor.

Alla kläderna är plaskblöta och hon sliter ut dem ur påsen.

Hennes svarta, stickade tröja, ett svart linne och de mörkgrå joggingbyxorna. Under en djup, uppgiven suck sprider hon ut dem på köksgolvet och undersöker dem närmare.

De är inte smutsiga, men luktar surt. Förmodligen beror det på att de legat i påsen hela natten och hon vrider ur den genomblöta tröjan över en skål i vasken.

Vattnet har en smutsbrun färg och när hon smakar på det anar hon en ton av salt, men det är omöjligt att avgöra om smaken kommer från svettavlagringar i tröjan eller från bräckt vatten utomhus.

Hon inser att hon i alla fall för tillfället inte kommer att få reda på vad hon gjort under natten, samlar ihop kläderna och hänger dem på tork i badrummet innan hon tappar ur karet och tar hand om vinflaskan.

Sedan går hon tillbaka till sovrummet, drar upp persiennerna och kastar ett öga på klockradion. Kvart i åtta. Det är lugnt. Tio minuter i duschen, ytterligare tio framför spegeln och sedan en taxi till mottagningen. Första klienten klockan nio.

Linnea Lundström ska komma klockan ett, det minns hon. Men innan dess? Hon vet inte.

Hon stänger fönstret och tar ett djupt andetag.

Det här går inte. Jag kan inte fortsätta så här. Victoria måste bort.

En halvtimme senare sitter Sofia Zetterlund i taxin och kontrollerar sitt ansikte i backspegeln medan bilen rullar ner för Borgmästargatan.

Hon är nöjd med det hon ser.

Hennes mask sitter som den ska, men inuti skakar hon.

Hon inser att ingenting nytt har hänt med henne.

Skillnaden från förr är bara att hon nu är medveten om sina minnesförluster.

Tidigare var bortfallen en så naturlig del av henne att hjärnan inte registrerade dem. De fanns helt enkelt inte. Nu finns de där som oroande, svarta hål i hennes liv.

Hon förstår att hon måste lära sig att hantera det här. Hon måste lära sig att fungera igen och hon måste lära känna Victoria Bergman. Det barn hon en gång var. Den vuxna kvinna hon sedan blev, dold för världen och henne själv.

Minnena från Victorias liv, uppväxten i familjen Bergman, är inte arrangerade som ett fotoarkiv där man bara kan dra ut en låda, plocka fram en mapp med ett visst datum eller händelse och se på bilderna. Minnena av hennes barndom kommer lynnigt till henne, smyger sig på henne när hon minst anar det. Ibland kommer de fram utan yttre påverkan, andra gånger kan ett föremål eller ett samtal kasta henne tillbaka i tiden.

Tio minuter tidigare, när hon väntade på taxin, hade hon skalat en apelsin i köket. Doften av frukten hade väckt minnet av apelsinjuice i trädgården en sommar i Dala Floda när hon var åtta år gammal. Det var fotbolls-VM i Argentina och pappa hade låtit henne vara för att Sverige spelade en avgörande gruppspelsmatch, men efter att de förlorat blev han så frustrerad att hon hade tvingats lugna honom med händerna. Plötsligt mindes hon att hennes pappa satt sig grensle över henne på köksgolvet medan hon drog i hans sak tills hans vätska tog slut och att den hade smakat äckligt, nästan som oliver.

Taxin stannar för rött ljus nere vid Folkungagatan och Sofia Zetterlund tänker på Annette Lundström. Ett annat minne från det förflutna som slumpen kastat till henne.

I Annette Lundströms avmagrade ansikte hade Sofia sett en flicka från Victoria Bergmans första år i Sigtuna. En flicka två år äldre än Victoria, en av dem som viskat om henne, sneglat på henne i skolans korridorer.

Hon är säker på att Annette Lundström kommer ihåg händelsen i redskapsskjulet. Att hon skrattat åt henne. Lika säker är hon på att Annette inte har en aning om att den kvinna hon anlitat för terapisamtal med sin dotter är samma kvinna som hon en gång skrattat åt.

Nu ska hon snart göra den kvinnan en tjänst. Hjälpa hennes dotter att komma över ett trauma. Samma trauma hon själv genomgår och som hon vet inte går att radera.

Ändå klamrar hon sig fast vid förhoppningen om att det går, att hon ska slippa konfrontera minnena och betrakta dem som sina. Hennes hjärna har försökt bespara henne det genom att inte ens låta henne vara medveten om dem. Men det har inte hjälpt. Utan minnena är hon bara ett skal.

Och det blir inte bättre. Det blir bara värre.

När taxin svänger ut på Folkungagatan överväger Sofia om det kanske är dags att begagna sig av mer drastiska metoder. Regression, tillbakagång till tidigare minnen under hypnos, skulle kunna vara en utväg, men metoden kräver att en annan terapeut sköter behandlingen och hon inser genast att det inte är rätt väg att gå. Det är för riskabelt med tanke på att hon inte har en aning om vilka handlingar Victoria, med andra ord hon själv, begått i det förflutna likväl som under de senaste månaderna.

Hon tänker på alla de samtal hon haft med Victoria framför bandspelaren, sessioner som inte kan kallas för något annat än terapi under självhypnos, men hon är också medveten om att metoden inte går att styra. Victoria Bergmans monologer lever sitt eget liv och för att kunna få reda på vad hon varit med om måste det vara hon, Sofia Zetterlund, som dirigerar samtalen.

Hur hon än vänder och vrider på det är den enda lösningen att Victoria Bergman och Sofia Zetterlund integreras till en person, till ett enda medvetande med tillgång till båda personligheternas tankar och minnesbilder.

Hon inser också att det är omöjligt så länge Victoria stöter bort henne, rentav föraktar den del av henne som är Sofia Zetterlund. Och Sofia själv stegrar sig inför varje tanke att förlika sig med de våldshandlingar Victoria begått. De är två personer utan minsta gemensamma nämnare.

Förutom att de delar kropp.

Kvarteret Kronoberg

"Du har besök." Hurtig ropar efter Jeanette i samma ögonblick som hon stiger ur hissen.

"Charlotte Silfverberg sitter inne på ditt rum. Vill du att jag ska vara med?"

Jeanette hade tagit för givet att det skulle bli hon som tog kontakt med Charlotte Silfverberg och inte tvärtom. Charlotte hade omedelbart efter mordet varit allt för chockad för att tala med, men nu hade hon uppenbarligen något på hjärtat.

"Nej, jag tar det själv." Jeanette vinkar avvärjande, fortsätter bort i korridoren och ser att dörren in till hennes rum är öppen.

Charlotte Silfverberg står med ryggen mot dörren och tittar ut genom fönstret.

"Hej." Jeanette går in och bort till skrivbordet. "Vad bra att du kom. Jag hade tänkt kontakta dig. Hur har du det?"

Charlotte Silfverberg vänder sig om, men står kvar vid fönstret. Hon svarar inte.

Jeanette noterar att kvinnan ser osäker ut. "Sätt dig, om du vill." Jeanette gör en gest mot stolen på andra sidan skrivbordet.

"Det är okej, jag står hellre. Jag ska snart gå."

"Så... Var det något särskilt du ville tala om? Annars har jag några saker jag skulle vilja fråga dig."

"Fråga på."

"Sihtunum i Diasporan", säger Jeanette. "Din man står som donator. Vad vet du om stiftelsen?"

Charlotte skruvar på sig. "Jag vet inte mer än att det är en grupp män som träffas nån gång per år och diskuterar välgörenhetsprojekt. Själv tror jag att det mest är en förevändning för att dricka dyr sprit och prata gamla lumparminnen."

"Inget mer?"

"Nej, faktiskt inte. Peo verkade egentligen inte särskilt intresserad och han pratade flera gånger om att han skulle sluta ge pengar."

"Gav han mycket?"

"Nej, några tusenlappar om året. Som mest tror jag det var tiotusen."

Jeanette förmodar att kvinnan är lika ovetande som hon utger sig för att vara. "Så... Vad var det du ville prata med mig om?" fortsätter hon.

"Det är något jag måste berätta." Charlotte hejdar sig, sväljer tungt och lägger armarna i kors. "Jag tror att det är viktigt."

"Okej." Jeanette bläddrar fram ett tomt papper i anteckningsblocket. "Jag lyssnar."

"Jo, det är så här", börjar Charlotte tvekande. "För tretton år sen, året innan vi flyttade hit, var Peo anklagad för något. Han friades och allt löste sig visserligen..."

Anklagad för något, tänker Jeanette och erinrar sig artikeln hon läst. Så det är alltså något komprometterande? Hon är på väg att avbryta Charlotte, men beslutar sig för att låta henne fortsätta.

"Jag har sen dess... Ja, det är egentligen bara vid ett fåtal tillfällen. Jag tror inte att Peo märkte något."

Kom till saken, tänker Jeanette otåligt men gör sitt bästa för att dölja sin irritation.

Charlotte lutar sig tillbaka mot fönsterbrädet. "Jag har i perioder känt mig förföljd", säger hon till sist. "Det kom ett par brev."

"Brev?" Jeanette kan inte hålla tyst längre. "Vad för slags brev?"

"Ja, jag vet egentligen inte. Det var konstigt. Det första kom direkt efter att åtalet mot Peo lagts ner. Vi antog att det var nån feminist som var irriterad över att han inte åtalades."

"Vad stod det i brevet? Har du det kvar?"

"Nej, det stod bara en massa osammanhängande saker så vi slängde det. Så här efteråt var det väl dumt."

Satan, tänker Jeanette. "Vad får dig att tro att det var från en feminist? Vad var han misstänkt för?"

Charlotte Silfverberg låter plötsligt fientlig. "Det kan ju du kolla upp ganska lätt, eller hur? Jag vill inte prata om det. Det är utagerat för min del."

Jeanette misstänker att Charlotte uppfattar henne som en fiende. En som, trots att hon är polis, inte står på hennes sida. Eller så kanske det är just därför, tänker Jeanette och nickar.

Hon förstår att det bästa är att inte göra kvinnan upprörd."Du har ingen aning om vem brevet kom från?" Jeanette ler inställsamt.

"Nej, som jag sa var det kanske någon som inte gillade att Peo rentvåddes." Hon tystnar, tar ett djupt andetag och fortsätter "För en vecka sen kom ytterligare ett brev. Jag har det med mig."

Charlotte Silfverberg tar fram ett vitt kuvert ur handväskan och lägger det på skrivbordet.

Jeanette böjer sig ner öppnar den understa skrivbordslådan och letar upp ett par latexhandskar som hon snabbt sätter på sig. Hon förstår att kuvertet redan är besudlat av Charlotte Silfverbergs egna fingrar och otaliga andras på posthanteringen, men hon gör det reflexmässigt.

Med bultande hjärta tar hon upp brevet.

Ett helt vanligt vitt kuvert. Sådana man kan köpa i tiopack på Ica eller Konsum.

Poststämplat i Stockholm, adresserat till Per-Ola Silfverberg, barnsligt textat med svart bläck. Jeanette rynkar på ögonbrynen.

Hon öppnar det försiktigt med ovansidan av pekfingret.

Brevpappret är ett lika vitt och vanligt hopvikt A4. Säljs överallt i paket om femhundra ark.

Jeanette vecklar ut pappret och läser. Samma handtextade bokstäver i svart black: DET FÖRFLUTNA HINNER ALTID IKAPP.

Ja, det var ju originellt, tänker Jeanette och suckar. Hon betraktar Charlotte Silfverberg. "Jag noterar att alltid är felstavat", säger hon sedan. "Får det dig att tänka på något?"

"Det behöver inte vara fel", svarar Charlotte. "Det kan också vara danska."

"Du förstår att det här är bevismaterial. Varför väntade du i en vecka innan du kom hit?"

"Ja, jag har inte riktigt varit mig själv. Det var först nu jag orkade mig in i lägenheten."

Skam, tänker Jeanette. Skam är det som alltid kommer emellan.

Vad än Per-Ola Silfverberg varit misstänkt för var det något som innebar skam. Det är hon säker på.

"Jag förstår, något annat du tänker på?"

"Nej... åtminstone inget så där konkret." Charlotte nickar mot brevet. "I förra veckan fick jag två telefonsamtal. När jag svarade var det bara tyst i luren, sen la den som ringde på."

Jeanette ruskar på huvudet. "Ursäkta mig", säger hon vänd mot Charlotte Silfverberg, lyfter på interntelefonen och slår kortnumret till Hurtig.

"Per-Ola Silfverberg", säger hon när Hurtig svarar. "I morse kontaktade jag polisen i Köpenhamn angående det nerlagda åtalet mot honom. Kan du kolla om det kommit nåt fax till mig?"

Jeanette lägger på luren och lutar sig tillbaka i stolen.

Charlotte Silfverbergs kinder är blossande röda. "Jag undrar", börjar hon med ostadig röst, harklar sig och fortsätter. "Är det möjligt att få nån form av beskydd?"

Jeanette förstår att det är nödvändigt."Jag ska göra vad jag kan, men jag är inte säker på att jag hinner få fram det till idag."

"Tack." Charlotte Silfverberg ser lättad ut, samlar snabbt ihop sina saker och går mot dörren medan Jeanette tillägger: "Jag kan behöva ha ett kompletterande samtal med dig. Kanske redan imorgon."

Charlotte stannar till i dörröppningen."Okej", säger hon med ryggen vänd mot Jeanette samtidigt som Hurtig kommer gående med en brun mapp. Han hälsar nickande på Charlotte, tränger sig förbi och slänger mappen på Jeanettes skrivbord innan han går tillbaka till sitt rum.

Jeanette hör Charlottes fotsteg försvinna bort mot hissen.

Innan hon börjar läsa i dokumenten går hon och hämtar en kopp kaffe.

Förundersökningen i fallet Per-Ola Silfverberg innefattar, med bilagor, allt som allt sjutton sidor.

Det första som slår Jeanette är att Charlotte, förutom att ha utelämnat information om själva åtalet, dessutom har undanhållit en inte alldeles oviktig detalj.

Charlotte och Per-Ola Silfverberg har en dotter.

Tvålpalatset

En klient med sömnproblem klockan nio och en med anorektisk problematik klockan elva.

Sofia minns knappt deras namn när hon sitter vid sitt skrivbord och ögnar igenom sina summeringar av sessionerna.

Hennes kropp är i olag efter nattens lucka. Händerna är kallsvettiga och munnen torr. Tillståndet förstärks av att hon vet att hon snart kommer att möta Linnea Lundström. Sofia kommer om ett par minuter att få träffa sig själv som fjortonåring. Den fjortonåring hon vänt ryggen.

Hon kommer till mottagningen klockan ett i sällskap med en vårdare från BUP.

Linnea Lundström är en ung kvinna med en kropp och ett ansikte avsevärt mognare än en fjortonårings. Hon har tvingats att bli vuxen alldeles för tidigt och bär redan i sin kropp ett helt livs samlade helvete vilket hon kommer att få viga resten av sitt liv åt att lära sig hantera.

Sofia hälsar med den mest tillmötesgående röst hon lyckas uppbringa och ber Linnea att slå sig ner.

"Du kan sätta dig i väntrummet med en tidning så länge", säger hon till vårdaren. "Vi är klara om fyrtiofem minuter."

Vårdaren ler och stänger dörren. "Vi ses sen, Linnea", säger han, men flickan svarar inte.

Efter en kvart anar Sofia att det inte kommer att bli lätt.

Hon har förväntat sig en flicka full av mörker och hat, ibland formulerad genom tystnad, men också som impulsiva utbrott, styrda av en inneboende destruktivitet. Då hade Sofia haft något att förhålla sig till.

Men nu möter hon något helt annat.

Linnea Lundström svarar undvikande på hennes frågor, kroppsspråket är avvisande och ögonkontakten obefintlig. Hon sitter halvt bortvänd och fingrar med en bratzdocka hon har som nyckelring. Sofia förvånas över att chefspsykiatrikern i Danderyd fått Linnea att gå med på mötet.

Just när hon ska fråga Linnea om vilka förväntningar hon har på deras möte, ställer flickan själv en fråga som överraskar Sofia.

"Vad sa pappa till dig egentligen?"

Linneas röst är förvånansvärt klar och stark men blicken är fäst vid nyckelringen. Sofia har inte förväntat sig en så rak fråga och tvekar. Hon får inte ge ett svar som gör att flickan distanserar sig fullständigt.

"Han kom med bekännelser", börjar Sofia. "Många av dem visade sig vara osanna, andra mer eller mindre sanna."

Hon gör en paus för att studera Linneas reaktion. Flickan rör inte en min.

"Men vad sa han om mig?" säger hon efter en stund.

Sofia tänker på de tre teckningar Annette visat vid besöket i villan i Danderyd. Tre scener som Linnea tecknat i sin barndom och som sannolikt är skildringar av övergrepp.

"Han sa samma sak till mig som han sa till polisen. Jag vet inte mer än de."

"Varför ville du träffa mig då?" frågar Linnea och för första gången ser hon på Sofia, om än bara med en hastig blick. "Annette sa att du förstår... förstod pappa. Han sa det till Annette. Att du förstår honom. Gör du det?"

Ytterligare en rak fråga. Sofia gläds åt att flickan börjar visa intresse och kontrar med en motfråga som hon anstränger sig för att uttala så lugnt som möjligt. "Om du tror att du skulle må bättre av att förstå honom, så kan vi hjälpas åt. Vill du det?"

Linnea svarar inte direkt. Hon skruvar på sig en stund och Sofia ser att hon tvekar. "Kan du hjälpa mig?" säger hon till sist och stoppar ner nyckelringen i fickan.

"Jag tror det. Jag har lång erfarenhet av män som din pappa. Men jag behöver din hjälp också. Kan du hjälpa mig att hjälpa dig?"

"Kanske", säger flickan. "Det beror på."

När tiden är ute, de har dragit över med tio minuter, känner Sofia en stor lättnad. Linneas ryggtavla försvinner när hissdörrarna stängs och även om flickan åter slöt sig i samma ögonblick som vårdaren kom, har Sofia i alla fall sett henne öppna sig. Hon vet att det kanske är för tidigt att hoppas men samtalet har, trots den avvaktande inledningen, gått över förväntan och hon hyser goda förhoppningar om att komma den unga kvinnan närmare, förutsatt att hon mött den riktiga Linnea och inte bara ett skal.

Hon stänger dörren om sig och slår sig ner vid skrivbordet med sina anteckningar.

Av egen erfarenhet vet hon att vissa saker aldrig helt går att reparera. Någonting kommer alltid att sitta i vägen.

Kvarteret Kronoberg

Jeanette Kihlberg har just haft ett långt samtal med Dennis Billing, vilket efter idoga övertalningsförsök resulterat i att hon fått loss två poliser att övervaka Charlotte Silfverberg.

När de lagt på börjar hon genast läsa den danska utredningen gällande Per-Ola Silfverberg.

Målsäganden är Per-Olas och Charlottes fosterbarn.

Uppgifter om anledning till fosterhemsplaceringen saknas.

Placerad sedan födseln hos familjen Silfverberg, i en förort till Köpenhamn.

Eftersom papprena är offentliga har man dolt målsägandens namn med breda, svarta streck, men Jeanette vet att hon enkelt kan ta reda vad flickan heter.

Hon är ju trots allt polis.

Men nu är hon främst intresserad av att veta vem Per-Ola Silfverberg är. Eller åtminstone vem han varit.

Mönster tar form.

Jeanette ser misstag, försummelser, icke-utredningar och manipulation. Poliser och åklagare som inte gjort sitt arbete, inflytelserika personer som ljugit och förvrängt fakta.

I det hon läser finns en brist på energi, en ovilja och oförmåga att gå till botten med det som gällde Per-Ola Silfverberg. Makten att inte utreda har utövats med besynnerlig konsekvens.

Jeanette bläddrar vidare i förundersökningsmaterialet och ju mer hon läser, desto större blir hennes känsla av uppgivenhet.

Hon arbetar på våldsroteln, men det är som om sexualbrottslingarna formligen omringar henne.

En efter en.

Döda som levande.

Våld och sexualitet, tänker hon.

Två företeelser som inte borde höra samman, men som mer eller mindre framstår som förenade.

När hon läst färdigt är hon helt slut, men vet att hon måste gå in till Hurtig och briefa honom om de nya fakta som framkommit. Hon tar sina anteckningar och går med trötta steg bort till hans rum.

Jens Hurtig sitter djupt försjunken i en liknande bunt utredningsmaterial hon själv nyss läst.

"Vad är det där?" Jeanette pekar förvånat på papprena han håller i handen.

"Danskarna skickade ytterligare material och jag tänkte att det var lika bra att jag läste på så kan vi foga samman det vi vet. Det går ju lite fortare då." Hurtig ler mot henne och fortsätter. "Ska du eller jag börja?"

"Jag", svarar Jeanette och sätter sig ner. "Per-Ola Silfverberg, eller Peo som han kallas, misstänktes alltså för tretton år sen för att ha förgripit sig på sin fosterdotter, som var i sjuårsåldern."

"Hon hade precis fyllt sju", fyller Hurtig i.

"Okej. Vet du också vem som gjorde anmälan? Det står inte i mina papper."

"Inte i mina heller, men det var väl nån på flickans skola."

"Antagligen." Jeanette ser ner i sina anteckningar. "I varje fall så har dottern detaljerat berättat om, jag citerar, 'Per-Olas fysiska uppfostringsmetoder med slag och annat våld mot henne, men hon har haft svårt att berätta om sexuella övergrepp.'"

Jeanette lägger undan papprena, tar ett djupt andetag och konstaterar. "Men hon har klart gett uttryck för starka känslor av äckel och beskrivit Per-Olas handlande som onormalt."

Hurtig skakar på huvudet. "Ett sånt svin! Om en sjuåring tycker att pappa…" Han tystnar och Jeanette tar ny sats.

"Flickan återkommer till beskrivningar av Peos fysiska våld, om det tungkyssande som han krävt av henne och om hans intensiva tvättande av hennes underliv."

"Snälla." Hurtig låter nästan bedjande, men Jeanette känner

att hon vill få det avklarat och fortsätter obönhörligt.

"Flickan har lämnat några specifika detaljer och ingående beskrivit sina känslomässiga reaktioner kring de tillfällen då Per-Ola skulle ha kommit in i hennes rum på natten. Den beskrivning som flickan har lämnat av hur han betedde sig i hennes säng talar för att han har genomfört anala och vaginala samlag med henne." Hon gör en paus. "Det var allt i korta drag."

Hurtig reser sig och går fram till fönstret. "Är det okej om jag öppnar fönstret, jag behöver lite luft." Utan att vänta på svar flyttar han på en av blommorna och öppnar det lilla vädringsfönstret.

"Samlag?" säger han med blicken vänd ut mot parken. "Om det gäller barn måste det väl för fan kallas våldtäkt?"

Jeanette orkar inte svara.

Det fladdrar till i papprena av den friska vinden och ljudet av lekande barn i parken utanför blandar sig med bakgrundssorlet av knattrande tangentbord och surrande luftkonditionering.

"Så varför la man ner det?" Hurtig vänder sig mot Jeanette.

Hon suckar och läser: "Med beaktande av att någon undersökning inte har kunnat genomföras på flickan, kan det emellertid inte uteslutas att så inte har varit fallet."

"Va? Inte uteslutas att så inte varit fallet?" Hurtig slår handflatan i skrivbordet. "Vad är det för jävla fikonspråk?"

Jeanette skrattar till. "Ja, man trodde helt enkelt inte på flickan. Och när sedan Peos försvarare påpekade att förhörsledaren under det inledande förhöret med flickan i viss mån ställt ledande frågor och i vissa fall varit något pådrivande så…" Hon suckar. "Brott kan inte styrkas. Målet avskrivs."

Hurtig öppnar sin egen mapp och bläddrar, letar efter något. När han hittat det han söker tar han fram pappret och lägger det på bordet.

Han ska precis börja läsa när ett barn ute i parken ger upp ett ilsket skrik, någon gråter högljutt och han kommer av sig, kliar sig i örat och väntar på att barnen utanför ska tröstas eller åtminstone tystna.

"Så vad har du? Finns det en fortsättning?" Jeanette plockar upp en cigarett och flyttar stolen närmare fönstret.

"Är det okej?" frågar hon och pekar på cigaretten.

Hurtig nickar, tömmer en plåtburk på pennor och räcker den åt henne.

"Ja, det finns en fortsättning."

"Låt höra." Jeanette tänder cigaretten och blåser ut röken genom det öppna fönstret, men noterar att det mesta ändå blåser tillbaka in i rummet.

"Familjen Silfverberg, alltså Per-Ola och Charlotte, känner sig efter utredningen utpekade och förföljda och vill inte längre ha med flickan att göra. Den danska socialnämnden placerar henne på ett familjehem. Också det i Köpenhamnsområdet."

"Vad hände med henne sen?"

"Det vet jag inte, men förhoppningsvis blev det väl, som man säger, folk av henne."

"Hon är omkring tjugo idag", konstaterar Jeanette och Hurtig nickar i bifall.

"Men nu till det märkliga." Han rätar på ryggen. "Silfverbergs flyttar till Sverige och Stockholm. Köper lägenheten på Glasbruksgränd och allt är frid och fröjd."

"Men?"

"Av någon anledning ville Köpenhamnspolisen att det skulle hållas ett uppföljande förhör med honom och man tog kontakt med oss i Stockholm."

"Va?"

"Och vi tog in honom för ett samtal."

"Vilka var det som var närvarande?"

Hurtig lägger ner pappret han håller i handen och skjuter över det till henne samtidigt som han pekar på de understa raderna.

Jeanette läser ovanför hans finger.

Förhörsledare: Gert Berglind, enheten för våldtäkt och incest.

Barnen ute på gården, liksom tangentborden i rummen intill, är tysta.

Bara luftkonditioneringen och Hurtigs häftiga andetag.

Hurtigs pekfinger.

Den välklippta nageln utan sorgkant.

Försvarets advokat: Viggo Dürer.

Jeanette läser och inser att på andra sidan en mycket tunn slöja ligger en annan sanning. En annan verklighet.

Bisittare: Kenneth von Kwist, åklagare.

Det är bara det att den verkligheten är så oerhört mycket otäckare.

Dåtid

Hon tyckte inte om de gamla och skröpliga människorna. Vid mjölkdisken kom en gubbe alldeles för nära med sin söta doft av urin, smuts och matos. Tanten vid köttdisken som kom med hink och vatten, sa att det inte var nån fara och torkade upp allt som hon stoppat i sig till frukost.

"Känner du den?" Svensken ser upphetsat på henne. "Kör in armen en bit till! Var inte så feg!"

Suggans skrik gör att Victoria tvekar. Armen är begravd inne i grisen nästan ända upp till armbågen.

Ytterligare några centimeter och så känner hon äntligen kultingens huvud. Tummen mot käken och pek- och långfinger över huvudsvålen, bakom öronen. Som Viggo lärt henne. Sedan dra, försiktigt.

"Bra! Den kommer nu. Ut med den!"

De tror att det är den sista. På halmbädden kring mamman sprattlar tio gulfläckiga kultingar som slåss om spenarna. Viggo har stått bredvid dem hela tiden och betraktat grisningen. De första tre tog Svensken hand om, de övriga sju kom ut av sig själva.

Slidans muskler kramar hårt om Victorias arm och för en stund tror hon att suggan fått kramp. Men när hon drar lite hårdare är det som om musklerna slappnar av och på mindre än en sekund är kultingen halvvägs ute. Efter ytterligare en sekund ligger den på den blodiga, nersölade halmen.

Bakbenen rycker till, sedan är den alldeles orörlig.

Svensken skrattar lättat. "Där ser du! Det var väl inte så svårt."

De väntar. Viggo böjer sig ner och smeker kultingen över ryggen. "Godt arbejde", säger han och ger Victoria ett snett leende.

Kultingarna ligger alltid orörliga i ungefär en halv minut efter födseln. Man tror att de är döda, sedan börjar de plötsligt röra på sig och tumlar runt i blindo en stund innan de hittar suggans spenar. Men den här kultingen hade sprattlat till med benen. Det hade inte de andra gjort.

Hon räknar tyst för sig själv och när hon kommit till trettio är hon orolig. Har hon klämt åt för hårt? Dragit på fel sätt?

Viggos leende slocknar medan han undersöker navelsträngen. "Helvede. Den er død…"

Död?

Så klart att den är död, tänker hon. Jag ströp den. Så måste det vara.

Viggo skjuter ner glasögonen och ser allvarligt på henne. "Det er okay. Navlestrengen er beskadiget. Det er ikke din skyld."

Jo, det är mitt fel. Och snart kommer suggan att äta upp kultingen. När vi gått härifrån kommer den att kalasa på efterbörden, tillgodogöra sig all näring den kan få.

Den kommer att äta upp sin egen unge.

Viggo Dürer har en stor gård utanför Struer och Victorias enda stadiga sällskap förutom skolböckerna är, efter grisningen, trettiofyra svin av dansk lantras, en tjur, sju kor och en vanvårdad häst. Gården är ett dåligt underhållet korsvirkeshus i ett trist, platt landskap med vindsnurror, som ett fulare Holland. Ett lapptäcke av ogästvänliga, blåsiga och dystra åkrar sträcker sig ända till horisonten där man skymtar ett smalt, blått streck som är Venöbukten.

Det finns två anledningar till att hon är här, studier och rekreation.

De verkliga anledningarna är också två.

Isolation och disciplin.

Han kallar det rekreation, tänker hon och reser sig från sängen i gästrummet. Men det handlar om att isoleras. Att hållas undan från andra och att vara disciplinerad. Att hålla sig inom ramarna. Hushållsarbete och studier. Städa, laga mat och studera.

Att arbeta med grisarna. Och svinen som regelbundet besöker hennes rum.

Det som betyder något för henne är studierna. Hon har valt en distanskurs i psykologi på universitetet i Ålborg och den enda kontakt hon har med omvärlden är med handledaren som då och då skickar henne oengagerade, skriftliga utlåtanden på hemuppgifterna.

Hon samlar ihop böckerna på skrivbordet och gör ett försök att börja läsa. Men det går inte. Tankarna far runt i henne och hon slår nästan genast igen boken.

Distans, tänker hon. Inlåst på en bondgård ute i ingenstans. Distans från pappa. Distans från människor. Distanskurs i psykologi instängd på ett rum med sig själv hemma hos en grisbonde med akademisk examen.

Advokat Viggo Dürer hade hämtat Victoria ute på Värmdö sju veckor tidigare och kört henne nästan hundra mil i sin gamla Citroën genom ett nattsvart Sverige och ett nyvaket Danmark.

Victoria ser ut genom det immiga fönstret ner på gården där bilen står. Den är så löjlig, tänker hon. När den parkeras är det som om den släpper en fis, stönar och sjunker ihop i en undergiven nigning.

Viggo är äcklig att se på, men hon vet att hans intresse för henne avtar för varje dag som går. För varje dag som hon blir äldre. Han vill att hon rakar sig, men hon vägrar.

"Raka grisarna istället", säger hon till honom.

Victoria drar för rullgardinen. Hon vill bara sova, även

om hon vet att hon borde ägna sig åt studierna. Hon ligger efter, inte på grund av att hon saknar motivation utan för att hon tycker att kursen bara slarvar iväg. Från det ena till det andra. Ytliga kunskaper utan djupare reflektion.

Hon vill inte skynda fram och därför fastnar hon i texterna, går utanför dem och in i sig själv.

Varför förstår ingen hur viktigt det är? Det mänskliga psyket kan inte avhandlas i en tentamen. Tvåhundra ord om schizofreni och vanföreställningssyndrom är för futtigt. Inget som går att använda som kvitto på att man förstått något.

Hon lägger sig ner på sängen igen och tänker på Solace. Flickan som gjort tiden på Värmdö uthärdlig. Solace hade blivit ett surrogat som hennes pappa använt i nästan sex månader. Nu är hon borta sedan sju veckor.

Victoria rycker till av att ytterdörren går igen en våning ner. Hon hör snart röster ifrån köket och konstaterar att det är Viggo tillsammans med en annan man.

Svensken igen? tänker hon. Ja, så måste det vara.

Hon urskiljer inga ord och ljudet från rösterna där nere förvrängs av det gamla trägolvet, som filtrerar diskantljuden och får allt att mullra dovt, men hon känner igen språkmelodin.

Visst är det Svensken. För tredje gången den här veckan.

Försiktigt reser hon sig och kliver ur sängen, tömmer vattenglaset i blomkrukan, ställer ner det på golvet och lägger örat mot.

Först hörs bara ljudet från hennes egen puls, men när de börjar tala igen hör hon tydligt vad de säger.

"Glöm det!" Det är Viggos röst. Svensken har, trots att han bott i Danmark i flera år, svårt för den jutska dialekten och Viggo talar alltid svenska med honom.

Hon avskyr Viggos svenska, brytningen låter tillkämpad och han talar långsammare, som om den han pratar med är en idiot eller ett litet barn.

Under de första veckorna här nere talade han svenska

med henne också, tills hon bestämde sig för att konsekvent svara honom på danska.

Tilltalar honom gör hon aldrig.

"Och varför inte?" Svensken låter irriterad.

Viggo är tyst några sekunder. "Det är för riskabelt. Förstår du?"

"Jag litar på ryssen och Berglind går i god för honom. Om du litar på mig och Berglind kan du också lita på ryssen. Vad fan är du orolig för?"

Ryssen? Berglind? Hon förstår inte vad de pratar om.

Svensken fortsätter. "Och ingen saknar väl en skitunge från Ryssland?"

"Dämpa dig. Det finns en skitunge däruppe också som kanske hör vad du säger."

"Apropå det…" Svensken skrattar igen, ignorerar Viggos förmaning och fortsätter tala med hög röst. "Hur gick det i Ålborg? Är allt klart med barnet?"

Viggo är tyst innan han svarar. "De sista papprena ordnas i veckan. Du kan vara lugn, du ska få din lille pige."

Victoria blir förvirrad. Ålborg för två veckor sen? Det var ju samtidigt som…

Hon hör hur de rör sig där nere, fotsteg på golvet i köket och sedan ljudet av ytterdörren som slås igen. När hon gläntar på gardinen ser hon att de är på väg till uthuset.

Hon tar fram dagboken ur nattygsbordet, kryper ner i sängen igen och väntar. Ligger klarvaken i mörkret med ryggsäcken som alltid står färdigpackad på golvet.

Svensken stannar på gården in på småtimmarna. De ger sig av i gryningen och klockan är halv fem när hon hör ljudet från bilarna som avlägsnar sig.

Hon vet att de ska till Thisted på andra sidan Limfjorden och att Viggo inte kommer tillbaka på flera timmar.

Hon reser sig ur sängen, stoppar ner dagboken i ytterfacket, drar igen dragkedjan och ser på klockan. Kvart i fem. Han kommer inte hem förrän tidigast klockan tio och då ska hon vara långt härifrån.

Innan hon går ut ur huset öppnar hon skåpet nere i vardagsrummet.

Där finns en gammal speldosa från sjuttonhundratalet som Viggo brukar skryta om när han har gäster och hon bestämmer sig för att ta reda på om den är så värdefull som han säger.

Morgonsolen är stark när hon promenerar in till Struer där hon får lift till Viborg.

Från Viborg tar hon sedan halvsjutåget till Köpenhamn.

Tvålpalatset

Det tar henne knappt en minut framför datorn på mottagningen innan hon hittar en bild på Viggo Dürer. Det bankar i bröstet på henne när hon ser hans ansikte och hon förstår att det är Victoria som försöker säga henne något. Det är bara det att den gamle mannen med smalt ansikte och runda, tjocka glasögon inte säger henne någonting alls, bara obehaget i bröstet och minnet av rakvatten.

Hon sparar ner bilden på hårddisken och skriver ut den i full upplösning. Sedan ger hon sig själv tio minuter under vilka hon sitter vid skrivbordet med färgutskriften framför sig och försöker minnas.

Bilden är i halvfigur och hon studerar detaljerna i ansiktet och klädseln. Han är blek och tunnhårig, kanske i sjuttioårsåldern, men inte särskilt rynkig. Ansiktet är snarare blankt. Han har flera stora leverfläckar, fylliga läppar, en smal näsa och insjunkna kinder. Grå kostym, svart slips och vit skjorta och en bröstnål på kavajfickan med advokatbyråns logotyp.

Ingenting annat.

Inga konkreta minnen överhuvud taget. Victoria ger henne inga bilder, inga ord, bara vibrationer.

Hon lägger ifrån sig utskriften överst på dokumentsamlaren på skrivbordet, suckar uppgivet och ser på klockan. Ulrika Wendin är försenad.

Den magra, unga kvinnan besvarar Sofias hälsning med ett svagt leende.

Hon hänger av sig jackan över stolsryggen och sätter sig ner.

"Jag kom så fort jag kunde."

Hon ser hålögd ut. Flera dagars fylla, tänker Sofia. "Hur mår du?"

Ulrika ler snett och verkar förlägen, men tvekar inte när hon berättar. "I lördags var jag på krogen, såg en kille som verkade okej och sen tog jag hem honom. Vi delade på en flaska Rosita och sen gick vi till sängs."

Sofia förstår inte vart berättelsen är på väg så hon nickar bekräftande och avvaktar.

Ulrika skrattar till. "Jag vet inte om jag verkligen gjorde det. Alltså om jag gick dit och tog hem honom. Det känns som om det var någon annan som gjorde det, men å andra sidan var jag rätt packad."

Ulrika gör en kort paus och plockar upp ett tuggummipaket ur fickan. Med paketet följer flera femhundralappar.

Ulrika trycker snabbt tillbaka dem i fickan utan någon kommentar.

Sofia iakttar henne tyst.

Hon vet att Ulrika är arbetslös och knappast kan kvittera ut några större summor.

Var kommer alla de där pengarna ifrån? tänker hon.

"Jag kunde slappna av med honom", fortsätter Ulrika utan att se på henne. "För att det inte var jag som låg med honom. Jag har vestibulit. Pinsamt, va? Jag kan inte släppa in någon frivilligt, men jag kunde ta emot honom eftersom det inte var jag som låg där."

Vestibulit? Inte hon som låg där? Sofia tänker på våldtäkten Karl Lundström utsatt Ulrika för. Hon vet att en av de påstådda orsakerna till vestibulit är överdrivet tvättande av underlivet. Slemhinnorna torkar ut och blir sköra, nerverna såväl som musklerna skadas och smärtan är konstant.

Minnesbilden av att skrubba sig ren, timmar i den ångande duschen, den grova tvättsvampen och doften av tvål, men att aldrig lyckas tvätta bort stanken av honom.

"Allt var perfekt", fortsätter Ulrika. "Han var borta på morgonen. Jag märkte inte ens när han stack."

"Gav han dig pengar?" Sofia nickar mot Ulrikas jackficka. Frågan är okänslig, inser hon genast.

"Nej." Ulrika sneglar mot fickan och drar igen dragkedjan. "Inget sånt. Det gör jag bara inte. Det var nånting i mig som verkligen ville det här."

Att tvingas bli någon annan för att våga känna längtan, närhet. För att kunna vara normal. Att bli förstörd, för alltid, för att en man gjort sitt. Det kokar i Sofia.

"Ulrika…" Sofia böjer sig fram över bordet för att understryka sin fråga.

"Kan du berätta för mig vad njutning är?"

Flickan sitter tyst en stund innan hon svarar. "Sömn."

"Hur är din sömn?" frågar Sofia. "Kan du berätta om den." Ulrika drar en djup suck. "Tom. Den är ingenting."

"Så njutning för dig är att inte känna?" Sofia tänker på sina skavda hälar, den smärta hon själv behöver för att känna lugn.

"Så njutning är ingenting?"

Ulrika svarar inte utan rätar på ryggen och säger istället ilsket: "Efter att de jävlarna våldtog mig på hotellet", hennes blick är svart, "söp jag varje dag i fyra år. Sen försökte jag skärpa mig, men jag vet inte vad det ska tjäna till. Jag hamnar i skiten hela tiden." Ulrikas ansiktsuttryck är fullt av hat. "Visst, det började där på hotellrummet men sen har helvetet bara fortsatt."

"Vad är det för skit du hamnar i?"

Ulrika sjunker ihop på stolen.

"Det är som att min kropp inte är min, eller som att den utstrålar nåt som får folk att tro att de kan göra vad fan de vill med mig. Folk kan slå mig, de kan knulla mig, oavsett vad jag gör eller säger. Jag säger att det gör så jävla ont, men det spelar ingen roll."

Vestibuliten, tänker Sofia. Oönskade samlag och torra slemhinnor. Det här är en flicka som inte vet hur det känns att vilja, som bara lärt sig att drömma om att undkomma. Att befinna sig i tomheten sömnen utgör är såklart en befrielse.

Kanske hade Ulrikas agerande på krogen innehållit ett nödvändigt element. En situation i vilken hon var den som bestämde, den som hade kontrollen. Ulrika var så ovan att agera utifrån den egna viljan att hon helt enkelt inte känt igen sig själv.

Man kan missledas att tro att det handlar om dissociation. Men dissociation utvecklas inte i tonåren, det är barnets försvarsmekanism.

Det handlar snarare om konfrontativt beteende, tänker Sofia i brist på en bättre beskrivning. Ett slags kognitiv självterapi.

Sofia vet att flickan under våldtäkten på hotellet blev drogad med något som gjorde att underlivsmusklerna förlamades och att hon inte kunde hålla tätt.

Hon inser att Ulrikas tillstånd, möjlig anorexi, självförakt, relativt långt gången alkoholism och en bakgrundshistoria färgad av misshandlande och utnyttjande pojkvänner sannolikt beror på denna enskilda händelse, sju år tidigare.

Allt är Karl Lundströms fel.

Ulrika blir plötsligt ännu blekare. "Vad är det där?"

Sofia förstår inte vad hon menar. Flickans blick är fastnaglad vid något på skrivbordet.

Fem sekunders tystnad. Sedan reser sig Ulrika upp ur stolen och tar utskriften som hela tiden legat i dokumentsamlaren. Porträttet av Viggo Dürer.

Sofia vet inte hur hon ska reagera. Fan, tänker hon. Att jag är så obetänksam. "Det är Karl Lundströms advokat", är allt hon får ur sig. "Har du träffat honom?"

Ulrika ser på bilden i några sekunder och lägger tillbaka den på skrivbordet. "Äh, glöm det. Har aldrig sett karln. Trodde det var nån annan." Flickan försöker le, men Sofia tycker att hon misslyckas.

Ulrika Wendin har träffat Viggo Dürer.

Gamla Enskede

"Så, hur gör vi med dottern?" Hurtig ser på Jeanette.

"Hon är naturligtvis högintressant. Få fram så mycket som möjligt om henne. Namn, bostadsadress och så vidare. Ja, du vet ju."

Hurtig nickar. "Ska jag lysa henne?"

Jeanette tänker efter. "Nej, inte än. Vi avvaktar och ser vad vi hittar om henne." Hon reser på sig och gör sig redo för att gå tillbaka till sitt rum. "Jag ringer upp von Kwist och föreslår ett möte imorgon, så vi får reda på vad fan det var som hände."

Hurtig ser på sitt armbandsur. "Lite käk innan vi åker hem?"

"Nej, jag äter hemma. Vill få en skymt av Johan innan han sticker hem till en kompis eller låser in sig på sitt rum."

Efter ett kort telefonsamtal med åklagaren under vilket de bokar in ett möte om den nerlagda förundersökningen rörande Peo Silfverberg, sätter sig Jeanette i bilen för att åka hem.

Stockholm tycks henne gråare och fuktigare än någonsin. En färglös kvällning. En stad i svart och vitt. Inga färger.

Men vid horisonten trasas molnen sönder och mellan de glittrande kanterna skymtar hon bitar av en blå himmel. När hon kliver ur bilen doftar det av daggmask och vått gräs.

Johan sitter framför teven när Jeanette kommer hem strax efter fem och av det hon ser när hon tittar in köket har han redan ätit. Hon går fram till soffan och kysser honom på huvudet.

"Hej, gubben. Har du haft en bra dag?"

Han rycker på axlarna utan att svara.

"Vad vill du göra ikväll?"

"Äh, lägg av", muttrar han surt, drar upp knäna under sig och sträcker sig efter fjärrkontrollen. "Mormor och morfar har skickat ett kort. Jag la det på köksbordet." Han höjer ljudet på teven.

Jeanette går tillbaka ut i köket, tar upp vykortet och ser på bilden. Kinesiska muren, höga berg och ett böljande, grönt landskap.

Hon läser på baksidan. De mår bra, men längtar hem. De vanliga fraserna. Allt under kontroll. Hon sätter upp vykortet på kylskåpet, plockar rent på diskbänken och fyller diskmaskinen innan hon går upp på övervåningen för att ta en dusch.

När hon kommer ner igen har Johan försvunnit in på sitt rum och hon hör att han sitter med något av sina dataspel.

Flera gånger har hon försökt visa sig intresserad, men nästan omedelbart tvingats ge upp eftersom spelen alltid visat sig vara för komplicerade och våldsamma.

Hon och Åke hade tidigare övervägt att förbjuda Johan att spela de allra blodigaste spelen, men snart insett att det skulle vara lönlöst. Alla hans kompisar har dem, så det skulle i praktiken inte ha någon effekt. Hon erinrar sig när Johan var åtta och hade sovit över hos en kompis och dagen efter stolt berättat att de sett The Shining. En film som varken hon eller Åke skulle låtit honom se.

Och kompisens föräldrar hade varit lärare på Johans skola.

Har jag varit för överbeskyddande? tänker hon och får i samma stund ett infall. Vilket spel var det nu han tjatade om sist? Det som alla utom han har. Hon går ut i köket och ringer Hurtig.

"Hej. Kan du hjälpa mig med en sak?"

Han låter andfådd när han svarar. "Visst. Vad gäller det? Eller kan jag ringa upp? Håller på att begå självmord i trapporna igen." Hans röst ekar och hon förstår att han befinner sig i trappuppgången till sin lägenhet. Sex våningar utan hiss.

"Det här kan du svara på i sömnen. Vilket är det populäraste spelet just nu?"

Han skrattar till. "Spel? Menar du Olympiska spelen i Peking, PC-spel eller X-box eller nåt helt annat?"

"PC-spel."

"Assassin's Creed", svarar han omedelbart.

"Nej."

"Vad då nej? Du frågade vilket spel som…"

"Det är inte det spelet jag menar", avbryter hon. "Nåt annat?"

Hon hör att han rasslar med nycklarna i låset. "Call of Duty?"

"Nej."

"Counter Strike?"

Jeanette känner igen namnen. "Nej, om jag inte missminner mig var det inget actionspel."

Hurtig andas högt i luren och sedan hörs ljudet av en dörr som går igen. "Då tänker du säkert på Spore?" föreslår han till sist.

"Japp, så var det. Är det våldsamt?"

"Det beror på vilken väg du väljer, men det är ett evolutionsspel som går ut på att du ska utveckla din karaktär från en liten cell till herre över universum och då kan våld funka bra ibland."

Evolution. Så var det, ja, tänker Jeanette. "Intressant. Var kan jag få tag på det?"

"Du kan köpa det. Men den första versionen är buggig, problem med felaktiga serienummer och ett kopieringsskydd som ska vara nydanande, men som bara ställer till oreda."

Jeanette suckar besviket. "Okej, glöm det…"

"Det finns förstås en annan möjlighet", tillägger han. "Du skulle kunna låna det av mig eftersom jag råkar ha en crackad version. Fyller Johan år?"

"Nej, det gör han inte. Men vad menar du med crackad? Piratkopierad?"

"Nja, modifierad mjukvara är nog en bättre benämning."

I detsamma tystnar ljuden från datorn inne på Johans rum, varefter han öppnar dörren, går ut i hallen och börjar snöra på sig skorna. Jeanette ber Hurtig vänta ett ögonblick medan hon frågar Johan vart han är på väg, men får inget annat svar än ljudet av ytterdörren som stängs.

När han gått ler hon kraftlöst och tar upp telefonluren. "Jag åkte hem tidigare idag eftersom jag var rädd för att Johan skulle ha låst in sig på sitt rum eller försvunnit iväg till en kompis. Sen jag kom hem har han hunnit med både och."

"Jag förstår", säger Hurtig. "Och nu vill du ordna med en överraskning?"

"Japp. Förlåt min okunnighet, men om du lånar mig spelet, kan jag då kopiera det till Johans dator och sen lämna tillbaka det till dig?"

Hurtig svarar inte först och hon tycker det låter som om han fnissar.

"Du", säger han sedan. "Vi gör så här... Jag kommer ut till dig på direkten och installerar spelet åt Johan så får han överraskningen redan ikväll."

Om hon nyss blivit stött över att han verkat road av hennes okunnighet, förlåter hon honom genast. "Du är en schysst kille. Om du inte har hunnit äta än så kan jag bjuda på pizza."

"Gärna."

"Vad vill du ha?"

Han skrattar. "Ja, det beror ju på vilka som är de populäraste just nu. Det kan väl du svara på i sömnen?"

Hon fattar vinken. "Provencale?"

"Nej."

"Quattro Stagione?"

"Nej, inte den heller", säger Hurtig. "Ingen snobbpizza."

"Då menar du helt säkert Vesuvio?"

"Jo, just det. Vesuvius."

Den kvällen somnar Jeanette på soffan i vardagsrummet. Fortfarande halvt om halvt kvar i drömmen tar det henne några sekunder innan hon förstår att telefonen ringer. Hon reser sig upp ur soffan. "Hallå?" svarar hon yrvaket och ser att det ligger två tomma pizzakartonger på bordet. Visst ja, tänker hon. Hurtig kom, vi åt pizza och jag somnade medan han installerade spelet.

"Hej, det ar jag. Hur mås det?"

Hon irriterar sig på Åkes flåshurtiga tonfall. "Vad är klockan egentligen?" Hon sträcker på sig för att se displayen på stereon och stönar till när hon ser att den är fem i fyra. "Åke, jag hoppas för din skull att det är viktigt."

"Sorry", säger han och skrattar, "jag glömde tidsskillnaden.

Jag är i Boston. Ville bara snacka lite med Johan."

Vad fan är det han säger?

"Boston? Är du inte i Kraków? Lägg av nu. Är du full? Hur som helst sover Johan och jag tänker inte..." Hon avbryter sig när hon ser ljusstrimman i dörröppningen till Johans rum. "Vänta ett tag."

Hon lägger ifrån sig telefonen, tassar fram till dörren och gläntar på den.

Med ryggarna mot henne sitter Hurtig och Johan framför datorn djupt försjunkna i ett slags blått kvalster som simmar runt på skärmen.

De är så uppslukade av spelet att de inte märker henne.

"Ta den! Ta den!" viskar Hurtig dämpat men märkbart upphetsat och ger Johan en dunk i ryggen när kvalstret slukar något som liknar en röd, hårig spiral.

Jeanettes första impuls är att fråga vad i helvete de håller på med klockan fyra på morgonen och beordra dem i säng, men i detsamma som hon öppnar munnen hejdar hon sig.

Skit i det. Låt dem spela.

Hon betraktar dem i några sekunder och inser att det är första gången på mycket länge som Johan ser ut att trivas under samma tak som hon, oaktat det faktum att han just nu tror att hon sover. Försiktigt stänger hon dörren och går tillbaka ut i vardagsrummet.

"Åke. Varsågod och förklara dig", säger hon och känner att hon närmar sig den punkt där hon antingen måste bli förbannad, vilket hon sedan kommer att ångra, eller också lugna ner sig och få en kvävande känsla i magen.

"Jag tänkte göra det, men du gick ju på som ett ånglok och jag hann ju inte ens öppna munnen. Dessutom har jag varit gift med dig tillräckligt länge för att veta när du inte lyssnar. Vi är på semester och kom hit i morse. Det var en spontangrej."

"Spontangrej? Att sticka till Boston utan att ens nämna det för vare sig mig eller Johan?"

Han suckar. "Jag ringde Johan igår. Han sa att han skulle hälsa dig att jag är här en vecka."

"Ja ja, han har inte sagt nåt i alla fall. Inget att göra åt. Ha så trevligt. Hej då."

"Jag…"

Jeanette lägger på. Inte lönt att ödsla energi på att tjafsa.

Hon lägger armarna i kors över ansiktet.

Hon gråter inte, men snyftningarna kommer kvävda och rosslande.

Hon kryper ner i soffan igen, drar filten över sig och försöker somna om.

Är Åkes arbete större och viktigare än mitt? tänker hon. Delad vårdnad?

Åke ser Johan som en börda och jag å andra sidan irriterar mig på Johans tystnad.

Får man tycka illa om sitt eget barn? tänker hon. Ibland, naturligtvis.

Hon vänder på sig och lägger sig på mage medan kvävda skratt hörs från Johans rum. Hon tackar Hurtig tyst för sig själv, men samtidigt förvånar det henne att han är så ansvarslös att han inte förstår att en tonåring behöver sova för att orka med skolan och förmodligen är också träningen imorgon fullständigt spolierad. Låt vara att Hurtig kanske fixar att arbeta, men Johan kommer att vara som en zombie.

Hon inser snart att det är lönlöst att försöka sova. Tankarna surrar som bin så fort hon sluter ögonen och hon vänder sig på rygg igen och stirrar i taket.

Fortfarande syns de tre bokstäverna som Åke en gång på fyllan målat med grön färg tvärs över innertaket. Att han dagen efter målat över dem hade inte hjälpt och precis som med mycket annat som han lovat ta itu med hade det sedan inte hänt något mer. I en något mörkare nyans än det övriga vita syns ett H, ett I och ett F, som i Hammarby IF.

Ska vi sälja huset får han fan hjälpa mig, tänker hon.

Det kommer att bli ett jävla pappersarbete och mäklare som tjatar om homestyling. Men nej, Åke sticker till Polen, dricker lite skumpa och säljer gamla tavlor som han skulle ha förstört för länge sen om inte jag hindrat honom.

Och sen åker han på semester från semestern. Till Boston med Alexandra.

Den lagstadgade prövotiden på sex månader mellan äktenskap och skilsmässa framstår plötsligt som ett limbo för Jeanette. Och efter det väntar helvetet i form av bodelningen. Men hon kan inte låta bli att le när hon tänker på att hon faktiskt har laglig rätt till hälften av deras gemensamma tillgångar och hon funderar på om hon ska skrämma Åke lite genom att låtsas kräva sin del bara för att se hur han reagerar. Ju fler tavlor han säljer innan skilsmässan går igenom, desto mer pengar till henne.

Det hörs åter skratt från Johans rum och trots att Jeanette är glad för hans skull känner hon sig ensam och önskar att det varit Sofia och inte Åke som ringt. När hon väntade på pizzorna hade hon ringt Sofia två gånger, först från hemtelefonen och sedan från mobilen, utan att få svar.

Snälla Sofia, kom till mig snart, tänker hon och lägger sig på sidan medan hon kurar ihop sig under filten.

Hon längtar efter att känna Sofias rygg tätt mot sin mage och saknar de där händerna som sveper håret ur pannan.

Jeanette ligger kurande en lång stund. Snyftningarna avtar så småningom som hos ett gråtande barn.

Vita bergen

Sofia tar upp bandspelaren, ställer sig i fönstret och ser ner på gatan. Det har slutat regna. En kvinna med en svartvit bordercollie i koppel passerar på trottoaren mitt emot. Hunden får henne att tänka på Hannah som en kort tid efter att de kommit hem från tågluffen hade blivit biten av just en sådan hund så illa att hon tvingats amputera ett finger. Ändå hade hon fortsatt att älska hundar över allt annat.

Sofia slår på bandspelaren och börjar prata.

Vad är det för fel på mig?

Varför kan inte jag känna samma ömhet eller kärlek till djur som alla andra?

Som barn försökte jag ju så många gånger.

Först var det vandrande pinnar eftersom de var enklare än akvariefiskar och passade bra eftersom han ju var så jävla allergisk mot Esmeralda som åkte till nån annan som tålde katter. Sen var det ett försök att skaffa nåt för sommaren och då blev det kaninungen som dog i bilen för att ingen tänkte på att även en bondkanin behöver vatten, och sen var det geten till låns som var skengravid en hel sommar och det enda man kommer ihåg av den var alla små svarta kletiga lortar som låg överallt och fastnade under fötterna. Och sen var det hönsen som ingen tyckte om och sen var det grannens häst ett tag innan kaninen som var trogen och glad och lydig och varm och som man tog hand om i ur och skur och matade innan man gick till skolan och kaninen blev biten av hästgrannens schäfer, som säkert inte var elak från början men alla som blir slagna blir nog förbannade till slut och ger sig på den som är svagare...

Den här gången blir hon inte trött av sin egen röst. Hon vet vem hon är.

Hon står där vid fönstret, kikar genom de nerfällda persiennerna på det som händer utanför och låter hjärnan arbeta.

Det var kaninen som inte kunde komma undan eftersom det var snö överallt där den i vanliga fall hade kunnat gömma sig och hunden klippte den över nacken på samma sätt som den tidigare hade klippt treåringen som matat den med glass. Eftersom hunden hatade allt så hatade den väl även glass och tog ungen rätt över ansiktet utan att nån egentligen brydde sig, utan bara sydde ihop det bäst det gick. Så hoppades man på det bästa och sen var det hästen igen och ridskola och ponnyhästar och hjärtan i dagboken som egentligen betydde nån äldre kille som man ville skulle tycka om en eller åtminstone titta åt en när man kråmade sig i korridorerna med de nya brösten och de tajtaste byxorna. Kunde dra halsbloss utan att hosta eller kräkas som man gjorde när man tagit valium och druckit alldeles för mycket sprit och varit dum nog att gå hem och ramla i hallen och farmor fick ta hand om en och man bara ville sitta i hennes knä och vara så liten som man egentligen var och känna hennes kramar och doften av tjuvrök eftersom farmor också var rädd för honom och smusslade med sina cigaretter...

Hon stänger av bandspelaren, går in till köket och sätter sig vid köksbordet.

Spolar tillbaka och tar sedan ut kassetten. Det är en ansenlig mängd minnen som nu står i en prydlig rad i bokhyllan i arbetsrummet.

Gaos lätta, nästan ljudlösa tassande och så det knarrande ljudet från dörren bakom bokhyllan i vardagsrummet.

Hon reser sig upp och går in till honom, in i deras eget hemliga, mjuka och trygga rum.

Han sitter på golvet och ritar och hon slår sig ner på sängen, stoppar in ett nytt, tomt kassettband i bandspelaren.

Rummet är en koja, en tillflyktsort där hon kan vara sig själv.

Klara sjö

Orden flödar ur Kenneth von Kwists mun när han berättar om sina insatser vid det kompletterande förhöret med Peo Silfverberg och Jeanette noterar att han gör det utan att kontrollera en enda uppgift. Von Kwist har alla detaljer i huvudet och hon får en krypande känsla av att han rabblar en historia han lärt sig utantill.

Det är förmiddag och de sitter på åklagarens kontor med utsikt över Klara sjö där några kanotister trotsar höstrusket och kajkar fram i den smala kanalen. Hur fan kan man hantera de där ranka sakerna i den där blåsten, tänker hon och väntar på att von Kwist ska fortsätta.

Åklagaren kisar med ögonen, granskar henne med en kritisk blick som om han försöker ta reda på vad hon är ute efter.

Lutar sig tillbaka och knäpper självsäkert armarna bakom huvudet.

"Som jag minns det ringde polisen i Köpenhamn på förmiddagen", fortsätter han. "De ville att jag, i egenskap av åklagare, skulle delta i samtalet med Silfverberg. Förhöret leddes av förre polischefen Gert Berglind och Per-Ola Silfverberg hade med sig sin advokat, Viggo Dürer."

"Så det var bara ni fyra närvarande?"

Von Kwist nickar bekräftande och tar ett djupt andetag.

"Ja, vi pratade i ett par timmar och han förnekade alla anklagelser. Han påstod att fosterdottern alltid haft en livlig fantasi. Flickan hade visst inte haft det så lätt. Jag minns att han berättade att hon hade övergivits av sin biologiska mor strax efter födseln och fosterhemsplacerats hos familjen Silfverberg. Jag kommer tydligt ihåg att han kände sig ledsen och oerhört kränkt av att bli utpekad på det sätt han blev."

När Jeanette frågar honom om hur det kommer sig att han så detaljrikt kan komma ihåg något som ligger så långt tillbaka i tiden svarar han skrattande att han har ett lysande minne och ett snabbt intellekt.

"Fanns det skäl att tro på honom?" försöker Jeanette. "Jag menar, Per-Ola och hans fru lämnade ju Danmark så fort han släpptes ur häktet och för mig ser det i alla fall ut som om de hade något att dölja."

Åklagaren suckar tungt. "Vi satte väl tilltro till att det han sa var sant."

Jeanette skakar uppgivet på huvudet. "Trots att hans dotter påstod att han hade gjort en massa saker med henne? För mig är det fullkomligt obegripligt att han gick fri så enkelt."

"Inte för mig." Åklagarens ögon dras ihop till ett par smala springor bakom glasögonen. Ett svagt leende leker i hans mungipor. "Jag har hållit på med det här så länge att jag vet att det ständigt sker misstag och försummelser."

Jeanette inser att hon inte kommer vidare och byter ämne. "Vad har du att säga om fallet Ulrika Wendin?"

Leendet slocknar och von Kwist drabbas av en plötslig hostattack, ursäktar sig ett ögonblick och går ut ur rummet. När han kommer tillbaka har han två glas och en karaff vatten med sig. Han ställer ner glasen på skrivbordet, fyller dem och räcker det ena till Jeanette.

"Vad vill du veta om Ulrika Wendin?" Han tar en djup klunk av vattnet. "Det var ju sju år sen", säger han sedan.

"Ja, men med ditt goda minne minns du väl att det var samme gamle polischef, Gert Berglind, som höll i utredningen om Lundström, en utredning som också lades ner. Du såg ingen koppling?"

"Nej, jag reflekterade aldrig över det."

"När Annette Lundström gav Karl alibi för kvällen då Ulrika Wendin blev våldtagen så släppte du det. Du kollade inte ens upp om hennes uppgifter stämde. Är det rätt uppfattat?"

Jeanette känner ilskan komma och försöker lägga band på sig. Hon vet att hon inte får brusa upp. Att hon måste behålla lugnet oavsett vad hon tycker om åklagarens agerande.

"Det var ett val jag gjorde", svarar han lugnt. "En samlad bedömning av uppgifterna jag hade. Mitt förhör handlade om huruvida Lundström varit där. Och mitt förhör med honom visade att han inte hade det. Så enkelt var det. Jag hyste inga misstankar om att han skulle ljuga."

"Du tycker inte idag att du skulle ha följt upp det hela lite noggrannare?"

"Annette Lundströms redogörelse var bara en del av informationen jag hade men visst hade den kunnat följas upp bättre. Allt hade kunnat följas upp bättre."

"Men så skedde inte?"

"Nej."

"Och du sa till Gert Berglind och spaningsledningen att man skulle gå vidare?"

"Javisst."

"Ändå skedde det inte?"

"Det var väl ett val de gjorde utifrån sin samlade bedömning."

Jeanette ser hur von Kwist ler. Rösten är en orms.

En vacker dag kommer du att snubbla på din egen slughet, tänker hon.

Jutas backe

Psykiatrireformen som trädde i kraft den första januari 1995 var en dålig reform. Att den dessutom drabbade ordföranden i utredningen, socialminister Bo Holmberg, på ett personligt plan måste ses som ödets ironi.

Hans hustru, utrikesminister Anna Lindh, mördades av en man som i hovrätten betraktades som psykiskt sjuk och därför borde ha suttit inlåst.

Istället hade mördaren, Mijailo Mijailović rört sig fritt och använt Stockholms gator som ett slagfält där han kunde strida mot sina osynliga demoner.

Visserligen stängdes ett stort antal sjukhus redan på sjuttiotalet, men det går inte att låta bli att undra vad som skulle ha hänt om psykiatriutredningen kommit fram till ett annat resultat än det man de facto gjorde.

Härbärgena i Stockholm förfogar över omkring tvåtusen sängar, och för de femtusen hemlösa, de flesta med alkohol- eller drogproblem, är det med andra ord en ständig kamp att få tak över huvudet.

När dessutom närmare hälften av dem också lider av psykiska problem blir det ofta bråk om de lediga sängarna och många väljer därför andra platser att övernatta på.

I de stora bergrummen under S:t Johannes kyrka på Norrmalm har det vuxit fram hela kolonier av människor som har det gemensamt att de alla står utanför det vanliga samhällets beskydd.

I de fuktdrypande, katedralsliknande salarna har de hittat något som åtminstone skulle kunna liknas vid trygghet.

Små hyddor av plast eller presenningar bredvid några bitar kartong och en sovsäck.

Kvaliteten på bostäderna varierar rejält och några skulle nästan kunna betraktas som flådiga.

Ovanför Jutas backe svänger hon höger in på Johannesgatan och promenerar längs med staketet vid kyrkogården.

Varje steg hon tar för henne närmare något nytt, en plats där hon skulle kunna stanna och bli lycklig. Byta namn, byta kläder och bli kvitt sitt förflutna.

En plats där hennes liv kan vika av mot något annat.

Hon tar upp mössan ur kappfickan och när hon sätter på sig den är hon noga med att dölja sitt ljusa hår.

Det välbekanta pirret i magen ger sig till känna och precis som förra gången undrar hon vad hon ska göra om hon behöver gå på toaletten.

Då hade allt löst sig eftersom offret självmant hade släppt in henne, ja till och med bjudit henne in. Per-Ola Silfverberg hade varit naiv, alldeles för godtrogen för sitt eget bästa, vilket hon tyckte var konstigt eftersom han trots allt var en man som härdats inom näringslivet.

Per-Ola Silfverberg hade stått med ryggen mot henne när hon drog fram den stora kniven och skurit av pulsådern på hans högra underarm. Han hade sjunkit ner på knä, vänt sig om och nästan förvånat sett på henne. Först på henne och sedan på pölen med blod som sakta formades på den ljusa parketten. Hans andetag var tunga, men han hade ändå försökt att resa på sig och hon hade låtit honom göra det eftersom han ändå inte skulle ha en chans. När hon tagit fram sin polaroidkamera hade han sett förvånad ut.

Det har tagit henne nästan två veckor att lokalisera kvinnan till bergrummet under kyrkan. En tiggare vid Sergels torg hade berättat att hon trots sin nuvarande belägenhet talade och betedde sig som den adelsdam hon fortfarande ansåg sig vara.

Trots sin bakgrund hade Fredrika Grünewald hamnat på

gatan och under de senaste tio åren gjort sig känd under namnet Grevinnan. Hon vet att familjen Grünewald, på grund av Fredrikas riskabla placeringar och dåliga investeringar, har förlorat hela sin förmögenhet.

Ett tag kände hon sig tveksam till att fullfölja hämnden på Fredrika eftersom det redan hade gått åt helvete för henne, men det som påbörjats måste fullbordas.

Så är det bestämt. Punkt. Det finns inget utrymme för medlidande. Vare sig hon är hemlös uteliggare eller välbeställd överklassdam.

Minnesbilderna av Fredrika Grünewald kommer åter till henne.

Hon ser ett smutsigt golv och hör andetagen. Stanken av svett, fuktig jord och maskinolja.

Oavsett om Fredrika Grünewald varit anstiftare eller bara en som utfört sin uppgift, så var hon skyldig. Att inte handla kan också vara skuld.

Den som tiger samtycker.

Hon svänger vänster in på Kammakargatan och sedan vänster igen ner på Döbelnsgatan. Nu är hon på den motsatta sidan av kyrkogården där ingången ska finnas. Hon saktar in på stegen och söker ivrigt efter plåtdörren som tiggaren har berättat om.

Ett äldre par kommer promenerande mot henne på trottoaren och hon drar mössan längre ner i pannan. Ett femtiotal meter längre ner ser hon en mörk figur stå under ett träd. Bredvid honom står en grå plåtdörr på glänt och inifrån hörs ett svagt sorl.

Hon har äntligen hittat bergrummet.

"Och vem fan är du?"

Mannen kliver fram ur mörkret under trädet.

Han är berusad och det är bra eftersom hans minnesbilder av henne kommer att vara vaga, kanske till och med obefintliga.

"Vet du vem Grevinnan är?" Hon ser honom i ögonen men eftersom han är kraftigt skelögd finner hon det svårt att veta i vilket öga hon ska fästa blicken.

Han stirrar tillbaka. "Hur så?"

"Jag är hennes vän och jag skulle behöva träffa henne."

Mannen skrockar för sig själv. "Åh fan, så kärringen har vänner? Det hade jag ingen aning om." Han plockar upp ett skrynkligt cigarettpaket och tänder en fimp. "Vad får jag ut av det? Jag menar, om jag visar dig till henne."

Hon är inte längre säker på att han är berusad. Det finns plötsligt en klarhet i hans blick som gör henne rädd. Tänk om han kommer att minnas henne?

"Vad vill du ha för att visa mig vägen till henne?" Hon sänker rösten, viskar nästan. Vill inte att någon obehörig ska höra deras konversation.

"Ett par hundra, kanske. Ja, det tycker jag nog är rimligt." Mannen ler.

"Du får tre om du visar var hon håller till. Ska vi säga det?"

Mannen nickar och smackar med munnen.

Hon tar upp plånboken och räcker honom tre hundralappar som han betraktar med ett nöjt flin innan han håller upp dörren åt henne och med en gest visar att hon kan kliva på.

En sötaktig, kväljande stank slår emot henne och hon tar upp en näsduk ur fickan. Håller den över näsan och munnen för att inte kräkas, medan mannen skrockar åt hennes reaktion.

Trappan är lång och när hennes ögon vant sig vid mörkret ser hon ett svagt sken längst ner.

"Akta dig så att du inte trillar. Det kan vara rätt halt."

Mannen tar henne försiktigt i armen och hon rycker till av beröringen.

"Okej, okej", utbrister han. "Jag fattar. Du tror att jag smittar eller så?" Han släpper taget och hon hör att han låter uppriktigt sårad.

Äckel, tänker hon. Hela du är en smittohärd.

När hon kliver in i den stora salen tror hon först inte sina ögon. Det är stort som en mindre fotbollsplan och säkert tio meter högt i tak. Överallt ser hon ett virrvarr av tält, kartonger och hyddor kring små öppna eldar och ett gytter av människor som ligger eller sitter framför brasorna.

Men det mest påtagliga är tystnaden.

Bara det svaga ljudet av viskningar och snarkningar hörs. Det vilar någonting respektfullt över det hela. Som om de som lever här nere har en gemensam överenskommelse att inte störa varandra, att låta var och en vara i fred med sina egna bekymmer.

Mannen går förbi henne och hon följer efter honom in i skuggorna. Ingen tycks ta någon notis om henne.

Mannen saktar in på stegen och stannar.

"Här håller kärringen till." Han pekar på en koja byggd av svarta sopsäckar, stor nog att rymma åtminstone fyra personer. Ingången är täckt av en blå filt. "Jag sticker nu. Frågar hon vem som visade dig vägen så säg att det var Börje."

"Visst, tack för hjälpen."

Mannen vänder sig om och går tillbaka samma väg som de kommit.

När hon sätter sig på huk ser hon att det är någon som rör sig därinne. Sakta tar hon bort näsduken från munnen och andas försiktigt. Luften är tjock och kvalmig och hon anstränger sig för att bara andas med munnen. Hon tar upp pianotråden och gömmer den i handen.

"Fredrika?" viskar hon. "Är du där? Jag behöver prata med dig."

Hon flyttar sig närmare ingången, tar fram polaroidkameran ur väskan och föser försiktigt filten åt sidan.

Om skamlighet har en doft så är det den hon känner sticka i näsan.

Tvålpalatset

Ann-Britt ringer på interntelefonen och meddelar att Linnea Lundström kommit och Sofia Zetterlund går ut i väntrummet för att välkomna flickan.

Precis som med Ulrika Wendin avser Sofia att arbeta utifrån en trestegsmodell i den psykoterapeutiska behandlingen av Linnea. Första delen av terapin handlar uteslutande om stabilisering och förtroende. Stöd och struktur är nyckelorden och Sofia hoppas att medicinering inte ska behövas, inte för Ulrika och inte heller för Linnea. Men ännu kan det inte helt uteslutas. Den andra delen handlar om att minnas och bearbeta, diskutera och återuppleva det sexuella traumat. Slutligen, i den sista fasen, måste de traumatiska upplevelserna skiljas från sexuella erfarenheter i nuet och i framtiden.

Sofia hade blivit förvånad över Ulrikas berättelse om mötet med främlingen på krogen vilket varit en rent sexuell handling som uppenbarligen fått Ulrika att må bättre.

Hon har utsatts för upprepade våldtäkter och hon lider av vestibulit. Ett möte med en främling har hjälpt henne att slappna av och medvetet eller omedvetet har hon själv experimenterat med förhållandet mellan intimitet och sexualitet.

Sedan erinrar hon sig Ulrikas reaktion när hon sett bilden på Viggo Dürer. Viggo Dürer har en central roll i Linneas uppväxt.

Vad kan han ha spelat för roll i Ulrikas liv?

Linnea Lundström slår sig ner i besöksstolen. "Känns som jag nyss var här", säger hon. "Är jag så sjuk att jag måste komma hit varje dag?"

Sofia blir tacksam över att Linnea är så avslappnad att hon till och med skämtar.

"Nej, det handlar inte om det. Men det är bra med en tät kontakt så här i början, så att vi snabbt lär känna varandra."

De första tio minuterna av samtalet är trevande. Det handlar om Linneas allmänna tillstånd, fysiskt och psykiskt

Undan för undan leder Sofia in samtalet på det ämne som är den egentliga anledningen till att hon träffar Linnea: flickans förhållande till sin far.

Sofia ser helst att det är Linnea själv som tar upp ämnet, vilket hon gjort under samtalet dagen innan, och snart blir förhoppningen hörsammad.

"Du sa att det handlade om att hjälpa varandra", säger Linnea.

"Ja, det är en förutsättning."

"Tror du att jag kan förstå mig själv bättre om jag förstår honom bättre?"

Sofia drar lite på svaret. "Kanske... Jag vill bara först vara helt säker på att du anser mig vara rätt person att tala med."

Linnea ser förvånad ut. "Jaha, skulle det finnas andra? Typ mina kompisar, eller vadå? Jag skulle ju skämmas ihjäl..."

Sofia ler. "Nej, inte nödvändigtvis någon av dina kompisar. Men det finns ju andra terapeuter."

"Du har pratat med honom. Du är lämpligast, det sa i alla fall Annette."

Sofia ser på Linnea och konstaterar att det bästa ordet för att beskriva vad hon ser är trotsighet. Jag får inte tappa henne nu, tänker Sofia. "Jag förstår... Åter till din far. Om du vill prata om honom, var vill du i så fall att vi börjar?"

Linnea gräver fram ett skrynkligt papper ur jackfickan och lägger det på skrivbordet. Det ser ut som om hon skäms. "Jag undanhöll något för dig igår." Linnea tvekar först, men skjuter sedan fram pappret till Sofia. "Det här är ett brev som pappa skrev till mig i våras. Du kan väl läsa?"

Sofia ser på pappret. Det verkar som om brevet lästs åtskilliga gånger.

Ett vältummat blad från ett linjerat collegeblock, fullklottrat med en snirklig, minimal handstil. "Vill du att jag läser det nu?" Linnea nickar och Sofia tar upp brevet.

Handstilen är vacker, men svår att tyda. Brevet har skrivits under kraftig turbulens på en flygresa, det är daterat Nice-Stockholm den tredje april 2008 och av det Karl Lundström berättar kan Sofia sluta sig till att han varit på en företagsmässa nere på franska Rivieran. Brevet är alltså skrivet bara några veckor innan Karl Lundström greps.

Första stycket är idel floskler. Sedan blir texten allt mer fragmentarisk och osammanhängande.

Talang är tålamod och rädsla för nederlag. Du har båda egenskaperna, Linnea, så du har alla förutsättningar att lyckas även om det inte känns så just nu.

Men för mig är allt förbi. Det finns sår i livet som likt spetälska i avskildhet äter själen.

Nej, jag måste söka skugga! Sund och levande gå dem nära, följa dem bävande och få dem kära, jag söker i skuggornas hem ett hem.

Sofia känner igen formuleringen. Karl Lundström hade under deras möte i Huddinge talat om skuggornas hem. Han hade sagt att det var en metafor för en hemlig, förbjuden plats.

Över pappret sneglar hon på Linnea.

Flickan ler osäkert, slår åter ner blicken i golvet och Sofia återupptar läsningen.

Allt står här i boken jag har med mig. Den handlar om mig och om dig.

Det står att jag bara begär vad tusental, kanske miljoner, gjort före mig och att det gör mina handlingar sanktionerade av historien. Impulserna till begären finns inte i mitt samvete, utan de finns i den kollektiva växelverkan som uppstått med andra. Med andras begär.

Jag gör bara som de andra och samvetet kan svära sig fritt. Ändå säger samvetet att något är fel! Jag förstår inte!

Jag kunde ju fråga oraklet i Delfi, Pythia som är kvinnan som aldrig ljuger.

Tack vare henne förstod Sokrates att den som är vis är den som vet om att den inte vet. Den okunnige tror sig veta om något han inte känner till, och blir därför dubbelt okunnig eftersom han inte vet att han inte vet! Men jag vet att jag inte vet!

Betyder det att jag är vis?

Sedan följer några rader som är oläsliga, samt en stor, mörkröd fläck som Sofia förmodar är rödvin. Hon ser återigen upp på Linnea och höjer frågande på ett ögonbryn.

"Jag vet", säger flickan. "Det är lite snurrigt, han var nog full."

Sofia läser tyst vidare:

Precis som Sokrates är jag en brottsling som anklagas för att fördärva ungdomen. Men han var ju pederast och kanske de som anklagade hade rätt? Staten hyllar sina gudar och vi andra beskylls för att tillbedja demoner.

Sokrates var precis som jag! Har vi fel? Allt står i den här boken! Vet du förresten vad som hände i Kristianstad när du var liten? Viggo och Henrietta? Det står i den här boken!

Viggo och Henrietta Dürer, tänker Sofia. Annette Lundström hade talat om paret Dürer och Viggo fanns avbildad på Linneas teckningar.

Sofia känner igen Karl Lundströms ambivalenta inställning till rätt och fel från samtalet i Huddinge och pusselbitarna börjar falla på plats. Hon läser fast brevet gör henne illa berörd.

Den stora sömnen. Och blindheten. Annette är blind och Henrietta var blind som det anstår flickor från Sigtunaskolan.

Sigtunaskolan, tänker Sofia. Henrietta? Vem är hon? Hon avbryter sin läsning och lägger brevet åt sidan. Det är några saker som hon reagerat starkt på.

Hon förstår att Henrietta Dürer varit Annette Lundströms klasskamrat. Också hon hade haft en grismask på sig, grymtat och skrattat. Hon hade hetat något annat då, något alldagligt, Andersson, Johansson? Men hon hade varit en av dem, maskerad och blind.

Och hon hade gift sig med Viggo Dürer.

Det är bara för mycket. Sofia känner hur magen drar ihop sig.

Linnea avbryter hennes tankar. "Pappa sa att du förstod honom. Jag tror att det är en sån som du som han pratar om i brevet, en Pythia som han säger... fast han är så konstig."

"Vad minns du om Viggo Dürer? Om Henrietta?"

Linnea svarar inte och sjunker ner i stolen med en tom blick.

"Vad är det för bok han refererar till?"

Linnea suckar igen. "Jag vet inte... Han läste så mycket. Men han pratade ofta om en skrift som heter Pythians anvisningar."

"Pythians anvisningar?"

"Ja, fast han visade den aldrig för mig."

"Och när han nämner Kristianstad. Vad tänker du då?"

"Jag vet inte."

Under mindre än en vecka har hon träffat två unga kvinnor som förstörts av en och samma man. Även om Karl Lundström är död ska hon se till att offren får upprättelse.

Vad är svaghet? Att vara ett offer? Kvinna? Utnyttjad?

Nej, svaghet är att inte vända det till sin fördel.

"Jag kan hjälpa dig att minnas", säger hon.

Linnea ser på henne. "Tror du det?"

"Jag vet."

Sofia drar ut skrivbordslådan och plockar fram teckningarna som Linnea gjorde när hon var fem, nio och tio år.

S:t Johannes bergrum

Namnet Johannes är hebreiskt och betyder Gud har förbarmat sig och Johanniterorden har sedan 1100-talet verkat under mottot Till de fattiga och sjukas hjälp.

Det är därför en försynens logik att bergrummet under S:t Johannes kyrka på Norrmalm i Stockholm fungerar som tillflyktsort åt de arma och utstötta.

På porten till bergrummet sitter ett nött klistermärke som är intill förväxling likt den danska flaggan. I själva verket är det Johanniterordens fana, ett inverterat korsriddarvapen i form av ett vitt kors på röd botten, som någon satt upp liksom för att meddela att här kan du vara trygg, oavsett vem du är.

Det är däremot inte försynens logik utan snarare dess hånande undermening att budskapet om trygghet ibland ekar falskt och i det här fallet som ett skrik på hjälp mellan klippväggarna nere i kryptorna.

Jeanette Kihlberg väcks av telefonen klockan halv sju på morgonen och polischef Dennis Billing beordrar henne att genast åka in till stan eftersom man hittat en mördad kvinna i S:t Johannes bergrum.

Snabbt rafsar hon ner ett meddelande till Johan och lägger det på köksbordet tillsammans med en hundralapp innan hon tyst smyger ut och sätter sig i bilen.

Hon tar upp telefonen och ringer Jens Hurtig. Han har redan fått ett samtal från sambandscentralen och ska, om trafiken flyter, vara på plats om femton minuter. Enligt vad Hurtig hört råder rena lynchstämningen nere i bergrummet så de bestämmer att de ska mötas utanför.

En lastbil har fått punktering i Söderledstunneln och trafiken står nästan stilla. Hon inser att hon kommer att bli sen, ringer upp Hurtig och säger att han får gå ner före henne.

På Centralbron börjar trafiken åter röra på sig och fem minuter senare svänger hon ner i Klaratunneln, upp på Sveavägen och förbi Konserthuset. Kammakargatan är delvis enkelriktad och därför tar hon Tegnérgatan och sedan höger upp på Döbelnsgatan.

En folksamling spärrar av gatan och hon kör upp på trottoaren, parkerar och kliver ur.

Tre piketer står med påslagna blåljus och ett tiotal poliser har fullt upp med att freda ingången till bergrummet.

Jeanette går fram till Åhlund samtidigt som hon ser Schwarz lite längre bort utanför en kraftig plåtdörr.

"Hur går det?" Hon är tvungen att ropa för att göra sig hörd.

"Fullkomlig kaos." Åhlund slår ut med armarna. "Vi har tömt hela stället på folk och det rör sig om nästan femtio personer. Du ser…" Han sveper med handen. "Vad fan, de har ju ingenstans att ta vägen."

"Har ni ringt Stadsmissionen?" Jeanette tar ett steg åt sidan och släpper fram en kollega som är på väg att omhänderta en av de mest aggressiva personerna.

"Visst, men de har fullt och kan inte hjälpa oss just nu."

Åhlund ser avvaktande på henne och Jeanette tänker efter innan hon fortsätter.

"Vi får göra så här. Beordra hit en buss från SL så fort som möjligt. De får värma sig där och så kan vi prata med dem som har nåt att berätta. Men jag antar att de flesta inte är så medelsamma. De brukar inte vara det."

Åhlund nickar och tar upp sin kommunikationsradio.

"Jag går ner och ser vad som hant och så får vi hoppas att det inte tar alltför lång tid innan de kan gå tillbaka."

Jeanette går bort till plåtdörren där Schwarz hejdar henne och ger henne ett vitt munskydd.

"Jag tror du gör bäst i att ta på dig det."

Han rynkar på näsan.

Stanken är verkligen outhärdlig och Jeanette spänner gummibanden runt öronen och kontrollerar att skyddet sluter tätt även runt näsan innan hon går ner i mörkret.

Den stora salen badar i skarpt ljus från strålkastare och det bullrar från dieselaggregatet som förser lamporna med ström.

Jeanette stannar upp och ser ut över det bisarra, underjordiska samhället.

En kåkstad som hämtad från slummen i Rio de Janeiro. Bostäder tillverkade av skräp och sånt man kan hitta på gatan. Vissa skapade med tydlig hantverksskicklighet och sinne för det estetiska. Andra är bara barnsliga kojor. Trots oredan finns det någonting organiserat över det hela.

En underliggande önskan om struktur.

Hurtig står ett tjugotal meter längre in och vinkar åt henne och hon tar sig försiktigt fram mellan högarna av sovsäckar, soppåsar, kartonger och kläder. Vid ett av tälten står en liten hylla full med böcker. En pappskylt meddelar att böckerna är till utlåning bara man lämnar tillbaka dem.

Hon vet att fördomarna om hemlösa som ointellektuella och kulturellt ointresserade är ogrundade. Steget hit ner är antagligen inte större än lite otur, obetalda räkningar eller en depression.

Hurtig står vid ett tält av plastsäckar. Framför ingången hänger en blå, sliten filt och hon ser att någon ligger därinne.

"Okej, vad är det som har hänt?" Jeanette böjer sig ner och försöker se in i tältet.

"Kvinnan där inne heter Fredrika Grünewald och kallas för Grevinnan eftersom hon påstås komma från nån adlig släkt. Vi håller på att kolla upp det."

"Bra. Nåt mer?"

"Några vittnen säger att en man som heter Börje kom ner hit igår eftermiddag i sällskap med en okänd kvinna."

"Har vi fått tag i den här Börje?"

"Nej, inte än, men han är lite av en kändis här nere så det borde inte bli svårt. Vi har gått ut med en efterlysning."

"Bra, bra." Jeanette flyttar sig lite närmare tältöppningen.

"Hon är jävligt illa tilltygad. Huvudet är i stort sett helt avlägsnat från halsen."

"Kniv?" Hon reser på sig och rätar på ryggen.

"Tror inte det. Vi hittade det här." Hurtig håller upp en plastpåse som innehåller en lång ståltråd. "Förmodligen är det här mordvapnet."

Jeanette nickar. "Och det är ingen här nere som gjort det?"

"Jag tror inte det. Hade hon, så att säga, bara varit ihjälslagen och sedan rånad så..." Hurtig ser fundersam ut. "Men det här är nåt annat."

"Hon är alltså inte bestulen på nåt?"

"Nej. Plånboken är kvar och där hade hon nästan tvåtusen spänn och ett giltigt månadskort."

"Okej. Och vad tror du?"

Hurtig rycker på axlarna. "Hämnd, kanske. Mördaren har, efter att ha tagit livet av henne, smetat in henne med avföring. Framför allt runt munnen."

"Åh, fy fan."

"Ivo ska kolla upp om det är hennes egen skit, men har vi tur så är det mördarens." Hurtig pekar in i tältet där Ivo Andrić tillsammans med ett par kollegor är i full färd med att packa in kroppen i en grå liksäck för transport till Solna.

Teknikerna lyfter av plasten som fungerat som tält och nu kan Jeanette se hela den tragiska bostaden. Ett litet spritkök, några konserver och en hög med kläder. Försiktigt tar hon upp en klänning och noterar att det är en Chanel. Knappt använd.

Hon läser på de oöppnade matburkarna och ser att flera av dem är importerade. Musslor, gåsleverpastej och paté. Inget man hittar på Konsum.

Varför har Fredrika Grünewald hållit till här nere? tänker hon. Pengar verkar ju inte direkt ha varit en bristvara. Det måste finnas någon annan anledning. Men vilken?

Jeanette ser sig omkring bland tillhörigheterna. Det är någonting som inte stämmer. Något som saknas. Hon kisar med ögonen, nollställer sig och försöker se förbehållslöst på det hela.

Vad är det jag inte ser? tänker hon.

"Du, Jeanette." Ivo Andrić knackar henne på ryggen. "En sak bara, innan jag går. Det är inte mänsklig avföring hon har i ansiktet. Det är hundskit."

I samma ögonblick ser hon det.

Det är inte något som saknas.

Det är någonting som inte borde finnas där.

Dåtid

Törs du idag då, din fega jävel? Törs du? Törs du?
Nej, du törs inte! Du törs inte! Du är för feg!
Du är patetisk! Inte konstigt att ingen bryr sig om dig!

Istedgades slitna husfasader, hotell, barer och sexbutiker kantar trottoarerna och hon ler igenkännande när hon viker in på den lite lugnare tvärgatan, Viktoriagade. Det är knappt ett år sedan hon var här sist och hon minns att hotellet ligger alldeles nära, i nästa kvarter på vänster sida efter korsningen, vägg i vägg med en skivbutik.

Ett år tidigare hade hon valt hotellet med omsorg. I Berlin hade hon bott på Bergmannstrasse i Kreuzberg och cirkeln hade slutits när hon kommit hit. Viktoriagade hade varit en logisk plats att dö på.

Hon noterar att neonskylten med hotellets namn fortfarande är trasig när hon öppnar den gamla träporten till receptionen. Bakom disken sitter samma uttråkade man som sist. Då hade han rökt, nu har han en tandpetare i munnen. Det ser ut som om han håller på att somna.

Han ger henne nycklarna och hon betalar med några skrynkliga sedlar hon hittat i en kakburk i Viggos kök.

Sammanlagt har hon nästan tvåtusen danska kronor och

223

över nio hundra svenska. Det kommer att räcka i några dagar. Speldosan som hon stal av Viggo kanske kan ge ytterligare några hundra.

Rum nummer sju, där hon försökte hänga sig sommaren innan, ligger en trappa upp.

Medan hon går upp för den knarrande trätrappan undrar hon om porslinet på toaletthandfatet blivit lagat. Innan hon beslutade sig för att hänga sig hade hon slagit en parfymflaska mot kanten och porslinet hade spruckit ända in till avloppshålet.

Sedan hade allt blivit odramatiskt.

Kroken i taket hade lossnat och hon hade vaknat upp på toalettgolvet med skärpet runt halsen, en fläskläpp och en utslagen framtand. Blodet hade hon tvättat bort med en t-tröja.

Efteråt var det som om inget hade hänt. Det såg exakt likadant ut inne på toaletten som innan, förutom sprickan i handfatet och hålet efter kroken i taket. Det hade varit en nästan osynlig, meningslös handling.

Hon låser upp och går in i rummet. Precis som tidigare står en smal säng längs den högra väggen, en garderob mot den vänstra och fönstret mot Viktoriagade är lika smutsigt nu som då. Det luktar rök och mögel och dörren till den lilla toaletten är öppen.

Hon sparkar av sig skorna, slänger ifrån sig väskan på sängen och öppnar fönstret för att vädra.

Utanför hörs bruset från trafiken och skallen från de herrelösa hundarna.

Sedan går hon in på toaletten. Hålet i taket är spacklat och sprickan i handfatet har lagats med silikon och blivit till ett smutsgrått streck.

Hon stänger dörren till toaletten och lägger sig ner på sängen.

Jag finns inte, tänker hon och skrattar till.

Hon plockar upp pennan och dagboken ur väskan och börjar skriva.

Köpenhamn, tjugotredje maj 1988. Danmark är ett skit-
land. Grisar och bönder, tyskerpiger och tyskerpåger.

Jag är hål och sprickor och meningslösa handlingar. På
Viktoriagade och på Bergmannstrasse. Då våldtagen av tys-
kar på dansk mark. På Roskildefestivalen, tre tyska småpoj-
kar.

Nu våldtagen av en dansk tyskunge i en bunker som tys-
karna byggt i Danmark. Danmark och Tyskland. Viggo är
tyskdansk. En tyskhoras danske son.

Nu skrattar hon högt. "Solace Aim Nut. Trösta mig, jag
är galen."

Hur fan kan man heta det?

Sedan lägger hon ifrån sig dagboken. Hon är inte galen.
Det är alla andra som är det.

Hon tänker på Viggo Dürer. Tyskerpågen.

Han förtjänar att strypas och slängas ner i ett bombvalv
ute på Oddesund.

Född ur danskt fitthål och död i tyskt skithål. Sedan kun-
de grisarna få äta upp honom.

Hon tar åter upp dagboken.

Hon hejdar sig och bläddrar tillbaka. Två månader, fyra
månader, ett halvår.

Hon läser:

Värmdö, trettonde december 1987.

Solace vaknar inte efter det han gjorde i bastun. Jag är
rädd att hon håller på att dö. Hon andas och ögonen är öpp-
na, men hon är alldeles borta. Han var hård mot henne.
Hennes huvud slogs mot väggen medan han höll på och hon
såg ut som ett plockepinnspel efteråt. Utspillt över bänken
inne i bastun.

Jag har baddat hennes ansikte med en blöt trasa, men hon
vill inte vakna.

Är hon död?

Jag hatar honom. Godhet och förlåtelse är bara ytterli-
gare en form av förtryck och provokation. Hat är renare.

Victoria bläddrar fram några sidor i dagboken.

Solace var inte död. Hon vaknade, men hon sa inget, hon hade bara ont i magen och krystade som om hon skulle föda. Då kom han in till oss, på vårt rum.

När han fick se oss såg han först olycklig ut. Sedan snöt han sig på oss. Han satte ett finger för ena näsborren och snöt sig på oss!

Kunde han åtminstone inte ha spottat!?

Hon känner knappt igen sin egen handstil.

Tjugofjärde januari 1988.

Solace vägrar att ta av sig masken. Jag börjar ledsna på hennes träansikte. Hon ligger bara där och gnäller. Det gnisslar från henne. Masken måste ha växt fast i ansiktet, som om träfibrerna ätit sig in i henne.

Hon är en trädocka. Tyst och död ligger hon där och det gnisslar i träansiktet för att det är så satans fuktigt i bastun.

Trädockor får inte barn. De sväller bara i fukt och värme.

Jag hatar henne!

Victoria slår igen dagboken. Utanför fönstret hör hon någon skratta.

På natten drömmer hon om ett hus i vilket alla fönstren är öppna. Hennes uppdrag är att stänga dem, men det är bara det att så fort hon stänger det sista, så öppnar sig ett av dem hon nyss har stängt. Det konstiga är att det är hon som bestämmer att alla fönster inte får vara stängda samtidigt, eftersom uppdraget då blir alldeles för enkelt. Stänga, öppna, stänga, öppna och så fortgår det tills hon tröttnar och sätter sig ner på golvet och kissar.

När hon vaknar är det så vått i sängen att det runnit genom madrassen och ner på golvet.

Klockan är inte mer än fyra på morgonen, men hon bestämmer sig för att kliva upp. Hon tvättar av sig, samlar ihop sina saker, går ut ur rummet och tar med sig lakanen, som hon slänger i en soptunna ute i korridoren, innan hon går ner till receptionen.

Hon sätter sig i det lilla caféet och tänder en cigarett.

Det är fjärde eller femte gången på mindre än en månad som hon vaknar av att hon kissat ner sig. Det har hänt tidigare också, men inte med så täta intervaller och inte i samband med så starka drömmar.

Hon packar upp några böcker ur ryggsäcken.

Kursboken i psykologi för universitetsstudier och flera böcker av RJ Stoller. Hon tycker att det är lustigt att någon som skriver om psykologi kan heta Stoller och lika lustigt, för att inte säga löjeväckande, är att pocketutgåvan av Freuds Sexualteorier som hon också packat med sig, är så tunn.

Exemplaret av Drömtydning är nästan sönderläst vilket i motsats till vad hon föreställt sig innan hon började läsa den resulterat i att hon gått i total opposition mot Freuds teorier.

Varför skulle drömmar vara uttryck för omedvetna lustar och dolda, inre konflikter?

Och vad finns det för vits med att dölja sina egna syften för sig själv? Det vore som om hon skulle vara en person när hon drömde och en annan när hon var vaken och vad finns det för logik i det?

Drömmarna avspeglar helt enkelt hennes tankar och fantasier. Det finns kanske symbolik i dem, men hon tror inte att hon lär känna sig själv bättre genom att tänka för mycket på deras betydelse.

Det verkar idiotiskt att försöka lösa problem i verkliga livet genom att tolka sina egna drömmar och hon tror att det rentav kan vara farligt.

Tänk om man tillskriver dem en betydelse de inte har?

Intressantare är att hennes drömmar är klardrömmar, lucida drömmar, det har hon förstått efter att ha läst en artikel i ämnet. Hon är medveten om att hon drömmer medan hon sover och hon kan påverka vad som händer i drömmarna.

Hon fnissar för sig själv när hon konstaterar att varje gång hon kissat ner sig i sömnen, så har det varit ett aktivt val av henne.

Ännu lustigare blir det med tanke på att den psykologiska vetenskapen tillskriver klardrömmare en ovanligt hög hjärnkapacitet. Hon kissar alltså på sig på grund av att hon har en hjärna som är betydligt mer förfinad och välutvecklad än andras.

Hon släcker cigaretten och plockar fram ytterligare en bok. Det är en forskningsöversikt som behandlar anknytningsteori. Hur spädbarnets relation till modern får konsekvenser för barnets framtida liv.

Trots att boken inte tillhör kurslitteraturen och dessutom gör henne deprimerad, kan hon inte låta bli att läsa i den då och då. Sida efter sida, kapitel efter kapitel handlar om det hon både berövats av andra och avsagt sig själv.

Relationer med andra människor.

Allt förstördes av hennes mamma redan när hon föddes och de spruckna och mossbelupna ruinerna som är hennes relationsliv har vårdats ömt av hennes pappa som vägrat alla andra människor tillträde till henne.

Hon ler inte längre.

Saknar hon en relation? Längtar hon över huvud taget efter någon enda människa?

Hon har i alla fall inga vänner att sakna och inte heller några vänner som saknar henne.

Hannah och Jessica är för länge sedan bortglömda. Har de också glömt henne? Det som de lovade varandra? Evig trohet och allt det där?

Men det finns en människa som hon saknat sedan hon kom till Danmark. Och det är inte Solace. Här nere klarar hon sig utan henne.

Hon saknar den gamla psykologen på Nacka sjukhus.

Om hon varit här nu hade hon förstått att Victoria besökt hotellet av en anledning: att återuppleva sin egen död.

Samtidigt har hon också kommit till insikt om vad som måste göras.

Om man inte klarar av att dö kan man bli en annan och hon vet hur det ska gå till.

Först ska hon ta båten över till Malmö, sedan tåget tillbaka till Stockholm och därefter bussen ut till Tyresö, där den gamla kvinnan bor.

Och den här gången ska hon berätta allt, precis allt hon vet om sig själv.

Det måste hon.

Om Victoria Bergman ska kunna dö på riktigt.

Patologiska institutionen

Senaste gången Ivo Andrić kräktes var under belägringen av Sarajevo för över femton år sedan då han efter en av serbernas räder i utkanten av staden ingick i den grupp frivilliga som samlade ihop det som återstod av ett tiotal familjer som haft oturen att stå i vägen för en av dödsskvadronerna.

Efter knappt femton minuters arbete med Fredrika Grünewalds kropp avbryter Ivo Andrić obduktionen för att uppsöka närmaste toalett.

Då som nu. Hat, förnedring och vedergällning.

På väg tillbaka till obduktionsrummet försöker han att inte tänka på den unga flickan han burit ut från hyreshuset i Ilidža.

"Jebiga!" svär han när han öppnar dörren och åter känner stanken från kroppen där inne.

Glöm Ilidža, tänker han och tar på sig munskyddet igen.

Det här är en stor, tjock kvinna, inte en smal liten flicka. Glöm henne.

Ivo Andrić är inte en man som ofta gråter och han är inte heller medveten om att han gör det just nu.

Hjärnan talar inte om för honom att han med ena handens ovansida stryker bort tårarna från ögonen medan han med den andra drar skynket från Fredrika Grünewalds nakna kropp.

Han tar upp anteckningsblocket och noterar med vämjelse att den arma kvinnan sannolikt har kvävts när hundavföringen tryckts ner i halsen.

Munnen och luftgångarna i näsan och mellan svalget och öronen innehåller förutom exkrementer spår från uppkastningar av räkor och vitt vin.

Varför arbetar jag med det här? tänker han och sluter ögonen. Mot hans vilja har tankarna återvänt till flickan som varit på besök hos sina kusiner i Ilidža.

Flickan som hette Antonija hade varit hans yngsta dotter.

Tvålpalatset

Linnea Lundström sitter i besöksstolen på andra sidan skrivbordet och Sofia förundras över hur snabbt hon lyckats ingjuta förtroende hos flickan.

Hon visar Linnea fotografierna av de tre teckningarna.

Linnea, fem, nio och tio år, tecknade med färgkritor.

"Det här är väl du?" frågar Sofia och pekar på dem. "Och det här är Annette?"

Linnea ser förvånad ut, men säger ingenting.

"Och det här är kanske en bekant till er familj?" Sofia pekar på Viggo Dürer. "Från Skåne. Kristianstad."

Sofia tycker att flickan ser lättad ut. "Ja", suckar hon, "men jag tycker att teckningarna är dåliga. Han såg inte ut så där. Han var ännu smalare."

"Vad hette han?"

Linnea tvekar en stund och när hon till sist svarar viskar hon. "Det är Viggo Dürer, pappas advokat."

"Vill du berätta om honom?"

Flickans andning blir ytligare och mer oregelbunden, som om hon kippade efter luft. "Du är den första som förstår vad jag ritade", säger hon sedan.

Sofia tänker på Annette Lundström som missuppfattat i stort sett vartenda kritdrag på Linneas teckningar.

"Det är skönt att det finns nån som fattar", fortsätter Linnea. "Är du som den pappa skrev om? En pythia? En som förstår?"

"Jag kan vara en som förstår", ler Sofia. "Men jag kan inte vara det utan din hjälp. Vill du berätta om vad teckningarna föreställer?"

Linneas svar kommer snabbt och är överraskande rakt på sak, även om hon inte säger något om själva innehållet i bilderna. "Han var... jag tyckte om honom när jag var liten."

"Viggo Dürer?"

Hon ser ner i golvet. "Ja... Han var snäll i början. Sen, kanske från att jag fyllde fem, kunde han bli jättekonstig."

Det är Linnea själv som tar initiativet till att berätta om Viggo Dürer och Sofia förstår att det andra steget i behandlingen har påbörjats. Det som handlar om att minnas och att bearbeta.

"Du menar att han var snäll mot dig fram tills att du fyllde fem?"

"Jag tror det."

"Du har alltså tydliga minnen av så tidiga år?"

Linnea höjer blicken från golvet och ser ut genom fönstret. "Nja, tydliga och tydliga. Jag minns i alla fall att jag tyckte om honom innan det där i Kristianstad hände... När de hälsade på oss."

Sofia tänker på teckningen av Viggo Dürer och hans hund på familjen Lundströms tomt i Kristianstad.

Karl Lundström hade själv nämnt händelsen i det brev Linnea hade haft med sig. Linnea föraktar sin far, men är rädd för Viggo. Hon gjorde vad Viggo sa och Annette och Henrietta var bara blindhet. Blundade för det som skedde i deras närhet.

Som vanligt, tänker Sofia.

Sedan hade Karl Lundström skrivit att Viggo var dubbelt okunnig och av Lundströms brev i övrigt kan hon dra slutsatsen att han menar att Viggos dubbla okunnighet består i att han har fel och är omedveten om det.

Då återstår bara en fråga, konstaterar Sofia. Vad är Viggo Dürer dubbelt okunnig om?

Hon är tvärsäker på vad Karl Lundström avsett, lutar sig fram över skrivbordet och ser Linnea i ögonen. "Vill du berätta om vad som hände i Kristianstad?"

Klara sjö

Åklagare Kenneth von Kwist är egentligen inte adlig, utan hade en gång under gymnasietiden helt enkelt lagt till ett von i sitt namn för att göra sig märkvärdigare än han var. Han är fortfarande oerhört fåfäng och månar ytterst noga om både sitt rykte och sitt utseende.

Kenneth von Kwist har fått ett problem och är mycket orolig. Ja, han är så bekymrad över det nyss avslutade samtalet med Annette Lundström att han känner hur hans vilande magkatarr börjar övergå i ett regelrätt magsår.

Bensodiazepiner, tänker han. Så beroendeframkallande att vittnesmålet från en person som får sådan medicin starkt måste ifrågasättas. Ja, det är så det måste vara. Den tunga medicineringen har fått Karl Lundström att fantisera ihop precis allting.

Kenneth von Kwist stirrar på bunten med papper han har framför sig på sitt skrivbord.

5 milligram Stesolid, läser han. 1 milligram Xanor och avslutningsvis 0,75 milligram Halcion. Dagligen! Helt jävla osannolikt.

Abstinensen måste ha varit så stor att Lundström hade kunnat erkänna vad som helst, bara för att få en ny dos, tänker han samtidigt som han läser igenom förhörsprotokollen.

Det är en omfattande mängd text, närmare femhundra maskinskrivna sidor.

Men åklagare Kenneth von Kwist känner tvivlet.

Det är alldeles för många andra personer inblandade. Människor han personligen känner, eller i varje fall trott sig känna. Som Viggo Dürer.

Har han själv hela tiden bara varit en nyttig idiot och hjälpt en grupp pedofiler och våldtäktsmän att gå fria?

Hade Per-Ola Silfverbergs dotter haft rätt när hon beskyllde sin fosterfar för att ha förgripit sig på henne?

Och hade Ulrika Wendin faktiskt drogats av Karl Lundström, förts till ett hotell och sedan våldtagits?

Sanningen grinar åklagare Kenneth von Kwist rätt i ansiktet. Han har låtit sig utnyttjas, så enkelt är det. Men hur ska han två sina händer utan att samtidigt svika sina så kallade vänner?

Vidare ser han återkommande hänvisningar till samtal som hållits ute på rättspsyk i Huddinge. Tydligen har Karl Lundström träffat psykologen Sofia Zetterlund för ett par pratstunder.

Är det möjligt att tysta ner det hela?

Kenneth von Kwist letar fram en Losec, ropar på sin sekreterare och ber henne ta reda på numret till Sofia Zetterlund.

Tvålpalatset

När Linnea Lundström lämnat mottagningen sitter Sofia kvar en lång stund och skriver ner samtalet.

Hon har för vana att använda två olika kulspetspennor, en röd och en blå, för att skilja klientens berättelse från sina egna tankar.

När hon vänder det sjunde linjerade A4-arket med anteckningar för att börja på det åttonde överrumplas hon av en förlamande trötthet. Det känns som om hon sovit.

Hon bläddrar tillbaka ett par sidor för att friska upp minnet av vad hon skrivit och börjar läsa på måfå på den sida hon märkt med en femma.

Texten är Linneas berättelse, nedtecknad med den blå kulspetspennan.

Viggos rottweiler är alltid fastbunden någonstans. I ett träd, i trappräcket utanför huset, i ett brummande element. Hunden gör utfall mot Linnea och hon går omvägar runt den. Viggo kommer in till henne på nätterna, hunden står utanför i hallen och vaktar och Linnea minns reflexerna från hundögonen i mörkret. Viggo visar Linnea ett fotoalbum med nakna barn, lika gamla som hon, och hon minns kamerablixtarna i mörkret och att hon har på sig en stor, svart damhatt och en röd klänning som Viggo gett henne. Linneas pappa kommer in i rummet, Viggo blir arg, de grälar och Linneas pappa går ut och lämnar dem ensamma.

Sofia hade överraskats av hur orden formligen runnit ur Linnea. Som om hennes berättelse legat latent i henne, färdigformulerad sedan länge, och äntligen kunde flöda fritt när hon hade någon att delge sina upplevelser.

Linnea är mycket rädd för att vara ensam med Viggo. Han är snäll på dagarna och elak på nätterna och har tidigare gjort något med henne så att hon knappt kunde gå utan hjälp. Jag frågar vad Viggo gjorde med henne och Linnea svarar att hon tror att "det var hans hand och hans chokladbit och så fotograferade han mig och jag sa inget till pappa och mamma".

Sofia vet att chokladbiten är en eufemism.

Linnea upprepar "hans händer, hans chokladbit och sedan fotoblixtar" och sedan säger hon att Viggo vill leka tjuv och polis och att hon är tjuv och får ha handklovar. Handfängslet och den skrovliga chokladbiten skaver hela morgonen fast Linnea sover, men ändå inte sover eftersom fotoblixtarna är röda på insidan av ögonlocken när hon blundar. Och allt är utanför och inte inuti som en surrande mygga i huvudet...

Sofia andas allt häftigare. Hon känner inte längre igen formuleringarna.

Hon upptäcker att resten av texten är skriven med röd penna.

... en surrande mygga som kan ta sig ut om hon slår huvudet i väggen. Då kan myggan flyga ut genom fönstret som också kan släppa ut den unkna stanken av tyskerpågens händer som luktar gris och hans kläder som luktar ammoniak hur mycket han än tvättar dem och hans chokladbit som smakar som tagel och borde skäras av och kastas till grisarna...

Hon avbryts av att det knackar på dörren.

"Kom in", säger hon frånvarande medan hon bläddrar vidare.

Ann-Britt kommer in i rummet och visar med en gest att det är brådskande. "Du har ett samtal som väntar. Åklagare Kenneth von Kwist har bett att du ska höra av dig till honom så fort du får en stund över."

Sofia minns ett hus omgivet av åkrar.

Hon brukade sitta vid det smutsiga fönstret på övervåningen och följa havsfåglarnas rörelser mot himlen.

Havet hade inte varit långt borta.

"Okej. Ge mig numret så ringer jag på en gång."

Och hon minns den kalla metallen mot handen när den kramade slaktmasken. Hon hade kunnat döda Viggo Dürer.

Om hon hade gjort det hade Linneas berättelse varit annorlunda.

Ann-Britt ger henne lappen och ser bekymrad ut. "Hur mår du egentligen? Du ser faktiskt inte riktigt kry ut." Hon lägger handen på Sofias panna och ler ett moderligt leende. "Men jag tror inte du har feber i alla fall."

Minnesbilderna bleknar. Det är samma känsla som vid en déja vú. Först är allt så klart, man vet vad som ska ske eller sägas, sedan försvinner känslan och det är lönlöst att försöka hålla den kvar. Som en isbit som smälter fortare ju hårdare man kramar om den.

"Äsch, jag har bara sovit lite dåligt." Hon känner sig otålig och föser försiktigt undan handen från pannan. "Lämna mig i fred nu, är du snäll. Jag ringer upp åklagaren om tio minuter."

Ann-Britt nickar kort åt henne och går ut ur rummet med en bekymrad min.

Hon ser på anteckningarna igen. De sista tre sidorna är Victorias ord. Victoria Bergman som berättar om Viggo Dürer och Linnea Lundström.

... hans utstående ryggkotor syns genom kläderna till och med när han bär kostym. Han tvingar Linnea att klä av sig, leka hans lekar med hans leksaker inne på hennes rum där dörren alltid är låst utom en gång då Annette, eller om det var Henrietta, avbröt dem. Hon skämdes för att hon stod halvnaken på alla fyra på golvet medan han var fullt påklädd och sa att flickungen sagt att hon ville visa honom att hon kunde gå ner i spagat och då ville dom att hon skulle göra det igen och när hon gått ner i spagat och sedan gått upp i brygga fick hon applåder av båda två, fast allt egentligen var helt sjukt eftersom hon var tolv år och hade bröst nästan som en vuxen...

Sofia känner igen en del av det Linnea berättat, men orden är sammanblandade med Victorias minnen. Trots det väcker texten inga nya minnesbilder till liv.

De linjerade papprena består bara av sammanhangslösa bokstäver.

Hon ögnar igenom den sista sidan innan hon beslutar sig för

att titta på anteckningarna vid ett senare tillfälle. Sedan slår hon numret till åklagaren.

"Von Kwist." Rösten är ljus och nästan feminin.

"Det är Sofia Zetterlund. Du hade sökt mig. Vad gäller det?"

Åklagare Kenneth von Kwist redogör kort för sitt ärende, om att Karl Lundström medicinerats med bensodiazepiner, och undrar hur hon ställer sig till det hela.

"Det är mer eller mindre egalt. Även om Karl Lundström avgett sin berättelse under inflytande av tunga mediciner så styrks den i slutänden av dottern. Det är hon som är det viktiga nu."

"Tunga mediciner." Åklagaren fnyser. "Vet du vad Xanor är för något?" Sofia hör den bekant manliga överlägsenheten och börjar ilskna till.

Hon anstränger sig för att tala lugnt och långsamt och försöker låta pedagogisk, som om hon pratar med ett barn. "Det är allmänt känt att patienter som långtidsmedicineras med Xanor utvecklar ett beroende. Det är därför den är narkotikaklassad. Tyvärr använder sig inte alla läkare av den kunskapen."

Hon inväntar åklagaren, men när han inte säger något fortsätter hon. "Många får stora problem och mår mycket dåligt av läkemedlet. Abstinensen är svår och lika bra som man mår när Xanor tas upp av kroppen, lika dåligt mår man när medicinen går ur. En av mina klienter har beskrivit Xanor som snabba resor mellan himmel och helvete."

Hon hör åklagaren dra ett djupt andetag. "Bra, bra. Jag hör att du har gjort din läxa." Han skrattar till och försöker låta överslätande. "Jag kan ändå inte låta bli att tänka att det han sagt att han gjort med sin dotter inte stämmer..." Han avbryter sig mitt i meningen.

"Du menar att jag skulle ha anledning att inte fästa så stor tilltro till hans utsagor?" Hon märker att hon nu låter ordentligt förbannad.

"Något åt det hållet, ja." Åklagaren tystnar.

"Jag inte bara tror att du har fel. Jag vet att du har det." Sofia tänker på allt Linnea berättat.

"Vad menar du? Har du några bevis, mer än dotterns redogörelser?"

"Ett namn. Jag har ett namn. Linnea har vid flera tillfällen berättat om en man vid namn Viggo Dürer."

I samma stund Sofia nämner advokatens namn ångrar hon sig.

Glasbruksgränd

Det som fångat Jeanettes uppmärksamhet i Fredrika Grünewalds tält var en bukett gula tulpaner, men det var inte bara färgen som fått henne att reagera, det var även kortet som suttit runt en av stjälkarna.

Klockan i Katarina kyrka slår sex dova slag och Jeanette drabbas åter av dåligt samvete för att hon fortfarande är på jobbet och inte hemma hos Johan.

Men efter fyndet hos Fredrika Grünewald är det nödvändigt att snabbt gå vidare. Det är därför hon och Hurtig nu står utanför familjen Silfverbergs exklusiva lägenhet. De har ringt innan och gjort upp om ett möte.

Charlotte Silfverberg öppnar dörren och släpper in dem.

Det luktar nymålat och på golvet ligger fortfarande täckpapp med färgstänk. Jeanette förstår att lägenheten har totalrenoverats, att det varit nödvändigt med tanke på hur det sett ut senast. Blod överallt och Per-Ola Silfverbergs stympade kropp.

Varför bor hon över huvud taget kvar? tänker Jeanette och nickar mot kvinnan. Hon vet att hon och Charlotte nästan är jämngamla, men hon antar att ett problemfritt liv, hälsosam kost och ett antal kirurgiska ingrepp gjort att kvinnan ser betydligt yngre ut.

"Jag antar att det gäller Per-Ola." Hon låter nästan uppfordrande.

"Ja, det kan man väl säga." Jeanette ser sig om i hallen.

Charlotte Silfverberg visar in dem i vardagsrummet, Jeanette går fram till det stora panoramafönstret och häpnar över den vackra utsikten över Stockholm.

Rakt fram Nationalmuseum och Grand Hôtel. Till höger vandrarhemmet af Chapman och hon inser att hon just nu antagligen har den bästa vyn över Stockholms silhuett. Jeanette vänder sig om och ser att Hurtig har slagit sig ner i en fåtölj, medan kvinnan fortfarande står upp.

"Jag misstänker att det här går fort." Charlotte Silfverberg ställer sig bredvid den andra fåtöljen och tar tag med båda händerna om stolsryggen som för att hålla balansen. "Så därför antar jag att ni inte vill ha någonting? Ja, kaffe eller så."

Jeanette skakar på huvudet och bestämmer sig samtidigt för att vänta med att nämna kortet med den konstiga formuleringen. Det kan vara bra att ha det kvar om det visar sig att Charlotte Silfverberg inte vill svara på deras frågor.

"Nej, nej, det är bra som det är." Jeanette anstränger sig att låta trevlig så att kvinnan ska mjukna och vara tillmötesgående. Jeanette går och sätter sig i soffan.

"Till att börja med skulle jag vilja veta varför du inte berättade för mig om er dotter." Hon säger det som i förbifarten, böjer sig ner och tar upp sitt anteckningsblock. "Eller snarare fosterdotter."

Charlotte Silfverberg rycker till, släpper taget om fåtöljen, går runt den och sätter sig ner.

"Madeleine? Vad är det med henne?"

Så det är Madeleine hon heter, tänker Jeanette. "Varför berättade du inte om henne när vi sågs senast? Och om hennes anklagelser mot Per-Ola."

Charlotte Silfverberg svarar utan att tveka. "Därför att hon är ett avslutat kapitel för mig. Hon gjorde bort sig en gång för mycket och är numera icke önskvärd i det här huset."

"Vad menar du?"

"Jag ska göra en lång historia kort." Charlotte Silfverberg drar efter andan innan hon fortsätter. "Madeleine kom till oss strax efter att hon hade fötts. Hennes mamma var mycket ung och dessutom gravt psykiskt sjuk och kunde därför inte ta hand om barnet. Så hon kom till oss och vi älskade henne som om hon vore vår egen. Ja, det gjorde vi även om hon var besvärlig under hela sin uppväxt. Hon var ofta sjuk och gnällig. Jag vet inte hur många nätter jag var uppe med henne när hon bara skrek och skrek. Otröstlig helt enkelt."

"Tog ni aldrig reda på vad det var för fel på henne?" Hurtig lutar sig fram och lägger händerna på soffbordet.

"Vad fanns det att ta reda på? Flickan var… ja, vad säger man, skadat gods." Charlotte Silfverberg snörper med munnen och Jeanette känner att hon vill ge kvinnan ett slag över ansiktet.

Skadat gods?

Är det så det heter när man behandlar ett barn så illa att det tar till det enda försvar det har. Att skrika.

Jeanette håller kvar blicken och skräms lite av vad hon ser. Charlotte Silfverberg är inte bara en kvinna i sorg. Hon är också en elak människa.

"Nåväl, hon växte upp och började skolan. Pappas flicka. Hon och Per-Ola var tillsammans så ofta de kunde och det var väl det som blev fel. En flicka ska inte ha en så nära relation till sin pappa."

Det blir tyst runt bordet och Jeanette förstår att de alla tre nu på ett eller annat sätt tänker på flickans påstående om att Per-Ola förgripit sig på henne, men innan Jeanette hinner säga något om det fortsätter Charlotte Silfverberg.

"Hon utvecklade ett sånt beroende till honom att Peo kände att det var dags att sätta tydliga gränser för henne. Hon kände sig väl sviken då och började hitta på en massa ofördelaktiga saker om honom, som hämnd."

"Ofördelaktiga saker?" Jeanette kan inte hålla ilskan tillbaka. "Men för i helvete, flickan sa ju att Per-Ola hade våldfört sig på henne."

"Jag ser helst att du vårdar ditt språk när du talar till mig." Charlotte Silfverberg håller upp båda händerna i en avvärjande gest. "Jag vill inte prata mer om det. End of discussion."

"Tyvärr är vi inte riktigt färdiga än." Jeanette lägger ifrån sig anteckningsblocket. "Du måste förstå att hon i högsta grad är misstänkt för mordet på din make."

Först nu verkar det som om Charlotte Silfverberg förstår allvaret och hon nickar stumt.

"Vet du var hon finns idag?" fortsätter Jeanette. "Och kan du beskriva Madeleine? Har hon några speciella kännetecken?"

Kvinnan skakar på huvudet. "Jag antar att hon är kvar i Danmark. När våra vägar skildes togs hon om hand av det sociala och placerades på en barnpsykiatrisk klinik, efter det vet jag inte."

"Okej. Nåt annat?"

"Hon är ju vuxen idag och... "

Charlotte Silfverberg ser med ens väldigt trött ut och Jeanette undrar om hon ska börja gråta. Men efter att ha samlat sig fortsätter hon. "Hon är blåögd och ljushårig. Ja, om hon inte har färgat det förstås. Hon var väldigt söt som barn och kan mycket väl ha blivit en väldigt vacker ung kvinna. Men det kan jag ju inte veta ..."

"Inga speciella egenskaper?"

Charlotte Silfverberg nickar ivrigt med huvudet. "Jo, just det." mumlar hon. "Just det."

"Vad då?" Jeanette ser frågande på Hurtig som rycker på axlarna.

Kvinnan ser upp. "Hon var ambidexter."

Jeanette känner sig förvirrad eftersom hon inte har en aning om vad det betyder, men Hurtig skrattar till. "Jaha, vad märkligt. Det är jag också."

"Vad pratar ni om?" frågar Jeanette, frustrerad över att inte förstå om det är en viktig detalj eller inte.

"Både höger och vänsterhänt." Hurtig tar upp sin penna och skriver något i blocket han har framför sig. Först med höger hand, sedan med vänster. Han river ur pappret och räcker det till Jeanette.

"Jimi Hendrix var det, precis som Shigeru Miyamoto."

Jeanette läser på pappret. Hurtig har skrivit sitt namn två gånger och hon kan inte se någon skillnad i handstilen. De är identiska. Att hon inte kände till det.

"Shigeru Miyamoto?"

"Tevespelsgeniet från Nintendo", förtydligar Hurtig. "Mannen bakom bland annat Donkey Kong."

Jeanette viftar bort de ovidkommande detaljerna. "Så Madeleine kan använda båda sina händer utan problem?"

"Javisst", svarar Charlotte Silfverberg. "Hon satt ofta och ritade med vänsterhanden samtidigt som hon skrev med den högra."

Jeanette tänker på vad Ivo Andrić sagt om styckningen av Per-Ola Silfverberg. Att huggens placering antytt att den utförts av två personer.

En högerhänt och en vänsterhänt.

Två personer med olika kunskaper om anatomi.

"Okej", svarar hon frånvarande.

Hurtig ser på Jeanette och eftersom hon känner honom vet hon att han undrar om det nu är dags att visa kortet och när Jeanette diskret nickar stoppar han ner handen i fickan och tar upp en liten plastpåse med bevismaterialet.

"Säger det här dig nånting?" Han skjuter plastpåsen mot Charlotte Silfverberg som frågande ser på det lilla gratulationskortet som ligger inuti. På framsidan finns en bild på tre små grisar och under står det GRATTIS PÅ DIN STORA DAG!

"Vad är det här?" Hon tar upp påsen, vänder på kortet och betraktar baksidan. Först ser hon förvånad ut och sedan skrattar hon till. "Var har ni fått tag på det här?"

Hon lägger kortet på bordet och nu betraktar de alla tre fotografiet som är fastsatt på baksidan.

Jeanette pekar på fotot. "Vad är det för ett kort?"

"Det är jag och det är från min studentexamen. Alla som gick ut hade kort på sig själva och så bytte man kort med varandra." Charlotte Silfverberg ler igenkännande åt bilden på sig själv och Jeanette tycker att hon ser nostalgisk ut.

"Kan du berätta lite om skolan du gick på, ja, när du gick i gymnasiet?"

"Sigtuna?" säger hon. "Vad pratar du om? Vad skulle Sigtuna ha att göra med att någon mördat Peo? Och var har ni fått det här kortet ifrån?" Hon rynkar pannan och ser först på Jeanette och vänder sig sedan till Hurtig. "Ja, för det är väl därför ni är här?"

"Ja, absolut, men av olika skäl skulle vi behöva få veta lite om din tid i Sigtuna." Jeanette försöker få ögonkontakt med kvinnan, men hon sitter fortfarande riktad mot Hurtig.

"Jag är inte döv!" Charlotte Silfverberg höjer rösten, vänder sig till slut mot Jeanette och ser henne djupt i ögonen. "Och jag är heller inte en idiot! Så om du vill att jag ska berätta någonting om min skoltid, så måste du nog klargöra för mig *vad* du vill veta och *varför* du vill veta det."

Jeanette tänker efter. Det känns som om de har hamnat på kollisionskurs och hon beslutar sig för att gå lite varsammare fram.

"Förlåt, jag ska förtydliga mig." Jeanette ser på Hurtig för att få hjälp, men han himlar med ögonen och ser hånfull ut. Jeanette vet vad han tänker. Jävla skitkärring.

Jeanette drar ett djupt andetag och fortsätter. "Det här är bara ett sätt för oss att ta reda på en del saker som vi undrar över." Hon gör en kort paus. "Vi har ytterligare ett mord att utreda och den här gången rör det sig om en kvinna som tyvärr visat sig ha en koppling till dig. Därför behöver vi veta lite om din tid i Sigtuna. Det gäller nämligen en före detta klasskamrat till dig. Fredrika Grünewald. Minns du henne?"

"Är Fredrika död?" Charlotte Silfverberg ser uppriktigt omskakad ut.

"Ja, och det finns tecken som tyder på att det skulle kunna röra sig om samma mördare. Kortet låg bredvid hennes kropp."

Charlotte Silfverberg suckar djupt och rättar till duken på bordet. "Man ska inte tala illa om de döda, men hon var ingen bra människa, Fredrika. Det såg man redan då."

"Hur menar du?" Hurtig lutar sig fram igen och lägger armarna i knäet. "Varför var hon ingen bra människa?"

Charlotte Silfverberg skakar på huvudet. "Fredrika är utan tvivel den vidrigaste människa jag någonsin har träffat och jag kan verkligen inte säga att jag sörjer henne. Snarare tvärtom."

Charlotte Silfverberg tystnar men hennes ord ekar mellan de nymålade väggarna.

Vad är det här för människa? tänker Jeanette. Varför är hon så hatisk?

Alla tre sitter tysta och begrundar, bara Charlotte skruvar otåligt på sig och Jeanette ser sig om i det luftiga vardagsrummet.

En millimetertunn hinna stockholmsvit väggfärg kamouflerar blodet från hennes make.

Jeanette får svårt att andas och hon börjar bli otålig att komma därifrån.

Utanför fönstret ser hon att det åter har börjat regna och hon hoppas att hon ska hinna hem innan Johan har gått och lagt sig.

Hurtig harklar sig. "Berätta för oss."

Charlotte Silfverberg redogör för sin tid på skolan i Sigtuna och både Jeanette och Hurtig låter henne berätta utan att avbryta.

Jeanette uppfattar henne som uppriktig när hon till och med avslöjar händelser som är direkt ofördelaktiga för henne själv. Hon döljer inte att hon varit en av Fredrika Grünewalds underhuggare. Varit delaktig i mobbning av både elever och lärare.

I över en halvtimme lyssnar de till Charlotte Silfverberg och till slut lutar sig Jeanette fram och läser ur sina anteckningar.

"Om jag ska sammanfatta det du sagt så minns du Fredrika som en intrigant person. Att hon fick er andra att göra saker som ni egentligen inte ville. Du och två flickor, som hette Regina Ceder respektive Henrietta Nordlund, var hennes närmsta vänner. Stämmer det?"

"Så skulle man kunna uttrycka det." Charlotte Silfverberg nickar.

"Och vid ett tillfälle utsatte ni tre flickor för en tämligen förnedrande invigningsrit, milt sagt. Allt på Fredrikas order?"

"Ja."

Jeanette betraktar Charlotte Silfverberg och noterar någonting som skulle kunna kallas för skam. Kvinnan skäms.

"Kommer du ihåg namnen på flickorna?"

"Två slutade på skolan, så dem lärde jag aldrig känna."

"Men den tredje då? Hon som tydligen gick kvar."

"Ja, henne minns jag ganska väl. Hon låtsades som om ingenting hade hänt. Hon var iskall och när man mötte henne i korridorerna såg hon nästan lite stolt ut. Efter det som hänt var det ingen som gjorde nåt mot henne. Jag menar, rektorn hade ju varit nära att polisanmäla oss, så de flesta av oss insåg att vi hade passerat en gräns. Vi lämnade henne ifred." Charlotte Silfverberg tystnar.

"Vad hette hon som gick kvar?" Jeanette slår ihop blocket och gör sig redo för att äntligen få åka hem.

"Victoria Bergman", säger Charlotte Silfverberg.

Hurtig stönar till som om han fått en knytnäve i mellangärdet och själv känner Jeanette hur hennes hjärta hoppar över ett slag och hon tappar anteckningsblocket i golvet.

Abidjan

Regina Ceder lämnar generalkonsulatet sent på eftermiddagen och ber chauffören köra henne raka vägen till flygplatsen. Skuggorna från skyskraporna i stadens centrum, limousinens tonade rutor och luftkonditioneringen ger henne äntligen den svalka hon längtat efter sedan hon efter lunch satt sig ner för det första mötet. Hettan hade varit olidlig och hon hoppas att ingen av diplomaterna eller regeringsmännen lagt märke till svettfläckarna på hennes blus. Hon hade inte haft tid att besöka toaletten förrän efter klockan fem, eftersom deras omständlighet hade dragit ut på tiden.

Tid respekteras inte här, tänker hon. Inte kvinnor med makt heller, att döma av hur flera av de utsända från regeringen behandlat henne. Till och med utrikesministern, som annars brukar vara artig mot henne, hade fallit in i de andras nedlåtenhet och vid ett tillfälle fnyst ljudligt när hon redogjort för detaljerna i ärendet.

Förolämpningar är de väl införstådda med. Internationell rätt är de inte lika benägna att förstå.

Regina Ceder ser ut genom fönstret och sträcker ut benen under förarsätet. Trots att hon vistats inomhus nästan hela dagen är hennes ljusa tygbyxor nästan grå av luftföroreningarna.

Trafiken är som vanligt tät och högljudd och hon vet att det kommer att ta minst en timme till flygplatsen. Planet till Paris som ska ta henne vidare till Stockholm avgår klockan halv åtta, incheckning en timme innan. Hon ser på klockan och konstaterar att det knappast är möjligt att hinna dit i tid. Men diplomatpasset kommer antagligen att hjälpa henne. I värsta fall kan de hålla kvar planet. Det har hänt förut.

Signalhornet från en lastbil som passerar alldeles nära väcker henne ur funderingarna.

"A gauche!" skriker hon åt chauffören som just är på väg att svänga åt fel håll i en korsning. Med en tvär gir tar han vänster just innan trafikljuset signalerar rött.

Fan, tänker hon. Han hittar inte, trots att han kört den här vägen säkert hundra gånger.

Efter en halvtimme glesnar trafiken och chauffören svänger ut på leden som ska ta henne till Elefantporten en dryg mil bort, en kolonn av fyra vita stenelefanter som resta på bakbenen utgör in- och utfarten till Abidjans internationella flygplats.

Hon känner sig alldeles utmattad.

Den senaste veckan har varit en katastrof, men hon har hållit huvudet högt och skött sig exemplariskt. Metodiskt arbetat sig igenom högar av byråkrati, stått ut med gliringar från spring-pojkar och andra underordnade, kort sagt uthärdat ytterligare en månad här nere. Nu när hon kan slappna av kommer trötthe-ten över henne som ett tungt täcke av tropisk sömn.

Fem år...

Regina Ceder suckar högt. Fem år med omöjliga människor, brist på respekt och professionalitet, allmän inkompetens och ren dumhet. Nej fan, efter nyår slutar jag, tänker hon. Jobbet i Bryssel är mitt om allt går vägen.

De stannar för rött ljus vid en reklamskylt för importerad tandkräm. Trafiken har åter stockat sig och de blir stående en stund omgivna av de röda taxibilarna.

Gäspande betraktar hon reklamskylten på andra sidan gatan, en leende blond kvinna med rosa klänning som håller en randig tandkrämstub mot en röd fond. Under skylten har en liten pojke slagit upp ett bord med tre fågelburar och i sina händer har han två flaxande kycklingar som han ihärdigt försöker sälja till de förbipasserande.

I detsamma som en stor, svart fågel flyger upp framför reklam-skylten och sätter sig på räcket med strålkastarna känner hon vibrationen från mobiltelefonen i kavajfickan.

Hon ser att det är hennes mammas nummer och blir genast orolig.

Det har hänt något, tänker hon instinktivt.

Det är som om allt står stilla.

Chauffören slår på radion. Nyheter på franska. Telefonen i hennes hand, reklamskylten med den leende kvinnan och pojken som säljer kycklingar. Allt blir till en ögonblicksbild som hon aldrig kommer att glömma.

Rösten i andra änden säger att hennes son är död.

En olycka i badhuset.

Pojken och reklamskylten försvinner bakom de tutande taxibilarna och chauffören vänder sig om och ser på henne. "Pourquoi tu pleures?"

Han frågar varför hon gråter.

Hon stirrar ut genom fönstret utan att svara.

Äger inte de förklarande orden.

Sista Styverns Trappor

Slumpen är en försumbar faktor när det gäller grova brott. Ett faktum Jeanette Kihlberg är väl förtrogen med efter år av komplicerade mordutredningar.

När Charlotte Silfverberg berättat att Victoria Bergman, dotter till våldtäktsmannen Bengt Bergman, har gått på samma skola som henne förstår Jeanette att det inte kan vara ett sammanträffande.

Utanför familjen Silfverbergs lägenhet på Glasbruksgränd frågar hon om Hurtig vill ha skjuts, med tanke på regnet, men han säger att han lika gärna kan gå den korta biten ner till tunnelbanan.

"Dessutom vet man väl inte om den där skitbilen håller ihop ens ner till Slussen." Han pekar flinade på hennes röda, rostiga Audi, säger hej och börjar gå bort mot Sista Styverns Trappor. Hon hoppar in i bilen och innan hon startar skickar hon ett sms till Johan där hon skriver att hon är hemma om en kvart.

I bilen på väg hem tänker Jeanette på det konstiga samtal hon haft med Victoria Bergman för några veckor sedan. Hon hade ringt upp Victoria med förhoppningen att hon skulle kunna hjälpa dem i utredningen om de döda pojkarna eftersom hennes pappa förekom i flera andra utredningar om våldtäkt och sexuellt utnyttjande av barn. Men Victoria hade varit avvisande och sagt att hon inte haft kontakt med sina föräldrar på tjugo år.

Det har visserligen gått en tid sedan samtalet, men Jeanette minns att Victoria hade gett ett starkt intryck av bitterhet och antytt att fadern förgripit sig också på henne. En sak är dock helt klar. De måste få fatt i henne.

Regnet tilltar, sikten är dålig och när hon passerar Blåsut står tre bilar parkerade vid vägrenen. En av bilarna är ordentligt tillbucklad och Jeanette antar att det skett en seriekrock. Bredvid står räddningstjänsten och en polisbil med påslagna varningsljus. En kollega från trafikpolisen dirigerar om trafiken som saktar in eftersom det nu bara finns ett fritt körfält och hon förstår att hon ska bli minst tjugo minuter försenad.

Vad ska jag ta mig till med Johan? tänker hon. Är det kanske dags att kontakta BUP ändå?

Och varför hör inte Åke av sig? Han kanske skulle kunna ta lite ansvar en tid framöver? Men som vanligt är han väl i färd med att förverkliga sina drömmar och har inte tid för någon annan än sig själv.

Att aldrig räcka till, tänker hon och står helt stilla, femtio meter från avfarten mot Gamla Enskede.

Kanske är kön till buffén i polishusets matsal inte den lämpligaste platsen att ta upp frågan, men eftersom Jeanette vet att polischef Dennis Billing sällan är tillgänglig, tar hon tillfället i akt.

"Vad har du för uppfattning om din företrädare Gert Berglind?"

Jeanette tycker att han verkar besvärad och hon får genast känslan av att hon trampat på en öm tå. "Du jobbade ju rakt under honom i flera år", tillägger hon. "Jag var fortfarande assistent då, så jag träffade honom knappt."

"Bror Duktig", säger han efter en stund, vänder ryggen mot henne och lastar upp en slev potatismos på tallriken. Hon förväntar sig en fortsättning, men när den inte kommer knackar hon honom på axeln.

"Bror Duktig? Vad menar du med det?"

Dennis Billing komponerar vidare på matratten. Några kottbullar, sedan gräddsås, saltgurka och avslutningsvis en klick lingonsylt. "Mer akademiker än polis", fortsätter han. "Oss emellan en dålig chef som sällan var närvarande när han behövdes. Alldeles för många uppdrag vid sidan av. Styrelser hit och dit och så de där föreläsningarna."

"Föreläsningar?"

Han harklar sig. "Just det... Ska vi sätta oss?"

Han väljer ett bord längst in i lokalen och Jeanette förstår att polischefen av någon anledning föredrar att tala enskilt.

"Aktiv i Rotary och en rad stiftelser", säger han mellan tuggorna. "Godtemplare och religiös, för att inte säga överdrivet from. Föreläste om etiska frågor ute i landet. Jag har hört honom tala ett par gånger och måste medge att han var medryckande, även om man vid närmare eftertanke insåg att allt han sa var floskler. Men det är väl så det funkar? Folk vill bara få bekräftat det de redan vet." Han flinar och även om Jeanette har svårt för hans cyniska ton är hon beredd att hålla med honom.

"Stiftelser, sa du? Kommer du ihåg vilka?"

Billing ruskar på huvudet medan han rullar en köttbulle fram och tillbaka mellan såsen och sylten. "Nåt religiöst, har jag för mig. Hans mjuka framtoning var legendarisk, men oss emellan kan jag säga att han förmodligen inte var så from som han ville framstå."

Jeanette spetsar öronen. "Okej. Jag lyssnar."

Dennis Billing lägger ifrån sig besticken och tar en klunk av lättölen. "Jag berättar det här för dig i förtroende och jag vill inte att du drar för stora växlar på det, även om jag misstänker att du kommer att göra det eftersom du inte lagt Karl Lundström åt sidan än."

Aj då, tänker Jeanette och försöker se oberörd ut medan hon känner hur det börjar krypa i magen. "Lundström? Han är ju död. Varför skulle jag bry mig om honom?"

Han lutar sig tillbaka i stolen och ler mot henne. "Det märks på dig. Du kan inte släppa invandrarpojkarna och det är väl kanske inte så konstigt. Det är lugnt så länge det inte går ut över ditt arbete, men jag kommer att sätta ner foten rejält om jag märker att du gör något bakom min rygg."

Jeanette ler tillbaka. "Lägg av. Jag har väl för fan fullt upp som det är. Men vad har Berglind med Lundström att göra?"

"Han kände honom", säger Billing. "De var bekanta via ett av Berglinds stiftelseuppdrag och jag vet att de träffades flera gånger per år på möten nere i Danmark. Nåt litet ställe på Jylland."

Jeanette känner pulsen stiga. Om det rör sig om den stiftelse hon tänker på är de kanske något på spåren.

"Så här i backspegeln", fortsätter Billing, "efter att vi fått veta vad Lundström gick för, tror jag att de rykten som florerade om Berglind kanske hade ett korn av sanning i sig."

"Rykten?" Jeanette försöker hålla sina frågor så korta som möjligt, eftersom hon är rädd att rösten avslöjar hennes upphetsning.

Billing nickar. "Det viskades att han gick till prostituerade och flera kvinnliga kollegor pratade om sexuella inviter, rentav trakasserier. Men inget ledde nånstans och plötsligt gick han och dog. Hjärtattack, fin begravning och som i en handvändning var han hjälte, ihågkommen för att ha lagt grunden till det nya, etiskt medvetna polisväsendet. Han fick äran för att ha fått bukt med rasismen och sexismen inom kåren, fast både du och jag vet att det är skitsnack."

Jeanette nickar tillbaka. Hon börjar plötsligt tycka om Billing. Så här personliga har de aldrig varit med varandra. "Umgicks de privat också? Berglind och Lundström, alltså."

"Skulle komma till det... Berglind hade en bild uppsatt på anslagstavlan på sitt kontor som försvann några dagar innan Lundström förhördes om våldtäkten på hotellet. Vad hette flickan nu igen? Wedin?"

"Wendin. Ulrika Wendin."

"Just det. Det var en semesterbild som föreställde Berglind och Lundström med varsin jättefisk. Nån havssafari nere i Thailand. När jag påpekade olämpligheten i att han skötte förhören av flickan förnekade han att han kände Lundström mer än ytligt. Han var jävig, det visste han, men gjorde allt för att dölja det. Semesterbilden gick upp i rök och Lundström var plötsligt bara en flyktig bekant."

Dennis Billing förvånar Jeanette.

Varför berättar han det här? tänker hon. Om han inte vill att jag ska gå vidare med Lundström, Wendin och de nedlagda fallen finns det väl knappast någon anledning.

Eller är det kanske så enkelt att han tycker så pass illa om sin företrädare att han till och med sex år efter dennes död gärna ser att någon sätter dit honom?

"Tack för ett intressant samtal", säger Jeanette.

Stiftelsen, tänker hon. Självklart är det samma stiftelse som Lundström, Dürer och Bergman finansierat. Sihtunum i Diasporan.

Svavelsö

Jonathan Ceder hade halkat på bassängkanten, slagit huvudet och förlorat medvetandet innan han föll i. Lungorna var fyllda med vatten och man hade konstaterat att han dött drunkningsdöden.

Beatrice Ceder, Jonathan Ceders mormor, förbannar sig själv som låtit honom leka ensam i bassängen medan hon druckit kaffe i badhusets kafeteria. Samtalet hon haft med sin dotter Regina, i vilket hon tvingades berätta att hennes son var död, hade varit det svåraste i hela hennes liv.

Hon tänker på hur Jonathan gråtit när de tog farväl av Regina på flygplatsen i Abidjan. Han hade varit Reginas enda barn och hennes allt. Beatrice Ceder häller upp ytterligare ett glas whisky och ser ut genom fönstret.

Natten utanför villan i Svavelsö i Åkersberga är kall och svart. Dimman har krupit upp längs vägen och ätit sig in över gräsmattan och det är knappt att det går att urskilja konturerna av hennes bil tjugo meter bort.

Det är bara hon och Regina kvar nu. Jonathan finns inte längre och det är hennes fel.

Inte ens en vecka hade hon klarat av att se efter honom.

Hon betraktar den röda gungan som hänger i ett av träden ute på tomten och förstår inte vad hon tänkte på när hon hängde upp den åt honom. Vad har en trettonåring att göra i en gunga? Gungor är ju för småbarn.

Hon har varit en dålig mormor. En mormor som inte träffat sitt enda barnbarn tillräckligt ofta. Han hade vuxit ifrån henne. För henne var han fortfarande inte mer än sex eller sju år gammal och de sågs på sin höjd två gånger om året, vanligen till jul eller nyår eller som nu sist, när hon åkt ner till Abidjan för att träffa dem. Hon vet inte om Jonathan egentligen velat följa med henne tillbaka till Sverige. Men det hade ju bara gällt en vecka, sedan skulle Regina komma och de skulle åka ner till Lanzarote i två veckor alla tre.

Nu skulle det inte bli så. Istället kommer Regina Ceder till Arlanda vid midnatt och Beatrice kommer att stå där vid gaten om en dryg timme och vänta på sin dotter utan att veta vad hon ska säga.

Vad kan man säga?

Ledsen, det är mitt fel? Borde inte ha... Borde inte låtit honom... Han var ju alltid så försiktig av sig...

Varför fanns det ingen där som kunde rädda honom? tänker Jonathan Ceders mormor.

Ingen hade sett det som hänt. Men när hon lämnat honom hade det varit minst tre barn kvar i bassängen, och dessutom en kvinna som suttit i en av vilstolarna vid bassängkanten.

När hon nämnde kvinnan för polisen hade de inte fäst någon vikt vid det.

Beatrice Ceder har inte rökt på nästan tio år, men nu tänder hon en cigarett. Det första hon gjort när det stod klart vad som hänt hennes barnbarn var att köpa ett paket i kiosken på badhuset och hon hade gjort samma sak för tio år sedan när läkarna talat om att Reginas man var döende i lungcancer. Då hade hon köpt cigaretterna i kiosken på Karolinska sjukhuset.

Hon ser på köksklockan. Snart elva.

Ljudet från pendeln påminner henne om tiden som kommer att ticka vidare oavsett vad som sker.

Ett dött barn betyder inget i det sammanhanget.

Inte heller den förkrossade mamma hon ska träffa om en timme och inte hon själv heller.

Taxin kommer om en kvart. Vad ska hon säga om chauffören frågar vart hon ska resa? Jo, hon ska ljuga och säga att hon ska på semester till Lanzarote med sin dotter och sitt barnbarn. Då ska det som kunde ha blivit åtminstone existera för främlingen som kör henne. För främlingen ska hon bara vara en glad mormor med två veckor i solen framför sig.

Jag måste packa, tänker hon. Resväskan och handbagaget.

Hon släcker cigaretten och går upp på övervåningen.

Trosor, baddräkt, necessär och sololjor. Handduk, pass, tre pocketböcker och så kläder. Linnen, två tygkjolar och ett par långbyxor om nätterna är kalla där nere.

Beatrice Ceder ger upp, sätter sig istället på sängen och tillåter sig att brista i gråt.

Kvarteret Kronoberg

Fredrika Grünewald har bragts om livet av någon hon känner, tänker Jeanette Kihlberg. I varje fall är det utifrån den hypotesen vi måste arbeta.

Efter undersökningen av kvinnans kropp hade man inte sett några som helst tecken på att hon hade försökt försvara sig och hennes torftiga hydda hade varit i den ordning man kunde förvänta sig. Mordet hade inte föregåtts av slagsmål och Fredrika Grünewald hade alltså tagit emot mördaren, som sedan hade överrumplat henne. Grünewald var dessutom i dålig fysisk kondition. Även om hon endast blev fyrtio år gammal hade de senaste tio årens umbäranden som bostadslös satt sina spår.

Enligt Ivo Andrić var hennes levervärden så dåliga att hon förmodligen inte haft mer än två år kvar att leva och mördaren hade alltså gjort sig onödigt besvär.

Men om det var som Hurtig sagt, att dådet präglades av hämnd, så hade den huvudsakliga avsikten inte varit att döda henne, utan att förnedra och plåga henne. Och i det avseendet hade mördaren varit hundraprocentigt framgångsrik.

Preliminära uppgifter visade att dödskampen hade tagit mellan trettio minuter och en timme. Till slut hade pianotråden trängt så långt in i hennes hals att endast nackkotorna och några senor höll huvudet kvar vid kroppen.

Vidare hade man funnit spår av klister runt hennes mun och Ivo Andrić gissade att de kom från vanlig silvertejp. Det förklarade varför det hela hade fortlöpt utan att någon hört skrik eller rop.

Sedan fanns de inte ointressanta iakttagelser rättsläkaren gjort beträffande detaljerna i tillvägagångssättet. Ivo Andrić ansåg att det fanns en anomali i utförandet av mordet.

Jeanette tar fram obduktionsprotokollet och läser:

"Om det handlar om *en* mördare är denne fysiskt stark eller har handlat under adrenalinpåverkan och är dessutom mycket duktig på att simultant använda båda händerna."

Madeleine Silfverberg, tänker Jeanette, men var hon tillräckligt stark och varför skulle hon ge sig på Fredrika Grünewald?

Hon läser vidare.

"Alternativt rör det sig om *två* gärningsmän, vilket skulle förefalla troligare. En person stryper och en som håller offrets huvud stilla och matar henne med avföringen."

Två personer?

Jeanette Kihlberg bläddrar bland de vittnesmål hon fått skickade till sig. Förhören med människorna i bergrummet under S:t Johannes kyrka hade inte varit lätta att genomföra. Inte många var särskilt talföra och av dem som var villiga att vittna hade de flesta varit att betrakta som icke trovärdiga på grund av drog- och alkoholmissbruk eller psykisk sjukdom.

Det enda som Jeanette funnit värt att följa upp är att flera vittnen uppgett att de vid tidpunkten för mordet sett en man som hette Börje komma ner till bergrummet i sällskap med en okänd kvinna. Det hade gått ut en lysning på Börje som ännu inte gett något.

Gällande kvinnan hade vittnesmålen varit vaga. Någon talade om att hon helt säkert burit en huvudbonad av något slag, medan andra talade om både ljust och mörkt hår. Kvinnans ålder var enligt de samlade vittnesutsagorna någonstans mellan tjugo och fyrtiofem och samma variation rådde gällande längd och kroppsbyggnad.

En kvinna? tänker Jeanette. Det verkar osannolikt. Aldrig tidigare har hon stött på en kvinna som utför den här typen av planlagda, brutala mord.

Två mördare? En kvinna med en man som medhjälpare?

Jeanette sluter sig genast till att det är en mycket bättre förklaring. Men hon är säker på att den där Börje inte varit delaktig.

Välkänd nere i kryptorna sedan flera år och enligt vittnena knappast en våldsam person. Även om pengar kan få de flesta människor att begå nästan vilka handlingar som helst, avfärdar hon möjligheten att han skulle ha lejts för att assistera vid mordet. Den här typen av bestialitet tillhör fullblodspsykopaterna. Nej, mannen hade nog fått några hundralappar för att ledsaga mördaren till Fredrika Grünewald och sedan hade han gett sig ut för att supa upp dem.

När Jeanette går genom korridoren mot Jens Hurtigs rum ställer hon sig själv en retorisk fråga.

Rör det sig om samma mördare som i fallet med den styckade finansmannen Silfverberg?

Inte omöjligt, konstaterar hon medan hon går in i rummet utan att knacka.

Jens Hurtig står vid fönstret och ser fundersam ut, vänder sig sedan om, går runt skrivbordet och sätter sig tungt ner i stolen.

"Du förresten, jag har glömt att tacka dig för hjälpen med datorn och spelet", säger hon och ler mot honom. "Johan är salig."

Han flinar tillbaka och gör en avfärdande gest. "Så han gillar det?"

"Ja, han är som uppslukad av det."

"Bra."

De ser på varandra under tystnad.

"Vad sa Danmark?" frågar hon sedan. "Om Madeleine Silfverberg alltså."

"Min danska är inte den bästa." Han ler. "Jag har pratat med en läkare på det behandlingshem hon placerades på efter utredningen om övergreppen och under de år hon behandlades vidhöll hon hela tiden att Peo Silfverberg hade förgripit sig på henne. Dessutom skulle det ha varit fler män inblandade och allt skulle ha skett med mamma Charlottes goda minne."

"Men ingen trodde på henne?"

"Nej, hon ansågs psykotisk med svåra vanföreställningar och medicinerades kraftigt."

"Är hon kvar där idag?"

"Nej, hon skrevs ut för två år sen och flyttade enligt uppgift till Frankrike." Han letar bland sina papper. "Till ett ställe som heter Blaron. Jag har satt Schwarz och Åhlund på det, men jag tror att vi kan glömma henne."

"Det är möjligt, men jag tycker ändå vi bör kolla upp henne."

"Speciellt med tanke på att hon är ambidexter."

"Ja, vad var det om? Varför har du aldrig berättat att du är det?"

Hurtig flinar. "Jag är född vänsterhänt och i skolan var jag den enda som var det. De andra ungarna retade mig och kallade mig handikappad. Jag lärde mig använda högerhanden istället och därför kan jag idag använda båda."

Jeanette tänker på alla förflugna ord hon själv uttalat, omedveten om vilka konsekvenser de fick. Hon nickar. "Men om vi återgår till Madeleine Silfverberg, frågade du läkaren om han tror att hon kan vara våldsam?"

"Självklart gjorde jag det, men han sa att den enda hon hade skadat på sjukhuset var sig själv."

"Ja, de brukar ju göra det", suckar Jeanette och tänker på Ulrika Wendin och Linnea Lundström.

"Fan, vad jag börjar bli less på all jävla dynga man måste rota i."

Jeanette noterar hans tafatta försök att dölja sin norrländska dialekt. För det mesta lyckas han med det, men när han är upprörd så glömmer han sig och avslöjar varifrån han kommer.

De ser på varandra över skrivbordet och Jeanette känner igen sig i Hurtigs plötsliga vanmakt.

"Vi får inte ge upp, Jens", försöker hon tröstande, men hör hur tafatt det låter.

Han rätar på sig och försöker sig på ett litet leende.

"Vi summerar vad vi har", börjar Jeanette. "Två döda. Peo Silfverberg och Fredrika Grünewald. Morden är sällsynt brutala. Charlotte Silfverberg var klasskamrat med Grünewald och världen är inte större än att vi kan utgå från att vi har att göra med en dubbelmördare. Eventuellt i dubbel bemärkelse."

Hurtig ser tveksam ut. "Du sa eventuellt. Hur säker är du

egentligen på att det rör sig om två mördare? Menar du att vi kan utgå från det?"

"Nej, men vi ska ha det i beaktande när vi arbetar. Kom ihåg vad Charlotte Silfverberg sa om förnedringsriten på internatskolan?"

Hurtig nickar. "Victoria Bergman."

"Givetvis måste vi hitta henne, men inte bara det. Vad sa Charlotte Silfverberg mer?"

Han ser ut genom fönstret och ett matt leende sprider sig över ansiktet när han förstår vad Jeanette menar. "Jag fattar. De två andra flickorna som utsattes, de som försvann. Silfverberg mindes inte namnen på dem."

"Jag vill att du kontaktar skolan i Sigtuna och ber dem skicka klasslistor från det aktuella året. Helst skolkataloger också, om det är möjligt. Vi har en del namn som är intressanta. Fredrika Grünewald och Charlotte Silfverberg. De två väninnorna Henrietta Nordlund och Regina Ceder. Men mest nyfiken är jag trots allt på den försvunna Victoria Bergman. Hur ser hon ut? Har inte du funderat på det?"

"Jo", svarar han, men Jeanette ser på honom att han inte har det.

"Det skulle vara ytterst intressant att höra vad Regina Ceder och Henrietta Nordlund har att säga om Victoria Bergman och Fredrika Grünewald, och även om Charlotte Silfverberg för den delen. Jag kommer att kalla till möte i eftermiddag då vi får fördela arbetsuppgifterna."

Hurtig nickar igen och Jeanette tycker inte att han är sig riktigt lik. Hans tankar verkar vara någon annanstans. "Är du med?"

"Jadå." Han harklar sig.

"Det är ytterligare en faktor vi bör beakta innan vi går vidare, men det är inget vi kommer att ta upp på mötet idag, om du förstår?" Uppmärksamheten återkommer till Hurtigs ögon och han gör en gest åt henne att fortsätta. "Vi har Bengt Bergman, Viggo Dürer och Karl Lundström. Med tanke på att de alla tre liksom Per-Ola Silfverberg finns med i stiftelsen Sihtunum i Diasporan kanske den har nåt med allt att göra. Sen berättade Billing något intressant för mig på lunchen. Före detta polischef Gert Berglind kände Karl Lundström."

Nu vaknar Hurtig till. "Vad menar du med det? Umgicks de privat?"

"Ja, och inte bara det. De kände varandra via en stiftelse. En idiot kan räkna ut vilken stiftelse det handlar om. Soppigt värre, det här. Eller hur?"

"Ja, för fan." Den engagerade Hurtig är tillbaka och Jeanette ler välkomnande åt honom.

"Du", säger hon, "jag har märkt att du funderat på nåt och jag tror inte att det bara är jobbet som bekymrar dig. Har det hänt nåt?"

"Nja", säger han, "det är nog inte så farligt ändå. Mest dumt egentligen."

"Vad är det som har hänt?"

"Det är farsan igen. Han lär få ännu svårare med snickrandet och fiolspelandet framöver."

Det är inte sant, tänker Jeanette.

"Jag ska fatta mig kort, eftersom vi har mycket att göra. För det första har han felmedicinerats efter olyckan med vedkapen. Det positiva är att sjukhuset gjort en lex Maria och att han kommer att få skadestånd, det negativa är att han fått kallbrand och att fingrarna måste tas bort. För det andra har han fått en Ferrari GF i huvudet."

Jeanette bara gapar.

"Jag ser på dig att du inte vet vad en Ferrari GF är. Det är farsans åkgräsklippare, en rätt stor sak."

Vore det inte for Hurtigs leende skulle Jeanette ha trott att något gått riktigt illa.

"Vad hände?"

"Tja… Han skulle rensa bort några grenar som fastnat i rotorbladen, pallade upp maskinen med en träklyka, la sig ner där under för att se bättre och sen gick givetvis klykan av. Granngubben fick sy ihop skallen efter att morsan rakat bort håret. Femton stygn mitt uppe på huvudet"

Jeanette är alldeles stum och det enda hon kommer att tänka

på är två namn, Jacques Tati och Carl Gunnar Papphammar.

"Han klarar sig alltid." Hurtig viftar avvärjande med handen. "Vad tycker du att jag ska göra när jag har kontaktat Sigtunaskolan? Det är ju trots allt några timmar kvar till utredningsmötet."

"Fredrika Grünewald. Kolla upp hennes historia. Börja med vad som fick henne att hamna på gatan och sen går du vidare bakåt. Gärna så många namn som möjligt. Vi går på hämndmotivet och letar personer i hennes närhet. Människor hon sårat eller som på nåt annat sätt kan ha haft en gås oplockad med henne."

"Såna som hon har väl haft fiender lite överallt antar jag. Överklass, fiffel och båg och skalbolag. Går över lik och sviker sina vänner för en bra affär."

"Du är så fördomsfull, Jens, och dessutom vet jag att du är socialist." Hon skrattar högt och reser sig för att gå.

"Kommunist", säger Hurtig.

"Va?"

"Ja, jag är kommunist. Det är en jävla skillnad."

De orena delarna

låter sig beröras och man får akta sig för främlingars händer eller händer som erbjuder pengar för att få röra. De enda händer som får röra vid Gao Lian är den ljusa kvinnans.

Hon kammar hans hår som nu har blivit långt. Han tycker också att det har blivit ljusare och kanske beror det på att han tillbringat så lång tid i mörker. Som om minnet av ljuset lagrats i hans huvud och färgat håret som solstrålar.

Just nu är det alldeles vitt i rummet och hans ögon har svårt att se. Hon har lämnat dörren öppen och tagit in en balja vatten för att tvätta honom och han njuter av hennes beröring.

Medan hon torkar honom hörs ett ringande ljud från hallen.

händerna
plundrar om man inte är på sin vakt och hon har lärt honom att ha fullständig kontroll över dem. Allt de gör ska ha en mening.

Han övar sina händer genom att rita.

Om han kan låta världen fångas och komma in i honom och sedan tillbaka ut igen genom händerna, behöver han aldrig mer frukta någonting. Då har han makt att förändra världen.

fötterna
går till förbjudna platser. Det vet han, eftersom han lämnat henne en gång för att se sig omkring i staden utanför rummet. Det hade varit fel och det förstår han nu. Det finns inget där ute som är bra. Världen utanför hans rum är ond och det är därför hon skyddar honom från den.

Staden hade verkat så ren och vacker, men nu vet han att det under marken och i vattnet är årtusenden av stoft från människokadaver och att det i husen och inuti de levande bara finns död.

Om hjärtat blir sjukt blir hela kroppen sjuk och man dör.

Gao Lian från Wuhan tänker på det svarta i människornas hjärtan. Han vet att ondskan manifesterar sig där som en svart fläck och att det finns sju vägar in till hjärtat.

Först två vägar, sedan två vägar till och till sist tre vägar.

Två, två, tre. Samma år som hans födelsestad Wuhan grundades. År tvåhundratjugotre.

Den första vägen till den svarta fläcken är från tungan som ljuger och baktalar och den andra är genom ögonen som ser det förbjudna.

Den tredje vägen är genom snäckorna som lyssnar på lögnerna och den fjärde går från magen som smälter lögnerna.

Den femte vägen är genom de orena delarna som låter sig beröras, den sjätte genom händerna som plundrar och den sjunde från fötterna som går till förbjudna platser.

Det sägs att människan i dödsögonblicket får se allt som finns i hjärtat och Gao undrar vad han själv ska få se.

Fåglar, kanske.

En hand som tröstar.

Han ritar och skriver. Lägger papper till papper. Arbetet gör honom lugn och han glömmer sin rädsla för den svarta fläcken.

Det ringande ljudet hörs igen.

Gamla Enskede

Allting hänger ihop på ett eller annat sätt, tänker Jeanette Kihlberg när hon tar hissen ner till garaget under polishuset och går bort till bilen för att åka hem. Även om arbetsdagen formellt är över kan hon inte sluta tänka på alla konstigheter och märkliga sammanträffanden.

Två flickor, Madeleine Silfverberg och Linnea Lundström. Deras respektive pappor, Per-Ola Silfverberg och Karl Lundström. Båda misstänkta pedofiler. Lundström dessutom för våldtäkt på Ulrika Wendin. Och pedofilhustrun Charlotte Silfverberg och den mördade Fredrika Grünewald som var klasskamrater i Sigtuna.

Hon kör bort mot utfarten och vinkar åt väktaren. Han vinkar tillbaka och fäller upp bommen. Det starka solljuset bländar henne och för ett ögonblick ser hon ingenting.

En gemensam advokat, Viggo Dürer, som också haft Bengt Bergman som klient. Bergmans försvunna dotter, Victoria, har gått i Sigtuna.

Den numera avlidne polischefen Gert Berglind som hållit i förhören med både Silfverberg och Lundström. Samtliga män inblandade i samma stiftelse. Åklagare von Kwist? Nej, tänker Jeanette, han är inte inblandad. Bara en nyttig idiot.

Per-Ola Silfverberg och Fredrika Grünewald mördade. Kanske av samma person.

Karl Lundström avliden på sjukhuset och Bengt Bergman innebränd tillsammans med sin fru. Det senare tycks vara en ren olyckshändelse, det förra som en följd av sjukdom.

När Jeanette Kihlberg svänger in i Söderledstunneln slår det henne att hon inte hört av Sofia på flera dagar. Utredningen har gått in i ett intensivt skede, och dessutom har hon haft fullt upp med att förstå vad som håller på att hända med Johan.

När hon parkerat framför huset och kliver ur bilen förstår Jeanette att hon behöver hjälp. Hon känner ett trängande behov av att få prata med någon hon litar på och kan vara öppen och personlig med. Sofia är den enda som för tillfället uppfyller de kriterierna.

Vinden fläktar i den stora björkens löv och stryker efter husväggen. Det är en opålitlig, fuktig vind och Jeanette tar ett djupt andetag. Vädrar som om hon luktar på en blomma. Bara inte mer regn, tänker hon och betraktar den röda, avgassjuka kvällshimlen i väster.

Villan är öde och tom. På köksbordet ligger en lapp där Johan skrivit att han ska sova över hos David eftersom de ska lana.

Lana? tänker hon och vet bestämt att han vid något tillfälle har förklarat för henne vad det är. Är hon en så dålig mamma att hon inte ens har koll på sin sons fritidsintressen? Antagligen är det väl nåt med datorer.

För att stilla sitt dåliga samvete går hon ner i källaren och fyller en tvättmaskin innan hon återvänder till köket och tar itu med disken.

När hon är färdig och diskbänken skinande ren häller hon upp ett glas öl och slår sig ner vid köksbordet.

Trots att hon försöker slappna av, glömma alla problem som har med skilsmässan att göra och framför allt inte tänka på jobbet har hon svårt att hålla tankarna borta.

Under dagen har hon och Hurtig gått igenom allt de vet. Eller inte vet.

Till att börja med hade de det nedlagda fallet med pojkarna.

Hurtigs efterforskningar bland de läkare som behandlade papperslösa hade inte gett någonting och inte heller Jeanettes kontakter på UNHCR i Genève hade haft några uppgifter om pojkarnas identitet.

Sedan mordet på Per-Ola Silfverberg som var ett av de brutalaste de sett.

Fullkomligt absurt att någon använt en vanlig målarroller, tänker hon. Och som om inte det räckte, avrättningen av Fredrika Grünewald under Johannes kyrka. Nog hade de en hel del att ta itu med.

Hurtig hade varit uppgiven och Jeanettes trevande försök att inge honom mod hade varit fruktlösa. Hon hade avslutningsvis frågat honom hur det gått med Sigtuna, men han hade bara ruskat på huvudet och sagt att han väntade på svar.

Satans Sigtunasnobbar, tänker hon och dricker upp ölen.

Hon tar upp telefonen och slår numret till Sofia Zetterlund. Det går närmare tio signaler innan Sofia svarar. Rösten låter hes och ansträngd.

"Hej, hur står det till?" Jeanette lutar sig mot väggen. "Du låter förkyld."

Sofia svarar inte på en lång stund. Sedan harklar hon sig och suckar. "Det tror jag inte. Jag är fullt frisk."

Jeanette blir förvånad. Hon känner inte igen Sofias tonläge.

"Har du tid att prata lite?"

Återigen en lång tystnad från Sofia. "Jag vet inte", säger hon till sist. "Är det viktigt?"

Jeanette känner sig osäker på om hon valt rätt tillfälle att ringa, men beslutar att anlägga en lättsam ton för att mjuka upp henne lite. "Viktigt och viktigt", skrattar hon. "Åke och Johan, som vanligt. Trubbel. Jag behöver bara nån att snacka med... Tack för senast, förresten. Hur går det med du-vet-vad?"

"Vad vet jag? Vad menar du?"

Det låter som om Sofia fnyser, men Jeanette antar att hon måste ha hört fel. "Ja, det vi pratade om senast hemma hos mig. Gärningsmannaprofilen."

Det kommer inget svar. Jeanette tycker att det låter som om Sofia skjuter en stol över golvet. Sedan ljudet av ett glas som ställs ner på ett bord.

"Hallå?" försöker hon. "Är du kvar?"

Det blir tyst i ytterligare några sekunder innan Sofia svarar. Rösten är nu mycket närmare och Jeanette kan höra hennes andetag.

Sofia talar snabbare.

"På mindre än en minut har du ställt fem frågor", börjar hon. "Hej, hur står det till? Har du tid att prata lite? Hur går det med du-vet-vad? Hallå? Är du kvar?" Sofia suckar och fortsätter. "Här är svaren: Bra. Jag vet inte. Jag har inte börjat än. Hej själv. Jag är kvar, var skulle jag annars vara?"

Jeanette vet inte hur hon ska reagera. Är Sofia berusad?

"Förlåt om jag stör... Vi kan prata en annan gång." Hon skrattar osäkert. "Har du druckit?"

Nu försvinner Sofia igen. Det slamrar till som om hon lägger ifrån sig luren på bordet. Sedan hörs några lätta fotsteg och en dörr som stängs.

"Hallå?"

"Ja, hallå. Ursäkta mig."

Sofia fnittrar och Jeanette andas ut.

"Du skämtade med mig?"

Ännu en suck från Sofia. "Tre frågor till. Har du druckit? Hallå? Du skämtade med mig? Svar: Nej. Hej själv. Nej."

"Du är full", skrattar Jeanette. "Störde jag dig?"

Rösten är överdrivet djup och myndig: "Fråga nio, svaret är ja."

Hon skämtar med mig, tänker Jeanette. "Vill du ses?"

"Ja, det vill jag. Jag måste bara rida ut det här. Ska vi säga imorgon kväll."

"Ja, det blir jättebra."

När de lagt på går Jeanette ut i köket och plockar ut en till öl ur kylen. Hon sätter sig ner i soffan och öppnar flaskan med hjälp av sin cigarettändare.

Hon har sedan tidigare förstått att Sofia är en komplicerad människa, men det här tog priset. Jeanette är återigen tvungen att erkänna för sig själv att hon är osunt fascinerad av Sofia Zetterlund.

Det kommer att ta tid att lära känna dig Sofia, tänker Jeanette och tar en djup klunk av ölen.

Men jag ska fan i mig göra ett försök.

Tvålpalatset

Sofia sitter med telefonen i knäet. Hon reser sig och vinglar ut i köket och tar fram ännu en flaska vin. Hon ställer ifrån sig flaskan på bordet och tar upp korkskruven. På andra försöket går korken sönder och med tummen trycker hon ner den i flaskan och tar sig tillbaka ut i vardagsrummet.

Hon känner sig torr i halsen och tar några djupa klunkar direkt ur flaskan. Det är mörkt utanför och hon ser sin egen spegelbild i fönstret.

"Du är en bitter gammal hora", säger hon till sig själv. "Du är en snuskig, alkoholiserad gammal hora. Det är inte konstigt att ingen vill ha dig. Jag skulle inte vilja ha mig själv."

Hon sätter sig ner på golvet. Det kryper i henne av självförakt och hat och hon vet inte hur hon ska hantera det.

När Sofia dagen efter anländer till mottagningen klockan åtta ångrar hon de två flaskor vin hon druckit kvällen innan.

Hon hade tappat kontrollen och sedan hade Jeanette Kihlberg ringt. Det minns hon. Men sedan?

Sofia kan inte erinra sig vad hon sagt, men hon har en känsla av att Jeanette blivit sårad. Det hade varit Victoria som pratat, men vad hade hon sagt?

Och vad hade hänt sen?

När hon gick hemifrån hade hon noterat att hennes skor återigen varit smutsiga och kappan våt av regn.

Sofia håller upp sitt högra pekfinger framför sig och för det fram och tillbaka i en pendelrörelse, från höger till vänster, samtidigt som hon noga följer fingret med blicken.

Hon mumlar för sig själv och låter bilderna från gårdagskvällen sippra fram ur det undermedvetna.

Sakta, bit för bit återkommer minnet av samtalet.

Det hade varit Victoria som pratat med Jeanette och hon hade varit oförskämd.

Sofia inser att hennes personlighet består av till lika delar masochism som dissociation. Hon fortsätter att plåga sig själv genom att anta sin plågoandes egenskaper och genom det återuppleva sitt eget helvete.

Men samtidigt dissociera, avleda sitt eget helvete.

Det finns också en annan dimension av Victoria. Ibland är det som om hon förstår Sofia bättre än Sofia gör själv.

Men hon vill berätta för Jeanette. Öppna sig för henne.

Sofia sjunker in i ett grått mörker där tiden inte finns och världen utanför står stilla. Inga ljud, inga rörelser. Bara stillhet.

I denna fullkomliga tystnad är pulsen en pålmaskin som med jämna mellanrum ekar inuti huvudet. Det knarrar från synapserna, knäpper i hjärnan och blodet som transporteras genom hennes kropp är en het rännil av ilska.

Samtidigt hör hon ljudet av läkeprocessen.

Bakom sina slutna ögonlock ser hon hur såren drar ihop sig. De skarpa sårkanterna sluter sig runt det molande, pulserande förflutna. Sofia gnuggar sig i ögonen, reser på sig och går bort till fönstret för att släppa in lite frisk luft.

Hon känner hur det kliar inuti bröstet. Någonting håller på att läka.

Sofia bestämmer sig för att ta itu med det som Jeanette har bett henne om. Att göra en gärningsmannaprofil.

När hon sätter sig ner vid skrivbordet tar hon av sig skorna och ser att strumporna har färgats av blod.

Gamla Enskede

Jeanette möter Johan i dörren. Han ska sova över hos en kompis, spela tv-spel och se på film. Hon förmanar honom att inte stanna uppe för länge.

Han tar sin cykel och går nerför grusgången. När han försvunnit runt hörnet går hon in och från vardagsrumsfönstret ser hon honom hoppa upp på cykeln och börja trampa nerför gatan.

Jeanette drar en djup suck av lättnad. Äntligen ensam.

Hon känner sig lycklig och när hon tänker på att Sofia ska komma känner hon sig förväntansfull, nästan syndig.

Hon går ut i köket och häller upp en liten whisky. Höjer glaset och dricker långsamt. Låter den gula vätskan skölja över och bränna tungan och svalget. Hon sväljer långsamt, känner svedan i gommen och den varma känslan i bröstet.

Hon tar med sig glaset och går upp på övervåningen för att ta en dusch.

Efter duschen sveper hon in sig i ett stort badlakan och ser sig i spegeln. Hon öppnar badrumsskåpet och tar fram sin sminkväska som är täckt av ett tunt dammlager.

Försiktigt markerar hon ögonbrynen.

Läppstiftet är svårare. En liten klick scharlakansrött kommer för högt och hon torkar bort det med handduken och börjar om. När hon är klar biter hon av mot en bit toalettpapper.

Omsorgsfullt slätar hon ut kjolen och smeker sina höfter. Det här är hennes kväll.

Klockan kvart över sju ringer hon Johan för att höra att allt är bra. Han svarar kortfattat och lika kantigt som han gjort den senaste tiden.

När Jeanette säger att hon älskar honom svarar han bara ja, ja och lägger på luren.

Med ens känner hon sig väldigt ensam.

Allt är tyst, bara det svaga dunket från tvättmaskinen nere i källaren. Hon tänker på Sofia och deras senaste samtal. Sofia hade låtit annorlunda, nästan avvisande och Jeanette bestämmer sig för att ringa upp och kontrollera att hon fortfarande vill komma.

Till hennes lättnad låter Sofia glad och säger att hon är på väg.

Sofia ser chockad ut innan hon brister ut i ett gapskratt. "Menar du allvar?"

De sitter mitt emot varandra vid köksbordet och Jeanette har precis öppnat en flaska vin. Hon känner fortfarande den söta whiskysmaken på tungan.

"Martin? Kallade jag honom Martin?" Sofia ser först road ut, men leendet dör snart. "Panikångest", säger hon sedan. "Samma sak som med Johan, antar jag. Han drabbades av panikångest när han såg dig få flaskan i huvudet där nere."

"Ett trauma, menar du? Men hur förklarar det hans minneslucka?"

"Trauman ger minnesluckor. Och det är vanligt att luckan innefattar också ögonblicken innan traumat inträffar. En motorcyklist som kör av vägen minns oftast inte stunden före olyckan. Ibland kan det handla om flera timmar."

Jeanette förstår. Panikångest, en tonårspojke med hormoner. Allt har visst en kemisk förklaring.

"Och de nya fallen?" Sofia ser nyfiken ut. "Briefa mig om var ni står. Vad har ni?"

I tjugo minuter berättar Jeanette för Sofia om de två senaste fallen. Hon gör det utförligt och detaljerat utan att bli avbruten en enda gång. Jeanette ser att Sofia lyssnar intensivt och nickar deltagande.

"Det första jag tänker på när det gäller Fredrika Grünewald", säger Sofia när Jeanette avslutat sin redogörelse, "är att det förekommer fekalier. Ja, bajs, alltså."

"Och…"

"Ja, det verkar vara symboliskt. Nästan rituellt. Som om förövaren försöker säga nånting."

Jeanette minns blommorna man funnit i tältet bredvid den döda kvinnan.

Även Karl Lundström hade fått gula blommor, men det kunde givetvis vara en slump.

"Har ni nån misstänkt?" frågar Sofia.

"Nej, inget konkret än", börjar Jeanette, "men vi har en koppling till en advokat Viggo Dürer som vi håller på att kolla upp. Både Lundström, Silfverberg och Dürer har intressen i en organisation som kallar sig för Sihtunum i Diasporan."

Sofia ser ställd ut och Jeanette tycker sig se något i hennes ögon.

En reaktion. Knappt märkbar, men den finns där.

"Jag fick nyligen ett konstigt samtal", säger Sofia och Jeanette ser att hon tvekar huruvida hon ska berätta om det.

"Jaha, på vilket sätt var det konstigt?"

"Åklagare Kenneth von Kwist ringde mig och antydde att Karl Lundström skulle ha ljugit. Att allt bara var uppdiktat under påverkan av medicin."

"Åh, fan. Och så ville han veta hur du ställer dig till det?"

"Ja, men jag fattade inte vart han ville komma."

"Det är inte så svårt. Han vill rädda sitt eget skinn. Han borde ha försäkrat sig om att Lundström inte gick på några mediciner under förhören. Har han missat det är han rökt."

"Jag tror att jag begick ett misstag."

"Hur menar du?"

"Ja, jag namngav en av männen som Linnea säger har förgripit sig på henne och jag fick känslan av att han kände igen namnet. Han blev väldigt tyst."

"Får jag fråga vem det rör sig om?"

"Du har just nämnt honom. Viggo Dürer."

Jeanette förstår på mindre än en nanosekund varför åklagare Kenneth von Kwist hade låtit konstig. Hon vet inte om hon ska reagera med skadeglädje, eftersom Dürer är en ful jävel, eller med sorg, eftersom han tydligen har förgripit sig på en liten flicka.

Hon samlar sig innan hon fortsätter. "Jag kan sätta min högra hand på att von Kwist kommer att försöka mörka det här. Det är väl ingen underdrift att tro att det allvarligt skulle skada honom om det kom ut att han umgås med pedofiler och våldtäktsmän."

Jeanette sträcker sig efter vinflaskan.

"Vem är den där von Kwist egentligen?" Sofia håller fram sitt tomma glas och låter Jeanette fylla på.

"Han har jobbat över tjugo år vid åklagarmyndigheten, och det är inte bara i fallet Ulrika Wendin som förundersökningen strandat. Ja, och eftersom han jobbar åt oss så betyder det ju att han inte var den smartaste eleven på juristutbildningen."

Jeanette skrattar och när hon ser Sofias frågande min förtydligar hon. "Det är ingen hemlighet att de minst begåvade som lyckas klara en juridisk examen hamnar hos oss på polisen, hos kronofogdemyndigheten eller på försäkringskassan."

"Hur kan det komma sig?"

"Enkelt. De är inte tillräckligt begåvade för att bli affärsjurister åt något stort exportföretag, eller tillräckligt smarta att ha en egen affärsjuridisk byrå med flerdubbelt högre lön. Von Kwist drömmer antagligen om att en dag bli stjärnadvokat inom brottsmål, men det kommer aldrig att ske eftersom han är alldeles för korkad."

Jeanette tänker på sin högste chef, länspolismästaren i Stockholm, som är en av landets mest profilerade poliser. En person som aldrig ställer upp på diskussioner i seriösa sammanhang när det gäller frågor om brottslighet, men gärna visar upp sig i skvallertidningar och går på galapremiärer i dyra kläder.

"Om du vill klämma åt Viggo Dürer kan jag bistå med bevismaterial", säger Sofia medan hon knackar med pekfingernageln mot glaset. "Linnea visade mig ett brev i vilket Karl Lundström antyder att Dürer förgripit sig på henne. Och Annette Lundström lät mig fotografera några teckningar Linnea gjort när hon var liten. Scener som beskriver övergrepp. Jag har allt med mig. Vill du se?"

Jeanette nickar stumt medan Sofia tar fram handväskan och visar henne de tre fotografierna av Linneas teckningar och det fotostatkopierade brevet från Karl Lundström.

"Tack", säger hon. "Det här kan säkert komma till användning. Men jag är rädd att det snarare handlar om indicier än bevismaterial."

"Jag förstår", säger Sofia.

De sitter tysta en stund innan Sofia fortsätter. "Förutom von Kwist och Dürer... Finns det fler namn?"

Jeanette tänker efter."Ja, det är ytterligare ett namn som återkommer."

"Vilket då?"

"Bengt Bergman."

Sofia hajar till. "Bengt Bergman?"

"Anmäld för sexuella övergrepp mot två barn. En pojke och en flicka från Eritrea. Papperslösa barn som inte finns. Fallet nerlagt. Undertecknat Kenneth von Kwist. Bergmans advokat hette Viggo Dürer. Ser du sambanden?"

Jeanette lutar sig tillbaka i soffan och tar en djup klunk av vinet. "Det finns ytterligare en Bergman. Hon hette Victoria Bergman och är Bengt Bergmans dotter."

"Hette?"

"Ja. För ungefär tjugo år sen upphörde hon att existera. Efter november 1988 finns ingenting. Ändå har jag pratat med henne i telefon och hon var inte direkt diskret om relationen till sin far. Jag tror att han har utsatt henne för sexuella övergrepp och att det är därför hon försvunnit. Det enda spåret vi har är ett nummer till en mobiltelefon, som nyligen upphörde att existera. Och inte heller makarna Bengt och Birgitta Bergman existerar längre. De omkom nyligen i en brand. Poff, så var de också borta."

Sofias leende är osäkert. "Du får ursäkta mig, men jag fattar ingenting."

"Frånvaro av existens", säger Jeanette. "Den gemensamma nämnaren för familjerna Bergman och Lundström är frånvaron av existens. Deras historia är mörkad. Och jag tror att både Dürer och von Kwist aktivt kan ha deltagit i mörkläggningen."

"Och Ulrika Wendin?"

"Ja, henne känner du ju till, våldtagen av flera män, däribland Karl Lundström, på ett hotellrum för sju år sen. Man injicerade bedövningsmedel i henne. Fallet nedlagt av Kenneth von Kwist. Ytterligare en mörkläggning."

"Bedövningsmedel? Som hos de döda pojkarna?"

"Vi vet inte om det var samma bedövningsmedel. Det gjordes ingen läkarundersökning."

Sofia ser irriterad ut. "Varför inte?"

"Därför att Ulrika väntade i över två veckor innan hon polisanmälde Lundström."

Sofia ser fundersam ut och Jeanette förstår att hon överlägger med sig själv och avvaktar.

"Jag tror att Viggo Dürer kanske försöker muta henne", säger hon efter en stund.

"Varför tror du det?"

"När hon var hos mig hade hon en ny handdator och i fickan hade hon en hel del pengar. Hon råkade tappa några femhundrasedlar på golvet. Dessutom fick hon syn på en bild av Viggo Dürer som jag hade printat ut och som låg på mitt skrivbord. När hon såg bilden ryckte hon till och då jag frågade om hon kände igen honom förnekade hon det, men jag är ganska säker på att hon ljög."

Gamla Enskede

Villaområdet i Gamla Enskede skapades i början på förra seklet för att vanliga människor skulle kunna skaffa sig ett hus med två sovrum, kök, källare och trädgård för samma pris som en vanlig tvårumslägenhet i innerstaden.

Det är tidig kväll och molnen hopar sig hotfullt. Ett grått mörker sänker sig över förorten och det stora, gröna lönnträdet övergår till svart. Den låga dimman över gräsmattan är närmast stålgrå.

Hon vet vem du är.

Nej. Sluta. Hon kan inte veta. Det är omöjligt.

Hon vill inte erkänna det för sig själv, men någonstans anar Sofia att Jeanette Kihlberg har ett dolt syfte med att involvera henne i fallet.

Sofia Zetterlund sväljer. Struphuvudet känns som en torr äppelkart nerkörd i halsen.

Jeanette Kihlberg låter det sista av vinet rotera i glaset innan hon för det till läpparna och dricker upp. "Jag tror att Victoria Bergman är nyckeln", säger hon. "Hittar vi henne så löser vi fallet."

Ta det lugnt. Andas.

Sofia Zetterlund tar ett djupt andetag. "Varför tror du det?"

"En känsla jag har bara", säger Jeanette och kliar sig i huvudet. "Bengt Bergman har arbetat för Sida och vad jag förstår bland annat i Sierra Leone. Familjen Bergman bodde där en tid under andra hälften av åttiotalet, vilket känns som ytterligare ett av alla dessa sammanträffanden."

"Nu fattar jag inte."

Jeanette skrattar. "Jo, men Victoria Bergman var i Sierra Leone som ung och Samuel Bai var från Sierra Leone. Ja, och sen har vi ju dig, slår det mig, du har ju också varit där. Se där, vilken liten värld."

Vad menar hon? Antyder hon något?

"Kanske", säger Sofia tankfullt och hennes inre mullrar av oro.

"Någon eller några av dem vi kollar upp känner mördaren. Karl Lundström, Viggo Dürer, Silfverberg. Någon i familjerna Bergman eller Lundström. Mördaren kan vara någon utanför konstellationen, såväl som inom den. Vem som helst. Men jag tror att Victoria Bergman vet vem mördaren är."

"Vad grundar du den tesen på?"

Jeanette skrattar igen. "Instinkt."

"Instinkt?"

"Ja, blodet som pumpar runt i min kropp är tre generationer polis. Min instinkt har sällan fel och i det här fallet pulserar den ordentligt så fort jag tänker på Victoria Bergman. Kalla det snutådra om du vill."

"Jag har gjort ett första försök med den psykologiska profilen av gärningsmannen, vill du se?." Hon sträcker sig efter väskan, men avbryts av Jeanette.

"Ja, gärna, men först vill jag höra vad du har att säga om Linnea Lundström."

"Jag träffade henne nyligen. För terapi. Och jag tror som sagt att hon utnyttjats av fler än sin pappa."

Jeanette ser ingående på henne. "Och du tror på henne?"

"Absolut." Sofia tänker efter. Känner att tillfället infunnit sig då hon kan blotta sig och avslöja delar av sig själv som hon tidigare hållit dolda. "Jag gick själv i terapi som ung och vet hur befriande det kan vara att få berätta allt. Att utan förbehåll och utan att bli avbruten få berätta vad man varit med om och att någon lyssnar och inte avbryter. Någon som kanske inte varit med om samma sak men som har ägnat en massa tid och pengar åt att utbilda sig till att förstå det mänskliga psyket och som tar ens historia på allvar och ställer upp och analyserar även om det bara är en teckning eller ett brev och som kan dra slutsatser och inte bara tänker på vilken medicin som kan vara lämplig att skriva ut och som inte nödvändigtvis letar fel och syndabockar även om..."

"Hej!" Jeanette avbryter henne. "Vad är det som händer, Sofia?"

"Va?" Sofia öppnar ögonen och ser Jeanette framför sig.

"Du försvann för ett ögonblick." Jeanette sträcker sig över bordet och tar Sofias händer. Smeker dem försiktigt. "Är det jobbigt att prata om?"

Sofia känner hur ögonen hettar, tårarna trycker på och hon vill släppa efter. Men ögonblicket är över och hon skakar på huvudet.

"Nej. Det jag försökte säga var att jag tror att Viggo Dürer är inblandad."

"Ja, det skulle ju förklara en hel del." Hon gör en paus, verkar suga på orden.

Avvakta, låt henne fortsätta.

"Fortsätt." Sofia hör sin egen röst som om hon själv stod bredvid. Hon vet vad Jeanette ska berätta.

"Peo Silfverberg har bott i Danmark. Likaså Viggo Dürer. Dürer försvarar Silfverberg när han misstänks för övergrepp på familjens fosterdotter. Han försvarar Lundström när han i sin tur misstänks för våldtäkten på Ulrika Wendin."

"Fosterdotter?" Sofia får svårt att andas, sträcker sig efter vinglaset för att inte röja sin upphetsning och för det mot munnen. Hon ser hur handen darrar.

Hon heter Madeleine, är ljushårig och tycker om när man kittlar henne på magen.

Skrek och grät när man välkomnade henne till världen med ett blodprov.

Den lilla handen som reflexmässigt greppar pekfingret.

Dåtid

Hon behövde inte anstränga sig eftersom historierna kom av sig själva och ibland var det som om hon förekom sanningen. Hon kunde ljuga om någonting som sedan också inträffade. Hon tyckte att hon besatt en märklig kraft. Som om hon kunde styra sin omgivning genom att ljuga och därefter få sin vilja igenom.

Pengarna räcker hela vägen från Köpenhamn hem till Stockholm och speldosan från sjuttonhundratalet som hon stal från gården i Struer ger hon bort till ett fyllo utanför Centralen. Klockan är kvart över åtta på morgonen när Victoria kliver på bussen från Gullmarsplan ut till Tyresö, sätter sig i sätet längst bak och slår upp dagboken.

Vägen är dålig på grund av alla vägarbeten, busschauffören kör alldeles för fort och det gör det svårt att skriva. Bokstäverna blir förvridna.

Hon försjunker istället i sina gamla anteckningar av samtalen med den gamla psykologen. I dagboken finns allt bokfört, vartenda ett av deras möten. Hon stoppar ner pennan i väskan och börjar läsa.

Tredje mars.

Ögonen förstår mig och det känns tryggt. Vi talar om inkubation. Det betyder väntan på något, och kanske är min inkubationstid snart över?

Väntar jag på att bli sjuk?

Ögonen frågar mig om Solace och jag berättar att hon har flyttat ut från garderoben. Vi delar säng nu. Stanken från bastun har följt med ner i sängen. Är jag redan sjuk? Jag berättar att inkubationstiden började i Sierra Leone. Jag bar sjukdomen i mig därifrån, men jag blev inte av med den när vi kom hem.

Smittan levde kvar i mig och den gjorde mig galen.

Hans smitta.

Victoria föredrar att inte kalla psykologen vid namn. Hon trivs med att tänka på den gamla kvinnans ögon, som gör henne trygg. Terapeuten är de där ögonen, därför får hon heta det. I dem kan Victoria också vara sig själv.

Tionde mars.

Jag har berättat för Ögonen om hur vintermorgonen gnistrar. Svart asfalt och vita skogar, träd som taggiga skelett. Svart och vitt och björkar klädda i frost. Svarta granar tyngda av nyfallen snö och ett vitt ljus bakom en molnig himmel. Allt är svart och vitt!

Bussen stannar till vid en hållplats och chauffören går ut och öppnar en lucka på sidan. Det är visst något fel. Hon tar tillfället i akt, plockar fram pennan igen och börjar skriva.

Tjugofemte maj.

Tyskland och Danmark hör ihop. Nordfriesland, Slesvig-Holstein. Våldtagen av tyska pojkar på Roskildefestivalen och sedan av en dansk tyskunge. Två länder i rött och vitt och svart. Örnar flyger över de platta åkrarna, skiter på de grå lapptäckena och landar på Helgoland, en nordfrisisk ö dit råttorna flydde när Dracula tog pesten till Bremen. Ön ser ut som danska flaggan, klipporna är roströda, havet skummar vitt.

Bussen startar igen. "Ursäkta avbrottet. Vi fortsätter mot Tyresö."

Under de tjugo minuter som återstår av resan hinner Victoria läsa dagboken från pärm till pärm och när hon kliver av sätter hon sig ner på träbänken vid busshållplatsen och fortsätter att skriva.

På BB föds barn, BB är Bengt Bergman och om man hål-
ler upp bokstaven B mot en spegel blir den en åtta.
Åtta är Hitlers tal eftersom H är den åttonde bokstaven i
alfabetet.
Nu är det 1988. Åttioåtta.
Heil Hitler!
Heil Helgoland!
Heil Bergman!
Hon packar ihop sina saker och går ner för vägen mot
Ögonens hus.

Vardagsrummet i villan på Tyresö är ljust och solen lyser
genom de vita tyllgardinerna framför den öppna dörren till
altanen. Gardinerna gungar långsamt i vinden och utifrån
hörs fågelkvitter, måsar som skriker och en granne som klip-
per gräset.

Hon ligger på rygg i en solvarm tygsoffa och den gamla
kvinnan sitter mittemot.

Absolution. Victorias inkubationstid är över. Den har
aldrig funnits. Sjukdomen däremot, har inte varit inbillad,
den har alltid funnits i henne och äntligen kan hon berätta
om den.

Hon ska berätta allt och det är som om det inte finns
någon ände på det som måste sägas.

Victoria Bergman ska dö.

Först berättar hon om tågluffen hon gjorde ett år tidigare.
Om en namnlös man i Paris i ett rum med heltäckningsmat-
ta på väggarna, kackerlackor i taket och läckande rör. Om
ett fyrstjärnigt hotell vid strandpromenaden i Nice. Om
mannen i sängen bredvid henne som var fastighetsmäklare
och luktade svett. Om Zürich, men hon minns inget av sta-
den, bara snöfall och nattklubbar och att hon runkade av en
man på en bänk i en park.

Hon berättar för Ögonen att hon är övertygad om att ytt-
re smärta kan utplåna inre smärta. Den gamla kvinnan
avbryter henne inte utan låter henne tala fritt och behöver

hon tänka efter sitter de tysta medan den gamla antecknar. Gardinerna gungar i vindpustarna och hon bjuder Victoria på kaffe och sockerkaka. Det är första gången hon äter något sedan hon lämnade Köpenhamn.

Victoria berättar om en man som hette Nikos som hon träffade året innan när de kom till Grekland. Hon minns hans dyra Rolex på fel handled och en nästan svart blånagel på vänstra pekfingret och att han luktade vitlök och rakvatten, men hon minns inte hans ansikte och inte heller hans röst.

Hon försöker vara ärlig när hon talar. Men när hon berättar om det som hände i Grekland blir det svårt att vara saklig. Hon hör själv hur tokigt allt låter.

Hon hade vaknat hemma hos Nikos och gått in i köket för att dricka ett glas vatten.

"Vid köksbordet sitter Hannah och Jessica och skriker åt mig att jag måste skärpa mig. Att jag luktar illa, har sönderbitna naglar som gör ont, och fettvalkar och åderbråck. Och att jag varit elak mot Nikos." Victoria gör en paus och ser på terapeuten. Den gamla kvinnan ler mot henne som hon brukar, men ögonen ler inte, de ser oroliga ut. Hon tar av sig glasögonen och lägger dem på soffbordet.

"Sa de verkligen det?"

Victoria nickar. "Hannah och Jessica är egentligen inte två personer", säger hon, och det är som om hon plötsligt förstår sig själv. "De är tre personer. "

Terapeuten ser intresserat på henne.

"Tre personer", fortsätter Victoria. "En som arbetar, är plikttrogen och... Ja, lydig och moralisk. Och en som analyserar, är klok och förstår vad jag ska göra för att må bättre. Sen finns det en som klagar på mig, en gnällspik. Hon ger mig dåligt samvete genom att påminna mig om vad jag gjort."

"En arbetare, en analytiker och en gnällspik. Menar du att Hannah och Jessica är två personer som har flera egenskaper?"

"Nja", svarar Victoria, "de är två personer som är tre personer." Hon skrattar osäkert. "Låter det snurrigt?"

"Nej, då. Jag tror jag förstår."

Hon är tyst en stund, sedan frågar hon Victoria om hon vill beskriva Solace.

Victoria tänker efter, men tror inte att hon har något bra svar. "Jag behövde henne", säger hon till sist.

"Och Nikos? Vill du berätta om honom?"

Victoria skrattar till. "Han ville gifta sig med mig. Fattar du vad löjligt?"

Kvinnan sitter tyst i fåtöljen, byter sittställning och lutar sig tillbaka. Det verkar som hon funderar över vad hon ska säga.

Victoria känner sig plötsligt sömnig och uttråkad. Hon ser att grannens barn leker med en drake ute på tomten, en röd triangel far fram och tillbaka över himlen.

Det är inte längre lika lätt att berätta, men hon känner att hon vill. Orden känns tröga och konstruerade och hon får anstränga sig för att inte ljuga. Hon skäms inför Ögonen.

"Jag ville plåga honom", säger hon efter en stund och just då infinner sig ett stort lugn.

Victoria kan inte låta bli att flina, men när hon ser att den gamla inte alls verkar road håller hon handen över munnen för att dölja leendet. Hon skäms igen och får anstränga sig för att hitta tillbaka till rösten som hjälper henne att berätta.

När psykologen en stund senare lämnar rummet för att gå på toaletten kan Victoria inte låta bli att se efter vad hon skrivit och hon slår upp anteckningsblocket så fort hon blir ensam.

Övergångsobjekt.

Afrikansk fetischmask, symbol för Solace.

Tyghunden, Luffaren, symbol för en trygg anknytning i barndomen.

Vem? Inte fadern eller modern. Möjligen en släkting eller barndomskamrat. Troligast en vuxen person. Tant Elsa?

Minnesluckor. Påminner om DID/MPD.

Hon förstår inte, och blir ganska snabbt avbruten av steg ute i hallen.

"Vad är ett övergångsobjekt?" Victoria känner sig sviken, eftersom terapeuten skriver om sådant de inte har pratat om.

Den gamla sätter sig igen. "Ett övergångsobjekt", säger hon, "är ett föremål som representerar någon eller något som man har svårt att skiljas ifrån."

"Som vadå?" replikerar Victoria snabbt.

"Ja, i mammans frånvaro så kan ett kramdjur eller en snuttefilt ge barnet tröst eftersom föremålet symboliserar mammans närvaro. När hon är frånvarande finns föremålet där i hennes ställe och hjälper barnet att övergå från beroende av mamman till självständighet."

Victoria förstår ändå inte. Hon är ju inte ett barn, hon är en myndig människa. En vuxen person.

Saknar hon Solace? Var trämasken ett övergångsobjekt?

Luffaren, den lilla hunden av äkta kaninskinn, vet hon inte var den kommit ifrån.

"Vad är DID och MPD?"

Den gamla ler. Victoria tycker att hon ser sorgsen ut. "Jag förstår att du har läst i min anteckningsbok. Det är inga absoluta sanningar som står där." Hon nickar mot anteckningsboken på skrivbordet. "Det är bara mina reflektioner över våra samtal."'

"Men vad betyder DID och MPD?"

"Det betyder att en person har flera autonoma personligheter i sig. Det är…" Hon avbryter sig och ser allvarlig ut. "Det är ingen diagnos på dig", fortsätter hon. "Jag vill att du förstår det. Se det snarare som ett personlighetsdrag."

"Vad menar du?"

"DID betyder dissociativ identitetsstörning. Ett logiskt självförsvar, hjärnans sätt att hantera svåra saker. Man utvecklar olika personligheter som agerar självständigt, åtskilda från varandra, för att möta olika situationer optimalt."

Vad betyder det? tänker Victoria. Autonom, dissociativ, avskild och självständig?

Är hon avskild och självständig från sig själv genom andra som finns i henne?

Det låter bara för absurt.

"Förlåt mig", säger Victoria. "Kan vi fortsätta senare? Jag känner att jag behöver vila mig lite."

Hon somnar på soffan och sover i flera timmar. När hon vaknar är det fortfarande ljust ute, och gardinerna är stilla, ljuset är blekare och det är tyst. Den gamla sitter i fåtöljen och stickar.

Victoria frågar terapeuten om Solace. Är hon verklig? Den gamla kvinnan säger att hon kan vara en adoption, men vad menar hon med det?

Hannah och Jessica finns på riktigt, de är hennes gamla klasskamrater från Sigtuna, men de finns också inuti henne och de är Arbetaren, Analytikern och Gnällspiken.

Solace finns också på riktigt, men hon är en flicka som bor i Freetown i Sierra Leone och hon heter egentligen något helt annat. Och Solace Aim Nut finns på samma gång inuti Victoria och hon är Hjälparen.

Själv är hon Reptilen, som bara gör vad den känner för, och Sömngångaren, som ser livet passera utan att göra något åt det. Reptilen äter och sover och Sömngångaren står utanför och ser på vad de andra delarna av Victoria gör, utan att ingripa. Sömngångaren är den hon tycker minst om, men hon vet samtidigt att det är den som har störst möjlighet att överleva och det är den delen hon måste renodla. De andra måste skalas bort.

Sedan finns Kråkflickan och Victoria vet att det inte går att ta bort den delen av henne.

Kråkflickan går inte att kontrollera.

På måndagen åker de in till Nacka. Terapeuten har ordnat med en läkarundersökning som ska fastställa att Victoria har utsatts för sexuella övergrepp som barn. Hon har ingen önskan att anmäla sin pappa, men terapeuten säger att det är sannolikt att läkaren kommer att göra en polisanmälan.

Förmodligen kommer man också att remittera henne till Rättsmedicinalverket i Solna för en grundligare undersökning.

Victoria har förklarat för kvinnan varför hon inte vill polisanmäla. Hon betraktar Bengt Bergman som död och hon skulle heller inte klara av att möta honom i en rättegång. Hennes vilja att få sina skador dokumenterade har andra syften.

Hon vill börja om från början, få en ny identitet, ett nytt namn och ett nytt liv.

Terapeuten säger att hon kan få en ny identitet om det finns tillräckligt starka bakomliggande skäl. Det är därför de måste åka till sjukhuset.

När de svänger in på parkeringen utanför Nacka sjukhus har Victoria redan börjat planera för sin nya framtid.

Den förra framtiden har aldrig funnits eftersom Bengt Bergman har tagit den ifrån henne.

Men nu ska hon få en chans att börja om. Hon ska få ett nytt namn och ett skyddat personnummer, hon ska sköta sig, skaffa en utbildning och ett arbete i en annan stad.

Hon ska tjäna pengar och klara sig själv, kanske gifta sig och skaffa barn.

Vara normal, som vem som helst.

Gamla Enskede

Jeanette och Sofia sitter i vardagsrummet.

Gamla Enskede är mörkt och nästan tyst, bara rösterna från några ungdomar hörs utifrån vägen. Genom den magra, lövfria nästan tragiska häcken av rosentry, tränger ett blågrått sken igenom från grannens vardagsrumsfönster och avslöjar att de, som de flesta andra vid den här tiden, ser på teve.

Jeanette reser sig, går bort till fönstret och drar ner persiennerna, vänder sig om, går ett varv runt soffan och slår sig ner bredvid Sofia.

Hon sitter tyst och väntar. Sofia får bestämma om de ska fortsätta prata jobb, vilket ju var förevändningen för hennes besök, eller om de ska övergå till det mer privata.

Om det som håller på att hända mellan dem.

Sofia har verkat lite frånvarande men så påminner hon Jeanette om gärningsmannaprofilen. "Ska vi ta och kika på den?" frågar hon. Sofia lutar sig över soffkanten och tar upp ett anteckningsblock ur sin väska. "Det var ju därför jag kom."

"Okej", svarar Jeanette och känner sig besviken över att Sofia valde att prata arbete.

Men klockan är i alla fall inte så mycket, tänker hon. Och Johan ska sova borta. Vi hinner med annat också. Hon lutar sig tillbaka och lyssnar.

"Mycket talar för att vi har att göra med en person som uppfyller kraven för diagnosen borderline." Sofia bläddrar i blocket som om hon letar efter något.

"Hur yttrar sig det?"

"Han upplever en oklar gräns mellan sig själv och andra."

"Ungefär som schizofreni?"

Jeanette vet mycket väl vad borderline innebär, men vill ändå höra Sofia utveckla det.

"Nej, nej, inte alls. Det är någonting helt annat. Det här är en person som tänker i antingen eller, där han har delat upp hela världen i svart och vitt. Ont och gott. Vänner och fiender."

"Du menar att de som inte är hans vänner per automatik blir hans fiender. Ungefär som George W Bush uttryckte det innan han invaderade Irak?" ler Jeanette.

"Ja, ungefär så", svarar Sofia och ler tillbaka.

"Vad kan du säga om att morden är så brutala?"

"Det handlar om att se handlingen, ja, eller brottet, som ett eget språk. Ett uttryck för något."

"Jaha?" Jeanette tänker på vad hon sett.

"Alltså. Förövaren iscensätter sitt eget inre drama utanför sig själv och vi måste ta reda på vad det är den här personen försöker säga med sina till synes irrationella handlingar."

"Då är det lättare att förstå sig på en vanlig tjuv. En som stjäl för att han behöver pengar till knark."

"Javisst. Även i det här fallet finns det mycket som går att tolka, men vissa saker gör mig förbryllad."

"Som vad då?"

"Till att börja med tror jag att morden var planerade."

"Det är jag också helt övertygad om."

"Men samtidigt tyder övervåldet på att morden skedde i tillfälligt vredesmod."

"Vad kan det handla om då. Makt?"

"Absolut. Ett starkt behov av att dominera och ha fullständig kontroll över en annan människa. Offren är noga utvalda, men på samma gång slumpmässiga. Unga, identitetslösa pojkar."

"Det verkar så sadistiskt. Vad kan du säga om det?"

"Att mördaren finner en intensiv tillfredsställelse i att tillfoga sitt offer skada. Han njuter av att se offrets maktlöshet och hjälplöshet. Kanske blir han till och med laddad erotiskt. Den äkta sadisten kan inte uppleva sexuell njutning på annat sätt. Ibland händer det att offret är tillfångataget och att övergreppen pågår under lång tid. Det är inte ovanligt att dessa övergrepp slutar med mord. De här handlingarna är oftast noggrant planerade och inte ett resultat av ett plötsligt vredesutbrott."

"Men varför så mycket våld?"

"Som jag sa är det för en del förövare en tillfredsställelse att tillfoga smärta. Det kan vara ett nödvändigt förspel för andra former av sexualitet."

"Och balsameringen av pojken som vi hittade vid Danvikstull?"

"Jag tror att det är ett experiment. Ett tillfälligt infall."

"Men vad är det som kan ha skapat en sån här person?"

"På den frågan finns det lika många svar som det finns förövare, och för den delen också psykologer. Och nu talar jag allmänt, inte specifikt om morden på invandrarpojkarna."

"Vad tror du?"

"Jag tror att det här beteendet uppkommer genom tidiga störningar under personlighetsutvecklingen orsakade av regelbunden fysisk och psykisk misshandel."

"Så offret blir själv förövare?"

"Ja. Vanligen har förövaren växt upp under starkt auktoritära förhållanden med vissa våldsamma inslag, och där modern varit passiv och undfallande. Som barn har han kanske levt under ständigt hot om skilsmässa och tagit på sig skulden för detta. Han har tidigt lärt sig att ljuga för att undkomma stryk, har fått gå emellan för att skydda den ena eller andra föräldern, eller fått ta hand om en förälder i de mest förnedrande situationer. Han fick vara förälderns tröstare istället för att själv få tröst. Han har kanske bevittnat dramatiska självmordsförsök. Tidigt har han börjat bråka, dricka och stjäla utan att möta någon reaktion från vuxna. Han har kort sagt alltid känt sig oönskad och till besvär."

"Så du tror att alla gärningsmän har haft en vidrig barndom?"

"Jag tror som Alice Miller."

"Som vem?"

"Hon var psykolog och menade att det är en absolut omöjlighet att en människa som växt upp i en miljö där man mött uppriktighet, respekt och värme nånsin skulle kunna känna en vilja att plåga svagare och skada dem för livet."

"Det ligger nåt i det. Men jag är inte övertygad."

"Nej, jag tvivlar också ibland. Det finns ett klarlagt samband mellan överproduktion av manligt könshormon och benägenhet att begå sexuella övergrepp. En undersökning som jag just läst bygger på studier av kemisk kastrering där de kastrerade inte återföll till sitt tidigare beteende. Man kan också se fysiskt och sexuellt våld riktat mot kvinnor och barn som ett sätt för mannen att konstituera sin manlighet. Mannen får via våldet den makt och kontroll som samhällets traditionella köns- och makt-struktur ger honom rätt till."

"Svårt."

"Och dessutom finns det en koppling mellan samhälleliga nor-mer och grad av perversion som förenklat går ut på att ju högre grad av dubbelmoral det finns i samhället, desto bättre grogrund finns det för gränsöverskridanden."

Jeanette tycker att det är som att prata med en uppslagsbok. Kalla fakta och glasklara förklaringar staplas ovanpå var-andra.

"Okej, när vi ändå talar allmänt om den här typen av gär-ningsmän kanske vi kan återgå till Karl och Linnea Lundström", försöker Jeanette. "Kan en person som har varit utsatt för sexu-ella övergrepp under barndomen helt sakna minnen av det?"

Det finns ingen betänketid hos Sofia. Svaret kommer omedel-bart.

"Ja. Såväl klinisk praktik som minnesforskning ger stöd för att starkt traumatiska händelser under barndomen kan vara inlagrade, men inte åtkomliga. Ur ett juridiskt perspektiv upp-står problem om såna minnen resulterar i en polisanmälan, då det måste prövas om det påstådda övergreppet hänt. Dock ska man inte negligera den tragiska möjligheten att en oskyldig anklagas och också döms för en sådan handling."

Jeanette börjar falla in i tempot och har redan nästa fråga for-mulerad. "Och kan ett barn i en förhörssituation förledas att berätta om aktuella övergrepp som inte ägt rum?"

Sofia ser allvarligt på henne. "Barn har ibland svårt att bedöma tidsaspekter, till exempel när något har inträffat eller hur ofta det har inträffat. De har en föreställning om att de inte har något att berätta som de vuxna inte redan vet och de är snarare benägna att utelämna sexuella detaljer än att överrapportera om dem. Vårt minne hänger intimt samman med vår varseblivning eller våra perceptioner. Alltså vad vi ser, hör och känner."

"Kan du ge mig nåt exempel?"

"Ett kliniskt exempel är en tonårsflicka som känner lukten av sin pojkväns sädesvätska och förstår att detta inte är den första kontakten med denna doft. Upplevelsen startar en process där hon kommer att minnas pappans övergrepp."

"Och hur förklarar du varför Karl Lundström blev pedofil?"

"Vissa människor kan bara uttala orden, men saknar språket. Man kan uttala ordet empati och stava till ordet empati, men hos vissa saknar ordet en kvalitativ betydelse. Den som endast kan uttala orden blir i stånd till att göra det mest fasansfulla."

"Men hur kunde han dölja det?"

"I en incestfamilj är gränserna mellan vuxna och barn oklara och suddiga. Alla behov tillfredsställs inom familjen. Dottern byter ofta roll med mamman och ersätter henne exempelvis i köket, men också i sängen. Familjen gör allt tillsammans och utåt sett verkar familjen fungera idealiskt. Relationerna är kraftigt störda och barnet får tillfredsställa föräldrarnas behov. Barnet tar ofta mer ansvar för föräldrarna än tvärtom. Familjen lever isolerat även om de kan ha ett ytligt socialt liv. För att komma undan insyn flyttar familjen då och då till annan ort. Karl Lundström var säkert själv ett offer. Och för att citera Miller är det tragiskt när man slår sitt eget barn för att slippa tänka på vad ens egna föräldrar har gjort."

"Vad tror du kommer att hända med Linnea?"

"Minst femtio procent av de kvinnor som utsatts för incest har försökt begå självmord, ofta redan i tonåren."

"Då får jag bjuda på ett citat. Det finns många sätt att gråta: högljutt, tyst eller inte alls."

"Vem har sagt det?"

"Jag minns inte."

"Och vad gör vi nu?"

Utan att Jeanette har märkt hur det gått till har Sofia lagt sin arm om henne och när nu Sofia lutar sig fram och kysser henne är det bara som en förlängning av kramen.

Jeanette upplever samma pirrande i magen hon känt vid de tidigare tillfällen de varit fysiskt nära.

Hon vill ha mer. Hon vill uppleva hela Sofia.

"Johan sover borta i natt och du har druckit. Vill du inte sova kvar?"

"Jo", svarar Sofia, tar Jeanette i handen och drar upp henne ur soffan.

Kvarteret Kronoberg

Stockholm kan vara en vidrig upplevelse. Den oförsonliga vintern är fientligt blåsig, kylan tränger sig in överallt och är näst intill omöjlig att värja sig emot.

Under vinterhalvåret är det mörkt när stadens invånare vaknar och går till sina arbeten och det är mörkt när de på kvällen tar sig hemåt igen. I månader lever människorna sina liv i en kompakt, kvävande brist på ljus i väntan på den förlösande våren. De sluter sig, kryper in i sin egen privata sfär, undviker onödig ögonkontakt med sina medmänniskor och stänger ute allt som kan vara störande med hjälp av i-pods, mp3-spelare eller mobiltelefoner.

Nere i tunnelbanan är det skrämmande tyst och varje störande ljud eller högljutt samtal möts med fientliga blickar eller hårda kommentarer. För en utomstående måste den kungliga huvudstaden framstå som en spökstad där inte ens solen har tillräckligt mycket energi för att förmå sina strålar tränga genom den stålgrå himlen och, om så bara för någon timme, skina över de gudsförgätna människorna.

Å andra sidan kan ett Stockholm i höstskrud vara oerhört vackert. På Söder Mälarstrand ligger husbåtarna stilla, kränger till i svallvågorna och vaggar stoiskt i efterdyningarna av vulgära motorbåtar, vattenskotrar, sofistikerade motorseglare hemmahörande på Skeppsholmen eller de vita färjorna på väg till Drottningholm och vikingastaden på Björkö. Det klara, rena vattnet omfamnar de grå och roströda branta klipporna på öarna i stadens mitt och träden bågnar i spräckliga mönster av gult, rött och grönt.

När Jeanette Kihlberg åker in till jobbet är himlen hög och klarblå för första gången på flera veckor och hon kör en lång omväg längs kajerna vid Mälarens stränder.

Hon befinner sig i ett rus.

Natten hade varit fantastisk och hon tycker sig ännu känna doften av Sofia, som om hon fortfarande var alldeles nära.

Nästan elektriskt, tänker Jeanette.

Som om Sofias beröring laddar henne med energi. En intensivt gnistrande röd puls.

De hade ömsom pratat och älskat fram till fyrasnåret, då Jeanette, svettig och andfått skrattande sagt att hon kände sig som en nyförälskad tonåring, men att det faktiskt fanns en morgondag att tänka på.

Hon hade somnat trygg som ett barn på Sofias arm.

När Jeanette kliver in på Jens Hurtigs rum sitter han och putsar på sitt tjänstevapen. En Sigsauer, nio millimeter. Han ser inte glad ut.

"Vapenvård?" flinar Jeanette.

"Skratta du", muttrar han. "Du ska ju också ner och skjuta i eftermiddag. Har du inte läst PM:et?" Han trycker in magasinet, säkrar och stoppar tillbaka vapnet i hölstret.

"Nej, det har jag inte. Nu i eftermiddag?"

"Japp, du och jag nere på skjutbanan klockan tre."

"Då får du putsa upp min också. Du gör det så mycket bättre." Hon reser sig, går snabbt in på sitt rum och hämtar pistolen hon förvarar i skrivbordslådan.

"Så vad vet vi om Fredrika Grünewald?" frågar Jeanette och räcker Hurtig vapnet.

"Hon är född här i Stockholm", säger han som i förbigående medan han knäpper upp fodralet och tar ut pistolen. "Hennes föräldrar bor ute i Stocksund och har inte haft någon kontakt med henne de senaste nio åren."

Flinkt monterar han isär hennes tjänstevapen innan han fortsätter. "Tydligen var hon ansvarig för att ha spekulerat bort större delen av familjens förmögenhet."

"Hur då?"

"Utan föräldrarnas vetskap pumpade hon in allt de hade, närmare fyrtio miljoner, i flera nya företag. Minns du wardrobe. com?"

Jeanette tänker efter. "Nja, vagt. Var inte det ett av alla dessa it-företag som först hyllades för att sedan störtdyka på börsen?"

Hurtig nickar, tar lite vapenfett på en trasa och börjar putsa på vapnet. "Precis. Affärsidén var att sälja kläder över nätet, men det konkade med flera hundra miljoner i skulder. Familjen Grünewald var en av dem som drabbades hårdast."

"Och allt var Fredrikas fel?"

"Hennes föräldrar menar det och jag vet inte. Hur som helst verkar det inte gå nån nöd på dem idag. De bor kvar i villan och bilarna som stod på uppfarten var väl värda nån mille styck."

"Har de nån anledning att vilja bli av med Fredrika?"

"Tror inte det. Efter börsraset sa hon upp bekantskapen med sina föräldrar. De tror att det var för att hon skämdes."

"Vad levde hon på? Jag menar, även om hon levde som hemlös verkade hon ju ha pengar."

"Hennes pappa berättade att han trots allt tyckte synd om henne och att han varje månad satte in femtontusen på hennes konto. Så där har du väl förklaringen."

"Ingenting konstig där, alltså."

"Nej, inte vad jag kan se. Trygg uppväxt. Bra betyg och sen gymnasium på internatskola."

"Inte man eller barn?"

Han putsar vidare på pistolen med ett frånvarande uttryck i ansiktet och Jeanette anar att han finner något meditativt i vapenvården. "Inga barn", fortsätter han, "och enligt föräldrarna hade hon ingen relation. Inte som de kände till i alla fall."

"Jag är kanske konservativ, men lite konstigt tycker jag nog att det är. Nån jävla karl borde väl ha figurerat genom åren."

"Hon kanske var flata och ville inte berätta det för sina föräldrar. De brukar ju vara ganska trångsynta i de där kretsarna." Han sätter de sista delarna av pistolen på plats och lägger den sedan på skrivbordet.

"Det är ju en möjlighet, men inte något motiv för att mörda henne, eller hur?" Jeanette betraktar Hurtig och ser för ett ögonblick det där spjuveraktiga uttrycket han alltid får när han har ett äss i rockärmen. Han brukar alltid spara något till slutet och slänga fram det som i förbifarten.

"Okej? Vad är det du sitter och suger på? Jag känner dig." Hon ler mot honom.

"Gissa vem som gick i samma klass som Fredrika Grünewald?" Han drar ut skrivbordslådan och tar fram en bunt papper, lägger den i knäet och ser nonchalant ut genom fönstret. "Jag har mina aningar. Säg."

Han räcker henne några ark ur pappersbunten. "Här är klasslistorna över dem som gick på läroverket i Sigtuna samtidigt som Fredrika."

"Ja, men vem är det då? Nån som förekommer i våra papper?" Hon tar emot listorna och börjar bläddra.

"Annette Lundström."

"Annette Lundström?" Jeanette Kihlberg ser frågande på Hurtig, som ler åt hennes förvånade min.

Det är som om någon öppnar ett fönster och släpper in ny och frisk luft.

Solen skiner utanför Jeanettes fönster när hon börjar läsa i pappersbunten hon fått av Hurtig.

Det är klasslistor från läroverket i Sigtuna de år som Charlotte Silfverberg, Annette Lundström, Henrietta Nordlund, Fredrika Grünewald och Victoria Bergman gått på skolan.

Hon ögnar igenom listan över eleverna och noterar att Annette Lundström inte hade haft något annat efternamn på den tiden. Det betyder att hon och Karl hade valt hennes efternamn när de gifte sig, tänker hon.

Annette och Fredrika hade alltså varit klasskamrater.

Annette är ljushårig och flera av personerna som höll till nere i bergrummet under S:t Johannes kyrka hade i sina vittnesmål uppgett att de sett en ljus och vacker kvinna i närheten av Fredrikas tält.

Däremot är Börje, mannen som visat kvinnan vägen och förhoppningsvis kan identifiera henne, fortfarande försvunnen.

Ska hon ta in Annette Lundström till förhör? Kolla hennes alibi och kanske till och med genomföra en vittneskonfrontation? Men då avslöjar hon sina misstankar för Annette och försvårar den fortsatta utredningen. Vilken advokat som helst skulle få henne släppt på samma tid som det tog att säga ordet uteliggare.

Nej, det är bättre att avvakta och låta Annette sväva i ovisshet åtminstone tills Börje dyker upp. Däremot skulle hon kunna kalla Annette till ett möte med förevändningen att det gällde övergreppen på Linnea.

Hon skulle kunna ljuga och säga att Lars Mikkelsen bett henne om det. Att han just nu är allt för upptagen med annat och behöver Jeanettes hjälp. Det skulle kunna fungera.

Så får det bli, tänker hon omedveten om att hennes entusiasm kommer att fördröja fallets upplösning snarare än påskynda den och indirekt orsaka ett antal människor onödigt lidande.

Skjutövningen går sådär. Jeanette får ett resultat som är på gränsen till underkänt, medan Hurtig briljerar och skjuter i stort sett prickfritt.

Han skrattar åt henne och säger att han är glad att de sällan eller aldrig behöver använda sina tjänstevapen. Att ha henne med sig i en skottväxling innebär livsfara för alla inblandade.

Klara sjö

Kenneth von Kwist stryker händerna över ansiktet. Ett litet problem har nu blivit till ett stort. Kanske till och med olösligt.

Han har till slut insett att han gjort sig skyldig till en lång rad misstag.

Han hade varit en idiot som ställt upp för Peo Silfverberg och Karl Lundström. Han hade också varit en idiot som genom åren varit krasst karriärslysten och sprungit andras ärenden. Vad hade han fått för det?

Tänk om Karl Lundström och Peo Silfverberg faktiskt var skyldiga? Han börjar misstänka det.

Under den tidigare polischefen Gert Berglinds ledning hade allt varit så enkelt. Alla kände alla och det hade räckt att umgås med rätt personer för att få de finaste uppdragen och klättra på den hierarkiska stegen.

Lundström och Silfverberg hade varit nära vänner till både Gert Berglind och advokat Viggo Dürer.

Efter att Dennis Billing tog över hade samarbetet med polisen inte varit lika friktionsfritt.

När det gäller Kihlberg har han i alla fall en väl genomtänkt plan för hur deras relation kan förbättras, samtidigt som hennes intressen kan ledas åt annat håll, åtminstone tillfälligt, och därmed ge honom tid att reda ut problemet Viggo Dürer och familjen Lundström.

Två flugor i en smäll, tänker han. Det är dags att börja reparera sina misstag.

Det är knappast längre en hemlighet i polishuset att Jeanette Kihlberg med assistent Jens Hurtig i släptåg bedriver en privat

utredning av de nedlagda fallen med de mördade invandrarpoj-
karna, och ryktet har också nått åklagare Kenneth von Kwist.

Han vet också att det pågår inofficiella eftersökningar på
Bengt Bergmans dotter, att alla dokument rörande Victoria Berg-
man är sekretessbelagda och att Kihlberg misslyckats att få ut
dem från Nacka tingsrätt.

Men det är där han har sitt äss eftersom han vet hur han kan
komma över uppgifterna och vad han ska använda dem till.

När han slår numret till sin kollega på tingsrätten i Nacka kän-
ner han sig på bättre humör än på länge. Hans idé är lika slug
som enkel och bygger på att ett juridiskt undantag alltid är möj-
ligt så länge alla parter håller tyst om det. Det vill säga att kolle-
gan i Nacka inte kommer att säga ett knyst och att Jeanette Kihl-
berg kommer att kyssa hans fötter av tacksamhet.

Fem minuter senare lutar sig Kenneth von Kwist nöjt tillbaka i
stolen, knäpper händerna bakom huvudet och lägger upp båda
fötterna på skrivbordet. Det var det, tänker han. Då återstår
bara Ulrika Wendin och Linnea Lundström.

Vad har de berättat för polisen och psykologen?

Han måste tillstå att han inte har en aning, åtminstone inte vad
gäller Ulrika Wendin. Linnea Lundström har uppenbarligen
berättat något komprometterande om Viggo Dürer, men han vet
inte vad det handlar om än, även om han befarar det värsta.

"Jävla unge", muttrar åklagaren med tankarna på Ulrika
Wendin. Han vet att den unga flickan träffat både Jeanette Kihl-
berg och Sofia Zetterlund och därmed begått ett informellt
avtalsbrott. De femtio tusen kronorna som skulle tysta henne
hade visst inte varit nog.

De måste konfrontera Ulrika Wendin och få henne att förstå
vilka krafter hon har att göra med. Viggo får ta det, tänker han
och tar ner fötterna från skrivbordet, rättar till kostymen och
rätar upp sig i stolen.

Åklagaren letar i sin telefonbok och när han hittar det han
söker slår han numret till sin gamle bekant. På ett eller annat sätt
måste de få tyst på både Ulrika Wendin och Linnea Lundström.

Kosta vad det kosta vill.

Greta Garbos torg

Den före detta egenföretagaren Ralf Börje Persson, grundare av handelsbolaget Perssons Bygg och anläggning, är bostadslös sedan fyra år. Hans livsöde skiljer sig inte från många andras. Det började bra med en framgångsrik firma, många fina kontrakt, nytt hus, ny bil och ännu mer arbete. Han hade en vacker fru och en dotter som han var oerhört stolt över. Livet lekte. Men när konkurrensen om jobben hårdnade, kriminella ligor gjorde entré i byggsvängen med erbjudande om billig svart arbetskraft från Polen och Baltikum, började det gå utför. Pengarna strömmade inte längre in i samma takt som tidigare och bunten med obetalda räkningar växte sig till slut så hög att det inte längre gick att behålla bilen och huset.

Till slut hade hans fru tagit dottern och lämnat honom varpå Börje fann sig själv sittande i en liten etta i Hagsätra.

Telefonen som tidigare gått varm var nu helt tyst och de han tidigare kallat sina vänner var försvunna eller ville helt enkelt inte ha med honom att göra.

En kväll, fyra år tidigare, hade Börje gått ut för att handla och sedan aldrig återvänt. Det som från början varit tänkt att bli en tur runt torget i Hagsätra hade blivit till en promenad som fortfarande pågick.

Nu står han utanför Systembolaget på Folkungagatan, klockan är några minuter efter tio och i handen håller han en mörkt lila plastpåse med sex starköl. Norrlands Guld med en alkoholhalt på sju procent. Han öppnar den första ölen, intalar sig själv att det är sista gången han dricker frukost och att han ska ta itu med livet bara han blivit av med darrningarna. En balansöl är

allt han behöver. Och med självbedragarens behov av förskotts-
betalning anser han sig vara värd en öl. Nu när han ska börja om.
Löftet infrias i samma stund som det uttalas.

Det första han ska göra när han druckit upp ölen och livet bli-
vit lite enklare är att ta tunnelbanan bort till polishuset på Bergs-
gatan och berätta vad som hände nere i bergrummet under
S:t Johannes kyrka.

Självklart har han sett löpsedlarna om mordet på Grevinnan
och lika självklart har han förstått att det varit han som visat
mördaren vägen. Men kunde det verkligen ha varit den ljusa
kvinnan, inte mycket äldre än hans egen dotter, som utfört den
bestialiska avrättningen av hans olyckssyster? Det såg inte bättre
ut. Så ung och redan så fylld av hat.

Ölen är ljummen, men den fyller sin funktion och han tömmer
burken i en enda, lång utdragen klunk.

Sakta går han österut, vid Bröderna Olssons svänger han
höger in på Södermannagatan och fortsätter bort mot Greta
Garbos torg intill Katarina södra skola. Samma skola som den
skygga skådespelerskan gått i under sin uppväxt.

Det cirkelformade torget är belagt med gatsten och i cirkelns
utkant finns planteringar av avenbok och hästkastanjer.

Ralf Börje Persson hittar en bänk i skuggan och han sätter sig
ner och tänker över vad han ska säga till polisen.

Hur han än vänt och vridit på saken har han till slut insett att
han var den ende som sett Fredrika Grünewalds mördare.

Han kan beskriva kappan kvinnan haft.

Berätta om hennes mörka röst. Om den annorlunda dialekten.

Om hennes blå ögon som såg så mycket äldre ut.

Efter att ha läst alla tidningar som skrivit om mordet vet han
att det är Jeanette Kihlberg som leder utredningen och att det är
henne han ska fråga efter när han står i receptionen på polis-
huset. Men han bävar. Tiden på gatan har gjort att han utvecklat
en kraftig polisnoja.

Kanske är det bättre om han istället skriver ett brev och skick-
ar det till polisen?

Ur innerfickan tar han upp sin kalender, river ut ett blankt blad och lägger det ovanpå läderpärmen. Han tar upp en penna ur rockfickan och funderar på vad han ska skriva. Hur ska han formulera sig och vad kan vara viktigt?

Kvinnan hade erbjudit honom pengar som tack för att han visat henne vägen ner till bergrummet. När hon tagit upp plånboken hade han sett något som fångat hans intresse och hade han själv varit polis och utrett ett mord hade just den iakttagelsen varit av största vikt av den enkla anledningen att antalet misstänkta kraftigt skulle reduceras.

Han skriver på pappret, fullt tillräckligt för att ingen ska kunna misstolka vad han menar.

Ralf Börje Persson lutar sig ner för att ta upp ytterligare en öl, känner hur magen spänner mot livremmen, han sträcker sig och får till slut tag i ena hörnet på plastkassen samtidigt som det hugger till i bröstet.

En kraftig blixt framför ögonen. Han faller åt sidan, ner från bänken och hamnar till slut på rygg fortfarande med lappen i handen.

Kylan från marken sprider sig in i huvudet och möter värmen från berusningen. Han huttrar till och sedan exploderar allt.

Det är som om ett tåg kör rakt in i hans huvud.

Kvarteret Kronoberg

Annette Lundström genomskådar inte lögnen och kommer redan dagen efter.

Visserligen hade hon låtit både förvånad och avvaktande när Jeanette tagit kontakt med henne och frågat om hon kunde tänka sig att ställa upp på ett kompletterande samtal angående Karls relation till deras dotter, Linnea.

Jeanette hälsar och skjuter fram en stol.

"Kaffe?"

Annette Lundström skakar på huvudet och slår sig ner.

Jeanette noterar att hon verkar stressad.

"Är inte utredningen nerlagd nu när Karl är död? Och varför är det inte Mikkelsen som..."

"Jag ska förklara" avbryter Jeanette. "Jag blev kontaktad av Sofia Zetterlund. Ja, du vet, hon som behandlar Linnea."

"Javisst. Linnea var hos henne för bara ett par dagar sen och innan dess kom hon och hälsade på hemma hos oss."

"Var Sofia hemma hos er?"

"Ja. Vi pratade lite och tittade på några teckningar som Linnea gjort."

"Ja, ja. Självklart... Som en del i terapin antar jag." Jeanette tänker efter. Från början hade hon bestämt sig för att avvakta med frågor som gällde Fredrika Grünewald och Annettes relation till henne, men plötsligt känns tillfället ändå rätt.

"Men jag hade också en annan sak jag ville tala med dig om. Hur känner du Fredrika Grünewald?" säger hon och betraktar Annettes reaktion.

Annette Lundström rynkar pannan och skakar på huvudet.

"Fredrika?" säger hon och Jeanette uppfattar hennes förvåning som uppriktig.

"Ja, precis. Din gamla klasskamrat från Sigtuna", förtydligar Jeanette.

"Vad är det med henne? Vad har hon med Karl och Linnea att göra?" Annette Lundström lutar sig tillbaka i stolen och lägger armarna trotsigt i kors.

Jeanette nickar och väntar på att hon självmant ska fortsätta.

"Ja, vad ska jag säga? Vi gick i samma klass i tre år och sen dess har vi inte setts."

"Aldrig?"

"Nej, inte vad jag kan minnas. Vi hade en klassåterträff förra året, men hon var inte där och jag har faktiskt ingen aning..." Hon tystnar.

"Om jag förstår dig rätt så vet du inte heller var hon är idag?"

"Nej, det vet jag inte. Borde jag det?"

"Det beror på om du läser tidningarna. Vad kan du berätta om henne?"

"Vad menar du? Hur hon var på gymnasiet? Det är ju tjugofem år sen."

"Försök ändå", uppmanar Jeanette. "Vill du inte ha lite kaffe i alla fall?"

Annette Lundström nickar och Jeanette trycker på snabbtelefonen och ber Hurtig fixa ett par koppar kaffe.

"Alltså, vi umgicks inte så mycket. Vi ingick i olika gäng och Fredrika hängde med dem som var populära. Det tuffa gänget, om du förstår vad jag menar?"

Jeanette bekräftar med en nick att hon förstår och gör sedan en gest att hon ska fortsätta.

"Som jag minns det basade Fredrika för ett gäng med nickedockor." Annette tystnar och ser fundersam ut när Jeanette plockar fram ett block och noterar namnen.

"Är det här ett förhör?"

"Nej, nej, inte alls, men jag behöver din hjälp och..."

Hurtig kliver in utan att knacka och ställer ner två koppar med rykande kaffe på skrivbordet.

"Tack. Har skolkatalogerna kommit?"

"På ditt skrivbord imorgon bitti."

Jeanette ser att han är sur och förstår att han inte tycker om att agera springpojke.

"Du vill veta vad jag tycker om Fredrika Grünewald!" fräser Annette när Hurtig stängt dörren bakom sig. "Fredrika var ett svin som alltid fick sin vilja igenom och hon hade ett litet hov av trogna lakejer som alla var redo att ställa upp för henne!" Plötsligt ser hon aggressiv ut.

"Minns du vad de hette, de där lakejerna?" Jeanette häller lite mjölk i koppen och räcker tetran till Annette.

"De kom och gick, men de trognaste var väl Regina, Henrietta och Charlotte."

Annette Lundström häller mjölk i kaffet, tar upp en sked och rör om.

"Kommer du ihåg vad de hette i efternamn?"

"Låt mig tänka. Henrietta Nordlund och Charlotte..." Annette tar en mun kaffe och ser upp i taket. "Det var något vanligt. Hansson, Larsson eller Karlsson. Nej, jag minns inte."

"Regina, då? Kan du erinra dig vad hon hette?" Jeanette lutar sig fram över skrivbordet. Hon vill inte verka allt för påstridig, men hon har en stark känsla av att det är viktigt.

"Ceder!" säger Annette och ler för första gången sedan hon anlänt. "Så var det. Regina Ceder..."

Fortfarande med blicken i pappret frågar hon som i förbigående. "Du sa nyss att Fredrika var ett svin. Vad menar du med det?"

Jeanette sneglar på Annette och försöker avläsa hennes reaktion, men Annette rör inte en min.

"Jag kan inte komma på nåt speciellt, men de var elaka och alla var rädda för att hamna i skottlinjen för deras upptåg."

"Upptåg? Det låter som det inte var särskilt allvarliga saker tycker jag."

"Nej och de flesta gångerna var det väl inte heller det. Det var väl egentligen bara en gång som de gick över gränsen ordentligt."

"Vad hände?"

"Det var ett par, tre nya tjejer, jag minns inte deras namn, som skulle nollas och det hela gick överstyr. Men jag vet inga detaljer." Annette Lundström tystnar, ser ut genom fönstret och rättar till håret. "Varför ställer du alla dessa frågor om Fredrika egentligen?"

"För att hon är död, mördad, och vi behöver kartlägga hennes liv."

Annette Lundström ser fullständigt perplex ut. "Mördad? Men det är ju vidrigt! Vem skulle göra något sådant?" säger hon samtidigt som hon får något dröjande i blicken.

Jeanette får en mycket bestämd känsla av att Annette vet mer än hon låtsas om, men låter henne gå efter några ytterligare frågor.

Kvinnan som svarar låter trött.

"Hos familjen Ceder. Det här är Beatrice."

Jeanette tycker att kvinnan sluddrar som om hon är berusad eller påverkad av stark medicin.

"Hej, jag heter Jeanette Kihlberg och söker Regina."

Det är tyst några sekunder innan kvinnan återkommer.

"Regina är tyvärr bortrest, men jag kanske kan hjälpa dig. Vad gäller saken?"

I bakgrunden hörs sorlet från en teve eller radioapparat uppblandad med ljudet från något som Jeanette antar är en gräsklippare.

"Jag heter som sagt Jeanette och är kriminalkommissarie vid Stockholmspolisen. Jag skulle behöva komma i kontakt med Regina. När kommer hon tillbaka?"

"Regina vilar upp sig nere i Frankrike. Hon har haft det jobbigt sedan hennes son förolyckades..." Kvinnan snörvlar till och Jeanette hör hur hon snyter sig.

"Jag beklagar. Skedde det nyligen?"

"Ja. Han... ja, Jonathan, alltså, drunknade för..." Hon kommer av sig och Jeanette inväntar fortsättningen.

"Men det är väl inte därför du ringer? Vad ville du?"

Jeanette tar ett djupt andetag innan hon fortsätter. "Ja, egentligen är det ju Regina jag vill tala med, men nu när hon inte är anträffbar så... Stämmer det att Regina gick på läroverket i Sigtuna?"

"Javisst. Det har alla i släkten gjort. Det är en mycket fin och anrik skola."

"Ja, jag har förstått det." Jeanette undrar om kvinnan uppfattat hennes onödigt sarkastiska tonfall. "Jag har också hört att det hände något under Reginas tredje år som inte var fullt så trevligt."

"Jaha, och vad har du hört?"

Jeanette tycker att det låter som om kvinnan samlat sig. "Ja, det var det jag tänkte fråga Regina om, men du kanske kan hjälpa mig?"

"Jag antar att du menar det som hände de där flickorna? Det som Fredrika Grünewald ställde till med?"

"Ja, just det. Vad var det som hände egentligen?"

"Det var vidrigt och borde inte ha tystats ner på det sätt man gjorde. Men om jag har förstått det hela rätt så var Fredrikas far nära vän med rektorn och dessutom en av de största bidragsgivarna till skolan. Det var väl därför." Beatrice Ceder suckar. "Ja, men det där vet du väl redan?"

"Självklart", ljuger Jeanette, "men jag skulle ändå vilja att du berättade för mig om vad som hände. Ja, om du orkar, förstås." Jeanette lutar sig fram över skrivbordet och knäpper på bandspelaren.

Beatrice Ceders redogörelse är en berättelse om förnedring. Om hur unga tonårsflickor, uppmanade därtill av en despotisk ledare, hetsar varandra till att göra saker de aldrig annars skulle ha gjort. Under den första veckan på det nya läsåret hade Fredrika Grünewald och hennes kumpaner utsett tre flickor till att genomgå en synnerligen osmaklig nollningsceremoni. Utstyrda i mörka kåpor och hemmagjorda grismasker hade man fört de tre flickorna till ett redskapsskjul och hällt iskallt vatten över dem.

"Min Regina var med på det i början, men det som hände sen var helt och hållet Fredrika Grünewalds idé."

"Och vad hände sen?"

Beatrice Ceder darrar på rösten. "De tvingades äta hundbajs."

Jeanette känner sig alldeles tom. "Stopp ett tag... Vad är det du säger?"

Det är tyst en stund.

"Avföring", säger kvinnan sedan med stadigare röst. "Jag mår illa bara jag tänker på det."

Ett enda ord tömmer Jeanette fullständigt och hon känner hur hjärnan nollställs, uppgraderas och startas om på nytt.

Hundbajs. Detta hade inte Charlotte Silfverberg nämnt ett ord om. Men det var kanske inte så konstigt.

"Berätta mer. Jag lyssnar."

"Ja, det var väl inte så mycket mer egentligen. Två av flickorna svimmade medan en tredje tydligen åt av det och sedan kräktes."

Beatrice Ceder berättar vidare och Jeanette lyssnar med avsmak.

Victoria Bergman, tänker hon. Och två flickor, ännu namnlösa.

"Fredrika Grünewald, Henrietta Nordlund och Charlotte Hansson var de som tillsammans med min Regina fick skulden för det hela." Beatrice suckar djupt. "Men det var fler flickor inblandade och Regina var inte en av de ledande."

"Sa du att Charlotte hette Hansson i efternamn?"

"Javisst. Men det heter hon inte idag. Hon gifte sig för en femton, tjugo år sedan..." Kvinnan tystnade.

"Ja?"

"Men herregud att jag inte har tänkt på det! "

"Vadå?"

"Hon gifte sig med Silfverberg, han som de hittade mördad. Det är ju inte klokt..."

"Och Henrietta?" avbryter Jeanette för att slippa gå in på det enskilda fallet.

Svaret kommer snabbt, liksom i förbifarten.

"Hon gifte sig med en man som heter Viggo Dürer", säger Beatrice Ceder. "Men hon dog förra året i en smitningsolycka nere i Skåne."

Två nyheter i en, tänker Jeanette.

Dürer igen.

Så det var den Henrietta som var hans döda hustru.

Bitarna börjar falla på plats och bilden sakta men säkert klarna.

Jeanette är säker på att Per-Ola Silfverbergs och Fredrika Grünewalds mördare finns i den konstellation av människor som nu kompletterats med ytterligare två namn och hon ser ner på sitt anteckningsblock.

Charlotte Hansson, numera Charlotte Silfverberg.

Gift med/änka efter Per-Ola Silfverberg.

Henrietta Nordlund, sedermera Dürer.

Gift med Viggo Dürer. Död.

Fredrika, Regina, Henrietta och Charlotte. En fin liten samling otäcka ungar, tänker hon.

Så till det viktigaste.

"Minns du vad flickorna som utsattes hette?"

"Nej, tyvärr... Det där är så länge sen."

Innan de avslutar samtalet lovar Beatrice Ceder att höra av sig om hon kan komma på någonting annat samt att hon ska be dottern Regina kontakta Jeanette när hon är tillbaka från sin semester.

Jeanette lägger ifrån sig telefonen och stänger av bandspelaren medan dörren öppnas och Hurtig sticker in huvudet. "Stör jag?" Han ser allvarlig ut.

"Inte alls." Jeanette vrider stolen mot honom.

"Hur viktig är sista vittnet i en mordutredning?" frågar han.

"Vad menar du?"

"Börje Persson, mannen som sågs nere i bergrummet innan Fredrika Grünewald hittades mördad, är död."

"Va?"

"Hjärtinfarkt nu i förmiddags. De ringde från Södersjukhuset när de förstått att han var lyst. Han hade tydligen haft en lapp i handen så jag skickade Åhlund och Schwarz att hämta den. De kom nyss tillbaka."

"Vad då för lapp?"

Hurtig kommer in i rummet och går fram till skrivbordet. "Den här." Han lägger ett utrivet blad ur en kalender framför henne.

Handstilen är prydlig:

Till Jeanette Kihlberg, Stockholmspolisen.

Jag tror mig veta vem som dräpte Fredrika Grünewald, även kallad Grevinnan, under Sankt Johannes kyrka.

Jag åberopar dock rätten att förbli anonym, emedan jag ej gärna befattar mig med ordningsmakten.

Den ni söker är en kvinna med långt, ljust hår som vid tidpunkten för mordet bar en blå kappa. Hon är av medellängd, har blå ögon och en slank kroppsbyggnad.

I övrigt finner jag det meningslöst att orda mer om hennes utseende då en sådan beskrivning skulle utgå från personliga värderingar snarare än fakta.

Emellertid hade hon ett speciellt kännetecken, vilket torde intressera er.

Hon saknar höger ringfinger.

Vita bergen

Att förlåta är stort, tänker hon. Men att förstå utan att förlåta är så mycket större.

När man inte bara kan se varför, utan också kan förstå hela den rad av händelser som leder fram till det slutgiltigt sjuka, så hisnar det. En del kallar det arvssynd, andra predestination, men egentligen är det bara en iskall, osentimental konsekvens.

En lavin eller ringarna på vattnet efter en kastad sten. En uppspänd ståltråd över den mörkaste delen på cykelbanan eller ett förhastat ord och en örfil i stundens hetta.

Ibland handlar det om en överlagd och medveten handling där konsekvensen bara är en parameter och där den egna tillfredsställelsen är en annan. I det känslolösa tillståndet, då empati bara är ett ord, sex bokstäver utan innebörd, närmar man sig ondskan.

Man frånsäger sig all mänsklighet och blir ett vilddjur. Röstläget mörknar, rörelsemönstret förändras och blicken blir död.

Hon går oroligt fram och tillbaka i vardagsrummet, sedan går hon in på toaletten och tar fram asken med lugnande medicin ur badrumsskåpet. Hon fyller tandborstglaset med vatten, tar två Paroxetin och sköljer ner dem med ett hastigt knyck på nacken. Snart är det över, tänker hon. Jeanette Kihlberg vet att Victoria Bergman är en mördare.

"Nej, det vet hon inte", säger hon sedan med hög röst. "Och Victoria Bergman existerar inte." Men det är lönlöst att hyckla. Rösten är där och den är starkare än någonsin.

... egentligen är det väl som att blunda och hålla andan och låtsas som att det inte finns där utanför, precis som kylan finns

där fast dörren håller den borta och man kan mysa och må i sof-
fan i gillestugan med träpanel och popcorn och saft som heter
Rose's Lime och som egentligen är groggvirke...

Hon går tillbaka ut vardagsrummet och vidare in i köket. Det flimrar för ögonen som vid begynnande migrän.

Lampan lyser röd och indikerar att det lilla fickminnet är försatt i inspelningsläge.

Hon håller bandspelaren framför sig, händerna darrar, hon är blöt av svett och liksom stående utanför kroppen betraktar hon sig själv vid bordet.

... men det funkar om man rör ner lite socker och säger till
kompisarna att det är så här riktig saft ska smaka, fast man vet
att de vet att man ljuger och den dagen kommer då man får på
käften för det. Men det spelar i stunden ingen roll eftersom man
har trevligt och det ska vara en bra film på teve och alla är nöjda
och glada över att det inte är här som det krigas utan i mörka
Afrika. Och maten står på bordet, även om den smakar lite kon-
stigt när man tänker efter, men det ska man helst inte göra efter-
som det är då det gör ont i magen och man får åka tre mil till aku-
ten...

Sofia upplever att hon befinner sig på två platser samtidigt.

Stående vid sidan av bordet och inne i flickans huvud. Rösten är mörk och entonig och den ekar inuti henne på samma gång som dess resonans studsar mellan väggarna i köket.

... ont i magen och man får åka tre mil till akuten där dom
ändå inte kan hitta några fel utan bara skickar hem en igen i
baksätet på en kall bil. Man är en jävla mes som inte kan visa lite
stake, utan ska hålla på och fjolla sig fast man har besök och allt,
och nu har groggen fått skinn på sig och gästerna kanske undrar
vad det är som händer, fast det är precis det man vill att de ska
undra. Vad fan är det som egentligen händer när en unge jämt
och ständigt får så förbannat ont i magen och bara skriker och
skriker, ända tills bilen körs fram och man lovar att man snart är
tillbaka, eftersom det här brukar vara övergående och hon är lite
nervös och lite spänd, men det är bara att festa vidare så löser det
sig precis som förstoppningen löser sig med lite fikonolja...

Under arbetet med att förstå Victoria Bergman hade de inspelade monologerna fungerat som katalysator, men nu är det tvärtom.

Minnena innehåller förklaringar och svar. De är en manual, en tillvarons bruksanvisning.

... sen är allt bra och festen kan fortsätta med gitarrer och fioler och ett jävla hallå och klappar i baken och se inte så sur ut och sen vickning när solen går upp bakom Sjöbloms dass och gäddorna leker i vikar och vass är kniven som man håller där i handen. Alla skriker och frågar vad fan ungjäveln håller på med, när man skär i armarna så blodet forsar rött och friskt och man kan känna nåt som betyder nåt mer än ett storslaget rekord i längdgropen, där enda motståndaren var tre år yngre och harmynt fast han inte visste om det utan sa att det skulle vara så, och eftersom man visste att han visste att saften inte var saft utan groggvirke så höll man käft och hoppade som om det gällde livet, när det egentligen bara var att ställa upp på lekarna som de stora tyckte det var kul att titta på när de små var söta och så jävla duktiga och framtidslöften...

Sofia avbryts av ett högt ljud från gatan och rösten försvinner. Hon känner sig yrvaken, slår av bandspelaren och ser sig omkring.

En tom, knölig karta Paroxetin på köksbordet och golvet är lortigt, fullt av leriga fotspår. Hon reser sig, går ut i hallen och finner sina skor fuktiga och smutsiga av jord och grus.

Hon har alltså varit ute igen.

Tillbaka i köket ser hon att någon, antagligen hon själv, har dukat för fem personer och hon noterar att hon dessutom har arrangerat en bordsplacering.

Hon lutar sig över bordet och läser på korten. Till vänster ska Solace sitta bredvid Hannah och på andra sidan ska Sofia ha Jessica som bordsdam. På kortsidan har hon placerat Victoria.

Hannah och Jessica? tänker hon. Vad har de här att göra? Hannah och Jessica som hon inte sett sedan hon lämnade dem på tåget utanför Paris för över tjugo år sedan.

Sofia sjunker ner på golvet och upptäcker att hon håller en

svart tuschpenna i handen. Hon lägger sig på sidan och ser upp i det vita taket. Svagt hör hon telefonen ringa ute i hallen, men hon tänker inte svara och sluter ögonen.

Det sista hon gör, innan vrålet inne i huvudet dränker alla andra ljud, är att slå på bandspelaren igen.

...framtidslöften som skulle bli ingenjörer och forskare och minsann inte skulle hamna bakom kassan på Konsum för där handlade bara kommunister, så då var det bättre och ta bilen till ICA för där handlade de som röstade rätt och inte rött och hade smak och finess. Inte billigt skräp på väggarna som de köpt på IKEA utan riktiga teckningar och tavlor som var svåra att göra, för konst var det samma som jävligt klurigt att räkna ut hur det var gjort och inte bara att kasta färg på en duk som den där amerikanen, som dessutom gick omkring på målningen samtidigt som han rökte och förklarade hur genialisk han var. Men det var han minsann inte utan han var en uppblåst bluff som var roten till all ondska, eftersom han tyckte det var bra att ha kul och kasta färg, röka och supa och leva satan, kanske sakna pengar och tycka att kvinnor ska vara självständiga och kunna säga ifrån och inte tycka det är kul att knulla sin dotter som Svensken gjorde i Köpenhamn...

Sedan mörker och tystnad. Vrålandet upphör och hon är lugn och får vila medan tabletterna börjar verka.

Hon sjunker allt djupare in i sömnen och Victorias minnen kommer till henne i böljande sjok, först som ljud och dofter och sedan som bilder.

Det sista hon ser innan medvetandet slutligen släcks är en flicka i röd jacka som står på en strand i Danmark och nu förstår hon vem flickan är.

Kvarteret Kronoberg

"Mördaren saknar höger ringfinger", upprepar Jeanette och skickar ett tyst, postumt tack till mannen som hette Ralf Börje Persson.

"Inte alldeles oviktigt." Hurtig flinar.

"Det är helt avgörande", säger Jeanette och ler tillbaka. "Tragiskt bara att en av de bästa ledtrådarna vi har är från ett vittne som vi inte kan höra. Kanske är det här både det sista och det viktigaste denne Börje gjorde i sitt liv."

"Så, vad gör vi nu?" Han ser på klockan.

"Jobbar på. Billing har gett mig ett gäng från Polishögskolan som går igenom klasslistorna från Sigtuna, samtliga årskullar. De har redan börjat ringa runt till före detta elever och lärare och det är särskilt tre namn jag hoppas ska dyka upp under kvällen."

Han ser fundersam ut. "Jag fattar, du pratar om offren för nollningsriten. Victoria Bergman och de två andra som försvann."

"Just det. Sen finns det ytterligare ett telefonsamtal som måste ringas. Det är det viktigaste och det överlåter jag åt dig, Hurtig." Hon räcker honom telefonen. "Efter vad Beatrice Ceder berättade är det inte särskilt svårt att ta reda på vad kvinnorna heter. Deras namn saknas på klasslistorna eftersom de slutade efter bara två veckor, men det finns en person som med all säkerhet vet vilka de är och nu pratar jag inte om Victoria Bergman."

"Och vem är Beatrice Ceder?"

Hon ser att det går lite för fort för Hurtig.

Han hade lämnat hennes rum i högst en halvtimme, under vilken hon både hunnit klara av mötet med Annette Lundström och telefonsamtalet med Regina Ceders mamma Beatrice.

"Vi tar det sen. Personen du ska ringa var rektor på skolan, hon är numera pensionerad och bor i Uppsala. Tydligen kände hon till det som hände och var aktiv i nertystandet av det. I vilket fall som helst kan hon hjälpa oss med namnen, minns hon dem inte får hon bistå oss med att hitta ansökningshandlingarna. Ring du, jag är helt slut och har inget blodsocker så jag går och hämtar kaffe och nåt sött från cafeterian. Vill du ha nåt?"

"Nej tack." Hurtig skrattar. "Fan, vad du går på. Jag ringer rektorn, så fika du under tiden."

Jeanette köper en bit prinsesstårta och en kaffe modell större.

På väg upp stillar hon blodsockerraset något genom att äta upp marsipanen på tårtbiten redan i hissen, medan hon noterar att klockan blivit ganska sent och att hon kanske inte hinner hem i tid att laga middag åt Johan.

Hon kommer tillbaka till sitt rum i samma stund som Hurtig lägger på luren.

"Nå? Hur gick det? Vad sa hon?"

"Flickorna hette Hannah Östlund och Jessica Friberg. Deras personuppgifter kommer under kvällen."

"Bra jobbat, Hurtig. Tror du att någon av dem saknar ett ringfinger?"

"Friberg, Östlund eller Bergman? Varför inte Madeleine Silfverberg?"

Jeanette ser roat på honom. "Det finns visserligen en motivbild vad gäller hennes styvfar men jag ser inga direkta kopplingar till Fredrika Grünewald förutom att hon gått på samma skola som Charlotte Silfverberg."

"Okej. Men det räcker inte. Vad sa Ceder mer?"

"Att Henrietta Nordlund gifte sig med advokat Viggo Dürer. Dog förra året. Påkörd av en smitare. Jag vill att du kollar upp dödsfallet med Skånepolisen och återkommer till mig."

Hurtig sitter tyst och nickar bara till svar.

"Och sist men inte minst... Under invigningsriten i Sigtuna serverades Hannah Östlund, Jessica Friberg och Victoria Bergman hundskit av Fredrika Grünewald. Behöver jag säga mer?"

Han andas ut och ser plötsligt mycket trött ut. "Nej tack, det räcker för stunden."

Det har varit en lång dag, den är inte slut än och Hurtigs uppsyn gör henne lite rörd.

Det spelar ingen roll hur utarbetad han är, tänker hon. Han kommer aldrig att ge upp.

"Hur är det med din pappa, förresten?"

"Farsan?" Hurtig kliar sig i ögonen och ser road ut. "Ja, förutom incidenten med gräsklipparen har de nu amputerat flera fingrar på högerhanden. Just nu behandlas han med blodiglar."

"Blodiglar?"

"Ja, de hindrar blodet från att koagulera efter amputationer. Och de små gynnarna har faktiskt lyckats rädda ett av fingrarna. Kan du gissa vilket?"

Nu är det Jeanettes tur att inte riktigt hänga med.

Hurtig flinar och gäspar på samma gång innan han förekommer henne genom att svara på sin egen fråga.

"De har räddat höger ringfinger."

Gamla Enskede

Jeanette Kihlberg har bokstavligen tagit arbetet med sig hem.

Hon har redan lärt sig Hannah Östlunds och Jessica Fribergs personuppgifter utantill, liksom de vittnesmål som polisadepterna rapporterat under kvällen, och när hon kliver in genom dörren till villan på Enskedevägen är hon så slutkörd att hon först inte lägger märke till matoset från köket.

Hannah och Jessica, tänker hon. Två blyga flickor som ingen minns särskilt väl.

Och så Victoria Bergman, som alla känner till men som ingen egentligen kände.

I morgon, om skolkatalogerna kommer som avtalat, har hon förhoppningsvis i alla fall ett ansikte på Victoria Bergman. Flickan med högsta betyg i alla ämnen utom uppförande.

Hon hänger av sig jackan, går in i köket och ser att diskbänken hon tidigare på morgonen lämnat skinande ren nu befinner sig i ett tillstånd som närmast kan liknas vid ett veritabelt kaos. Över vardagsrummet vilar ett svagt dis som vittnar om att något bränts vid och ett öppnat paket med fiskpinnar ligger på köksbordet tillsammans med trasorna från ett salladshuvud.

"Johan? Är du där?" Hon tittar ut i hallen och ser att det lyser från hans rum.

Hon är orolig för honom igen.

Under veckan har han enligt sin klassföreståndare varit borta från flera lektioner och när hon väl varit där har han varit frånvarande och ointresserad. Dyster och introvert.

Vid några tillfällen har han dessutom hamnat i slagsmål med klasskamrater, vilket är något som aldrig hänt tidigare.

När hon går ut i hallen igen håller hon nästan på att snubbla över väskan hon haft med sig till skjutövningen dagen innan.

Helvete, tänker hon. Hennes tjänstevapen ligger i den och det är en dödssynd att inte låsa in det i vapenskåpet.

Beredd på det värsta öppnar hon snabbt väskan och tar ut vapenlådan.

Pistolen ligger där den ska och med blodet bultande i tinningarna känner hon på den.

Iskall.

Hon räknar ammunitionen. Det stämmer på kulan och hon kan andas ut, men förbannar åter sig själv.

Jävla slarv. Fullkomligt jävla livsfarligt slarv. Oförlåtligt.

Kvällen innan hade hon liksom idag varit helt slut när hon kommit hem och hon hade slängt ifrån sig väskan i hallen och sedan helt glömt bort den. På morgonen hade hon haft bråttom och inte lagt märke till den.

Det får bara inte hända, tänker hon, tar lådan under armen och går in i arbetsrummet, öppnar skåpet under bokhyllan och låser in tjänstevapnet.

Sedan går hon tillbaka genom hallen till Johans rum.

"Knack, knack", säger hon, gläntar på dörren och ser att han ligger på sängen med ryggen vänd utåt. "Hur är det, vännen?" Hon går fram och sätter sig på sängkanten.

"Jag har gjort middag åt dig", muttrar han. "Den står inne i vardagsrummet."

Hon smeker honom över ryggen, vänder sig om och genom dörröppningen ser hon att han har dukat fram för middag. Hon kysser honom lätt på pannan och går ut för att se efter.

På bordet står en tallrik med hårdstekta fiskpinnar, snabbmakaroner och några salladsblad, prydligt arrangerat med en ansenlig klick ketchup. Besticken ligger upplagda på en servett bredvid tallriken och där står också ett vinglas, fyllt till hälften, samt ett tänt stearinljus.

Hon vet först inte hur hon ska reagera.

Han har lagat middag åt henne, det har aldrig hänt förut, och han har dessutom gjort det med stor omsorg.

Skit samma med röran i köket, tänker hon. Han har gjort det här för att göra mig glad.

"Johan?"

Ingen reaktion.

"Du förstår inte hur glad jag blir. Vill inte du också ha lite mat?"

"Jag har redan ätit", säger han irriterat inifrån sitt rum.

Hon känner sig plötsligt yr och oändligt trött. Hon begriper inte. Om han vill göra henne glad, varför avvisar han henne? "Johan?" upprepar hon.

Fortsatt tystnad. Hon antar att han är sårad för att hon är sen och hon ser på klockan. Hon skulle ha kommit hem halv nio, och nu är den tio över.

Hon ställer sig i dörröppningen och kikar in. "Förlåt att jag blev sen, det var sån trafik..."

Herregud, tänker hon. Kan jag inte komma på något bättre?

Sedan sätter hon sig på sängen en stund, tills hon upptäcker att Johan har somnat. Hon släcker lyset, stänger dörren försiktigt och går tillbaka till vardagsrummet. När hon återigen ser hans dukning är hon nära att falla i gråt.

Hon börjar äta. Det är givetvis kallt, men det smakar inte så illa som det ser ut. Hon tar en klunk av vinet, skrapar bort det mesta av ketchupen från salladsbladet, tar några tuggor av snabbmakaronerna och de vidbrända fiskpinnarna och inser snart att hon är utsvulten.

Älskade Johan, tänker hon.

Efteråt dukar hon undan, städar upp i köket och återvänder till soffan. Hon får ett infall och ringer upp Åke, men hans telefon är avstängd. När hon försöker nå honom via Alexandra Kowalska går svararen på och hon har inte lust att i detalj redogöra för Johans problem för henne, utan lämnar bara ett kort meddelande i vilket hon ber Alexandra hälsa Åke att han ska höra av sig så fort han kan.

Hon hoppas att något lättsamt på teven kan få henne att slappna av, men upptäcker snart att det bara är de marksända kanalerna som fungerar.

Efter att ha ratat två deprimerande dokumentärer på SVT:s kanaler och ett korkat nöjesprogram på fyran slår det henne att hon inte betalat räkningen till televeleverantören.

Hon suckar vid minnet av hur hon och Åke brukat tillbringa kvällarna framför teven, ätit chips och skrattat åt någon dålig film, men som hon känner nu är det knappast en period i livet hon saknar. Det hade varit en innehållslös väntan på något bättre, en känslomässigt torftig tillvaro som obönhörligt hade slukat kväll efter kväll, vilka sedan blivit till månader och år.

Livet är alldeles för dyrbart för att kastas bort i avvaktan på att något ska hända. Att något ska inträffa som kan ta en bort och vidare.

Hon kan inte erinra sig vad hon hade hoppats på eller vad hon hade drömt om.

Åke däremot hade fantiserat om hur hans kommande framgångar skulle ge dem möjligheten att förverkliga deras gemensamma drömmar. Han hade sagt att hon då kunde sluta som polis om hon ville och han hade blivit arg när hon invänt att det var hennes liv och att inga pengar i världen kunde ändra på det. Hennes uppfattning att drömmar måste förbli just drömmar om de inte ska försvinna, hade Åke avfärdat som kvasiintellektuellt veckotidningstrams.

Efter det grälet hade de inte pratat med varandra på flera dagar och den perioden hade kanske inte varit avgörande, men det hade i varje fall varit början till slutet.

Vita bergen

Sofia vaknar på vardagsrumsgolvet. Det är mörkt ute och hon ser att klockan är strax efter sju, men hon har ingen aning om om det är morgon eller kväll.

När hon rest sig upp och går ut i hallen ser hon att någon har skrivit på spegeln med tuschpennan. Med barnslig handstil står det UNA KAM O! och Sofia känner genast igen Solaces spretiga kråkfötter. Den afrikanska tjänsteflickan hade aldrig lärt sig att skriva ordentligt.

UNA KAM O, tänker Sofia. Det är krio och hon förstår orden. Solace ber om hjälp.

Medan hon torkar bort tuschen med tröjärmen ser hon att det står något annat längre ner på spegeln, textat med samma tuschpenna, men med en minimal, nästan sjukligt prydlig handstil.

FAM. SILFVERBERG, DUNTZFELTS ALLÉ, HELLERUP, KÖPENHAMN.

Hon går ut i köket och ser att det står fem använda tallrikar och lika många glas på bordet.

Två fulla kassar med sopor står nedanför diskbänken och hon rotar bland skräpet för att få en uppfattning om vad som har ätits. Tre påsar chips, fem chokladkakor, två kartonger med fläskkotletter, tre stora flaskor läsk, en grillad kyckling och fyra paket glass.

Hon känner hur det smakar av uppkastningar i munnen och orkar inte ens titta i den andra soppåsen eftersom hon vet vad den innehåller.

Diafragman värker och krampar, men yrseln avtar sakta. Hon bestämmer sig för att städa upp och förtränga det som hänt. Att hon spårat ur och frossat i mat och godis.

Hon tar en halvfull flaska vin och går bort till kylskåpet. Hon stannar till när hon ser lapparna, tidningsurklippen, reklambladen och sina egna anteckningar som sitter uppsatta på kylskåpsdörren. De sitter i hundratals lager på lager med magneter och tejp.

En stor artikel om fallet Natascha Kampusch, flickan som i åtta år hölls fången i en källare strax utanför Wien i Österrike.

En detaljerad ritning över det dolda rum Wolfgang Priklopil byggt åt henne.

Till höger en inköpslista med hennes egen handstil: Frigolit. Golvlim. Silvertejp. Presenning. Gummihjul. En hasp. Elkabel. Spik. Skruv.

Till vänster en bild på en Taser.

En elpistol.

Flera av anteckningarna är undertecknade "Unsocial mate."

Obekväm kompis.

Sakta sjunker hon ner på golvet.

Kvarteret Kronoberg

När Jeanette Kihlberg kör Johan till skolan verkar han vara på gott humör och det känns dumt att älta händelsen kvällen innan. Vid frukostbordet hade hon återigen tackat honom för middagen och han hade faktiskt gett henne ett litet leende. Det fick räcka.

När hon kommit fram till polishuset på Kungsholmen och parkerat bilen nere i garaget passar hon på att ringa Åke och den här gången svarar han.

"Hej, det är jag", säger hon av gammal vana.

"Va?" Åke låter förvånad och Jeanette inser att det numera inte är hon som är det självklara jaget i hans liv. Den enda som numera naturligt kan säga så är Alexandra Kowalska.

"Ja, det är jag, Jeanette", säger hon samtidigt som hon kliver ur bilen. "På papppret fortfarande din fru eftersom vi har ett minderårigt barn ihop och därför är ålagda en prövotid på sex månader. Men du kanske har glömt oss? Din son heter Johan och mår jävligt dåligt." Hon slår igen bildörren alldeles för hårt, låser och börjar gå bort mot hissarna.

"Förlåt." Åke låter mjuk på rösten. "Men jag är lite upptagen och svarade utan att först se vem det var som ringde. Det var inte meningen att låta nonchalant. Fan, jag tänker på dig och Johan varje dag och undrar hur ni har det."

"I så fall är det väl bara att lyfta luren och ringa", säger hon och trycker på hissknappen. "Jag ringde din nya fru och pratade in på hennes svarare. Har inte hon sagt det?"

"Alexandra? Nej, hon har inte nämnt att du har ringt. Men hon har väl bara glömt det. Hur är det med er? Mår du bra?"

"Med mig är det så bra det kan bli. Jag har skaffat mig en ny älskare som är tio år yngre, men med din son är det inte så bra. Dessutom tror jag att bilen håller på att gå sönder och jag har inte råd att laga den." Hon känner den välbekanta bitterheten skölja över henne.

Hissen kommer ner med ett skarpt plingande, dörren glider upp och hon stiger in.

"Jag har precis sålt ett par tavlor så jag kan sätta in lite pengar åt dig."

"Så gentilt av dig. Å andra sidan är väl hälften av de där tavlorna mina. Jag menar, det är ju jag som genom åren betalt färgen, dukarna och som har gjort det möjligt för dig att sitta hemma och utveckla dig."

"Fan vad du är omöjlig, Jeanette. Det går ju inte att prata med dig. Jag försöker vara snäll och så..."

"Okej, okej." Jeanette avbryter honom. "Jag har blivit en patetisk, jävla bitterfitta. Förlåt mig. Jag är glad för din skull och jag har det faktiskt riktigt bra själv. Det är bara det att jag har svårt att förstå sättet som du gjorde det på. Alexandra skiter jag i, henne känner jag inte och jag bryr mig inte, men med dig är det annorlunda. Vi har ju hängt ihop i tjugo år så jag trodde att jag var värd lite mer respekt."

"Jag har ju bett om ursäkt. Det var inte så enkelt för mig heller. Hur skulle jag göra?"

"Ja, ja, du gjorde säkert så gott du kunde", säger hon surt och stiger ur hissen.

"Vi kommer hem imorgon. Jag kan hämta Johan efter skolan om det är okej med dig. Han kan sova hos oss, om det skulle avlasta dig lite."

Avlasta? tänker Jeanette. Är det så han ser på det?

"Skulle ni inte vara borta en hel månad?"

"Ändrade planer. Vi avbryter Boston för att det har dykt upp en viktig grej i Stockholm. Jag kan förklara sen. Men vi är bara i stan ett par dar innan vi åker tillbaka till Kraków."

"Jag måste sluta nu, men du kan väl ringa Johan och säga att du saknar honom. Och att ni hämtar honom imorgon."

"Javisst. Jag lovar."

De lägger på och Jeanette stoppar ner telefonen i väskan, går fram till kaffeautomaten och gör sig en kopp som hon tar med sig bort till sitt rum.

Det första hon ser när hon öppnar dörren är ett tjockt paket som ligger på hennes skrivbord. Hon går in, stänger dörren, sätter sig ner. Hon smuttar lite på det heta kaffet innan hon tar upp paketet och öppnar det.

Tre årgångar skolkataloger från Sigtunaskolans humanistiska läroverk.

Efter ett par minuter hittar hon henne.

Victoria Bergman.

Hon läser under fotografiet, följer med fingret över raden av unga, blivande studenter med identiska skoluniformer och konstaterar att Victoria Bergman står i den mellersta raden näst längst till höger, är något kortare än de andra och ser lite barnsligare ut.

Flickan är smal, ljushårig och antagligen blåögd och det första Jeanette noterar som sticker ut är flickans allvarliga min och att hon, till skillnad från de andra flickorna, inte har några bröst.

Jeanette tycker att det finns något bekant med den lilla allvarliga flickan.

Det är någonting i blicken hon känner igen.

Hon slås också av hur alldaglig flickan ser ut och av någon anledning är det inte alls vad hon förväntat sig. Det faktum att hon inte är sminkad gör att hon nästan ser grå ut till skillnad från de andra unga tjejerna på bilden, vilka alla tycks ha ansträngt sig för att se så bra ut som möjligt. Hon är dessutom den enda som inte ler.

Jeanette öppnar nästa katalog, den för året efter, och finner Victoria Bergmans namn på listan över frånvarande. Samma sak med sista året och inte heller katalogernas bildsamlingar från olika fester och föreningsaktiviteter innehåller en enda bild på den unga flickan.

Jeanette får känslan av att Victoria Bergman redan på den tiden var bra på att gömma sig och hon tar åter fram den första katalogen och ser på uppslaget.

Bilden är tagen för nästan tjugofem år sedan och hon antar att den är oanvändbar för en eventuell identifikation idag.

Eller är den det?

Det är ändå något med blicken hon känner igen. Ett undflyende uttryck.

Jeanette Kihlberg är djupt försjunken i fotografiet och rycker till när telefonen ringer.

Hon ser på klockan. Hurtig? Han borde varit här för länge sen. Har det hänt nåt?

Till hennes besvikelse är det åklagare Kenneth von Kwist som presenterar sig med sin mest inställsamma röst och Jeanette blir genast irriterad. "Jaså, är det du. Vad gäller saken?"

Han harklar sig. "Var inte så barsk. Jag har nåt åt dig som du kommer att uppskatta. Se till att du är ensam i rummet om tio minuter och bevaka faxen."

"Faxen?" Hon förstår inte vad han är ute efter och blir med ens misstänksam.

"Precis. En fågel viskade i mitt öra att Victoria Bergman är eftersökt."

Hon känner sig förvirrad och hennes blick dras omedelbart till fotografiet på bordet.

"Du kommer snart att delges uppgifter som bara är för dina ögon", fortsätter han. "Faxen du får om tio minuter är dokument från Nacka tingsrätt, daterade hösten 1988 och du är den första, förutom jag själv, som läst dem sedan dess. Jag antar att du vet vad det handlar om?"

Jeanette blir alldeles stum. "Jag förstår", får hon ur sig till sist. "Du kan lita på mig."

"Bra. Håll till godo och lycka till. Du har mitt förtroende och jag litar på att det här förblir konfidentiellt."

Vänta nu, tänker hon. Det är en fälla.

"Du, lägg inte på. Varför gör du det här egentligen?"

"Låt oss säga..." Han tänker efter en stund innan han harklar sig igen. "Det är mitt sätt att be om ursäkt för att jag nödgats sätta käppar i hjulen för dig tidigare. Jag vill gottgöra dig och som du säkert känner till har jag ju mina kontakter."

Jeanette vet fortfarande inte vad hon ska tro. Det han säger är urskuldande, men tonen i rösten är lika självbelåten som vanligt.

Skumt, tänker hon. Men vad har jag att riskera utöver en reprimand från Billing?

"Din ursäkt är godtagen."

När de lagt på lutar hon sig tillbaka i stolen och tar upp skolkatalogen igen. Victoria Bergman ser lika undflyende ut som tidigare och Jeanette har fortfarande svårt att avgöra om hon bara är utsatt för ett bakslugt skämt eller om hon hamnat mitt i ett deux ex machina.

Det knackar på dörren och Hurtig kliver in, blöt i håret och jackan är dyngsur.

"Ursäkta att jag är sen. Vilket jävla skitväder."

Faxen tycks aldrig sluta spruta papper och Jeanette har fullt upp med att flytta dem från golvet till skrivbordet. När maskinen äntligen tystnar samlar hon ihop alla papper och lägger dem i en hög framför sig.

Det första dokumentet är på nästan sextio sidor och har överskriften *Prövning om skyddade personuppgifter.*

Sedan följer domstolsbeslutet om den aktuella prövningen, omfattande ytterligare drygt fyrtio sidor.

Det kommer att ta någon timme att läsa igenom allt och Jeanette ber Hurtig hämta två koppar kaffe åt dem.

Jeanette läser att prövningen gäller Victoria Bergman, född 1970-06-07 och att det finns utlåtanden från tre instanser: Rättsmedicinalverket, Polismyndigheten i Stockholms län samt Psykiatriska avdelningen på Nacka sjukhus. Domstolsbeslutet är från tingsrätten i Nacka kommun och längst bak i dokumentet finns en sammanfattning av ärendet.

I september 1988 hade Rättsmedicinalverket i sin rapport fastställt att Victoria Bergman utsatts för allvarliga sexuella övergrepp innan hon nått full kroppsutveckling och Nacka tingsrätt hade därefter beviljat henne skyddade personuppgifter.

Jeanette äcklas av det kyliga språkbruket. Full kroppsutveckling, vad betyder det?

Hon läser vidare och finner förklaringen längre ner. Flickan, Victoria Bergman, hade alltså enligt Rättsmedicinalverket utsatts för omfattande sexuellt våld i åldern noll till fjorton. En gynekolog och en rättsläkare hade gjort en grundlig undersökning av Victoria Bergmans kropp och funnit att flickan var grovt förstörd.

Ja, det var faktiskt vad som stod. Grovt förstörd.

Avslutningsvis läser hon att det inte kunnat styrkas vem som utfört övergreppen.

Jeanette häpnar. Den lilla, magra, ljusa och allvarliga flickan med den undflyende blicken hade alltså valt att inte ange sin pappa.

Hon tänker på de polisanmälningar mot Bengt Bergman hon tidigare tagit del av. De två eritreanska flyktingbarnen, utsatta för piskskador och sexuella övergrepp, och den prostituerade kvinnan som misshandlats svårt, slagits med en livrem och våldtagits analt med någon form av föremål. Jeanette vill minnas att det varit en flaska.

Den andra rapporten, från Polismyndigheten i Stockholms län, fastställde att det i förhör framkommit att ansökanden, Victoria Bergman, utsatts för sexuella övergrepp åtminstone sedan fem- sexårsåldern.

Ja, längre tillbaka än så minns man väl inte? tänker Jeanette.

I varje fall är det svårt att avgöra trovärdigheten i ett sådant vittnesmål. Men om övergreppen börjat när hon var mycket liten får man anta att hon redan då utnyttjades sexuellt.

Fan, hon måste visa de här dokumenten för Sofia Zetterlund, oavsett vad hon lovat von Kwist. Sofia skulle kunna förklara hur en liten tjej som far så här jävla illa påverkas psykiskt.

Det sista som står att läsa är att den polis som ansvarade för utredningen ansåg att hotbilden mot ansökanden var av tillräckligt allvarlig art och att identitetsskydd borde beviljas.

Inte heller här hade man kunnat styrka vem som utfört övergreppen.

Jeanette förstår att hon snarast möjligt måste ta kontakt med de som ansvarat för utredningarna. Det är visserligen över tjugo år sedan, men med lite tur är personerna i fråga kvar i tjänst.

Jeanette går fram till det lilla vädringsfönstret som står på glänt. Hon skakar fram en cigarett, tänder den och drar ett djupt bloss.

Om någon kommer in och gnäller över att det luktar rök kommer hon att tvinga vederbörande att läsa samma handlingar hon själv nyss läst. Sedan kommer hon att räcka över cigarettpaketet och hänvisa till det öppna fönstret.

Tillbaka vid skrivbordet börjar hon läsa utlåtandet från psykiatriska avdelningen på Nacka sjukhus. Innehållet är i stort detsamma som i de andra dokumenten. Ansökanden bör beviljas skyddade personuppgifter med stöd av vad som framkommit under ett femtiotal terapisamtal, vilka dels gällt sexuella övergrepp i åldern fem till fjorton år, dels sexuella övergrepp efter femton års ålder.

Jävla svin, tänker Jeanette. Synd att du är död.

Hurtig kommer in med kaffet och de häller upp varsin kopp. Jeanette ber honom läsa igenom domstolsbeslutet från början, och själv tar hon sig an dokumentet om prövningen.

Hon samlar ihop den digra pappersbunten och kastar ett öga på sista sidan, för att stilla sin nyfikenhet om vilken polis som utrett ärendet.

När hon ser vilka som undertecknat prövningen och rekommenderat Victoria Bergman skyddade personuppgifter, håller hon på att sätta kaffet i vrångstrupen.

Längst ner på papperet finns tre namnunderskrifter:

Hans Sjöquist, leg. rättsläkare
Lars Mikkelsen, kriminalassistent
Sofia Zetterlund, leg. psykolog

Vita bergen

Det hade kunnat vara annorlunda.

Linoleummattan är kall och klibbar mot Sofia Zetterlunds nakna axel. Det är mörkt utanför.

I taket ljuskäglorna från bilar som passerar på gatan ackompanjerade av det nervösa rasslandet från de torra höstlöven i träden i parken snett bredvid.

Hon ligger på köksgolvet vid sidan av ett par soppåsar med uppäten, uppspydd mat och stirrar upp mot kylskåpet. I taket en liten spindelväv. Det öppna vädringsfönstret i köket i kombination med fönstret som står på glänt i vardagsrummet får papperslapparna på kylskåpsdörren att fladdra i korsdraget. När hon kisar ser de ut som flugvingar, hetsiga mot ett myggnät.

Nerifrån ser de ut att vara i hundratal.

Bredvid henne ett bord dukat till fest, nu kladdiga tallrikar och odiskade bestick.

Nature morte.

En gång levande ljus, nu rester av stearin.

Sofia vet i stunden att hon imorgon inte kommer att minnas någonting.

Som när hon en gång hittade den där gläntan nere vid sjön, i Dala Floda, där tiden stod stilla och som hon sedan ägnade veckor åt att försöka återfinna. Sedan barnsben har hon levt med minnesluckor.

Hon tänker på Gröna Lund och vad som hände kvällen då Johan försvann. Bilder söker fäste i henne.

Någonting vill komma till tals.

Sofia blundar och vänder blicken inåt.

Försöker skapa en utsiktspunkt där hon kan se tillbaka med nödvändig distans.

Johan hade suttit bredvid henne i korgen på Fritt fall och Jeanette stått utanför staketet och betraktat dem. Sakta hade de rört sig uppåt, meter för meter.

Halvvägs uppe blev hon rädd och när de passerade femtio meter hade svindeln sköljt över henne. Det irrationella hade kommit från ingenstans.

En okontrollerbar skräck. Känslan av att inte ha herravälde över situationen.

Hon hade inte vågat röra sig. Knappt andas. Men Johan hade skrattat och dinglat med benen. Hon bad honom att sluta, men han hade bara flinat mot henne och fortsatt.

Sofia minns hur hon för sitt inre föreställt sig hur bultarna som höll korgen på plats utsattes för onaturligt hög belastning och till slut skulle lossna. De skulle störta mot marken.

Korgen krängde och hon hade bönfallit honom att sluta skratta, men han hade inte lyssnat på henne. Arrogant och överlägset hade han besvarat hennes böner med att öka takten på sitt dinglande.

Och plötsligt hade Victoria varit där.

Rädslan hade försvunnit, tankarna klarnat och hon hade blivit lugn.

Sedan är det åter svart.

Det susar i hennes huvud och hon får svårt att fokusera, men sakta, sakta tystnar bruset och bit för bit återvänder minnet.

Hon hade legat på sidan. Gruset på asfalten hade skavt henne på höften, trängt genom kappan och tröjan. Ätit sig in.

Som i fjärran främmande röster.

En doft hon känt igen. En sval hand mot den heta pannan.

Hon hade kisat med ögonen och bortanför muren av ben och skor hade hon sett en bänk och bredvid bänken hade hon sett sig själv bakifrån.

Ja, så var det. Hon hade sett Victoria Bergman.

Hade hon hallucinerat?

Sofia drar ena handen över ögonen, ner mot munnen. Känner hur det rinner saliv ur mungipan. Känner den trasiga tanden.

Men hon hade inte yrat. Hon hade sett sig själv. Sitt ljusa hår, sin kappa och sin väska.

Det var hon. Det var Victoria.

Hon hade legat ner och sett sig själv tjugo meter längre fram. Victoria hade gått fram till Johan och tagit honom i armen.

Hon hade försökt ropa åt Johan att akta sig, men när hon öppnade munnen kom inget ljud.

Det stramar över bröstet och hon tror att hon ska kvävas. Panikångest, tänker hon och försöker andas långsammare.

Sofia Zetterlund minns att hon sett sig själv trä en rosa mask över Johans huvud.

En bil tutar ute på gatan och hon öppnar ögonen. Hon tar stöd med armbågen och börjar långsamt resa sig.

Sofia Zetterlund ligger på köksgolvet på Borgmästargatan och vet att hon tolv timmar senare inte kommer att ha en aning om att hon legat på köksgolvet på Borgmästargatan och tänkt på att hon tolv timmar senare ska vakna och gå till jobbet.

Men just nu vet Sofia Zetterlund att hon har en dotter i Danmark.

En dotter som heter Madeleine.

Och just nu minns hon att hon en gång sökt upp Madeleine.

Men just nu vet Sofia Zetterlund inte om hon kommer att minnas det imorgon.

Dåtid

Det hade kunnat vara bra.
Kunde varit gott.

Victoria vet inte om hon har kommit rätt, känner sig förvirrad och beslutar sig för att gå ett varv runt kvarteret för att samla tankarna.

Hon har haft ett efternamn att gå på och nu vet hon att familjen bor i Hellerup, en av Köpenhamns finare villaförorter. Mannen är verkställande direktör för ett leksaksföretag och bor på Duntzfelts allé med sin fru.

Victoria plockar upp freestylen och trycker igång kassetten. En nysläppt samling med Joy Division. Medan hon går längs alléerna spelas Incubation och musiken skramlar monotont i hörlurarna.

Inkubation. Att ruva, att kläcka. Fågelungar som rövas bort.

Hon har varit en äggkläckningsmaskin.

Det enda hon vet är att hon vill se sin dotter. Men sedan?

Skit samma om allt går åt helvete, tänker hon medan hon svänger vänster in på parallellgatan, ytterligare ett stråk kantat av träd.

Hon sätter sig ner på ett elskåp vid en soptunna, tänder en cigarett och bestämmer sig för att sitta kvar tills kassetten är slut.

She's Lost Control, Dead Souls, Love Will Tear Us Apart. Kassetten byter automatiskt sida, appendix: No Love Lost, Failures...

Människor passerar förbi henne och hon undrar vad de glor på.

En stor, svart bil stannar till och en kostymklädd man med ett litet skägg vevar ner rutan och undrar om hon vill ha skjuts någonstans.

"Duntzfelts allé", säger hon utan att ta av sig hörlurarna.

"Det er her." Han ler självsäkert. "Hvad laver du lytter til?"

"Kjell Lönnå."

"Selv Lonne?" Han skrattar.

Hon ser bort medan hon sparkar med kängorna mot elskåpet. "Dra åt helvete, ditt røvhul."

Hon ger honom fingret och han rullar sakta iväg. När hon ser att han stannar igen ett tiotal meter bort hoppar hon ner från skåpet och börjar gå i motsatt riktning. Hon kastar en blick över axeln och när han öppnat bildörren och är på väg ut börjar hon springa.

Hon vänder sig inte om förrän hon viker tillbaka in på gatan hon kom från och då ser hon att mannen åkt därifrån.

När hon kommer tillbaka till familjens villa ser hon att det sitter en mässingsskylt på stenmuren bredvid grinden och hon vet att hon har hittat rätt.

Herr och fru Silfverberg med dottern Madeleine.

Så det är så hon heter?

Hon ler. Så löjligt. Victoria och Madeleine, som Sveriges prinsessor.

Huset är enormt och trädgården är oklanderligt välvårdad med en frodig gräsmatta ansad som en golfbana.

Bakom stenmuren finns höga syrenbuskar och tre kraftiga ekar.

Grinden är stängd med ett elektroniskt lås och vid ena hörnet av stenmuren står ett lågt men bastant träd.

Hon ser sig omkring och försäkrar sig om att hon inte är sedd, sedan klättrar hon upp för muren och hoppar ner på andra sidan. Det lyser på nedervåningen i huset men är släckt på de två övre planen. Hon noterar att balkongdörren på andra våningen är öppen.

Ett stuprör fungerar som stege och snart gläntar hon på dörren.

Ett arbetsrum fullt av bokhyllor och på golvet ligger en stor matta.

Hon tar av sig skorna och tassar försiktigt ut i en stor hall. Till höger finns två dörrar och till vänster tre, varav en är öppen. I bortre änden av hallen ligger en trappa som förbinder våningarna. Nerifrån hörs ljudet från en teve som visar en fotbollsmatch.

Hon tittar in genom den öppna dörren. Ännu ett arbetsrum med ett skrivbord och två stora hyllor fyllda med leksaker. Små dockor i trä och porslin, verklighetstrogna modeller av bilar och flygplan och på golvet står tre dockvagnar. De övriga rummen bryr hon sig inte om, då hon antar att ingen lämnar ett spädbarn bakom en stängd dörr.

Istället smyger hon fram till trappan och börjar gå nerför den. Den kröker sig runt i ett U och hon stannar till på avsatsen i mitten, från vilken hon kan se ett stort rum med stengolv och en dörr längst bort, antagligen ytterdörren.

I taket hänger en enorm kristallkrona och mot väggen till vänster står en barnvagn med uppfälld sufflett.

Hon agerar instinktivt. Det finns inga konsekvenser, inget annat förutom här och nu.

Victoria går nerför trappan och ställer ifrån sig skorna på det nedersta trappsteget. Hon bryr sig inte längre om att smyga. Ljudet från teven är så pass högt att hon kan höra vad kommentatorerna säger.

Semifinal, Italien-Sovjetunionen, nul-nul, Neckarstadion, Stuttgart.

Bredvid barnvagnen står en glasad dubbeldörr öppen. Där inne ser herr och fru Silfverberg på teve och i vagnen ligger hennes barn.

Inkubation. Äggkläckningsmaskin.

Det är inte hon som är rovfågeln, hon tar bara tillbaka vad som är hennes.

Victoria går fram till vagnen och böjer sig ner över barnet. Ansiktet är alldeles lugnt, men hon känner inte igen det. På sjukhuset i Ålborg hade flickan sett annorlunda ut. Hennes hår hade varit mörkare, ansiktet magrare och läpparna tunnare. Nu ser hon ut som en kerub.

Barnet sover och det är fortfarande noll-noll på Neckarstadion i Stuttgart.

Victoria drar ner den tunna filten. Hennes barn har en blå pyjamas på sig, armarna är krökta och händerna vilar knutna på axlarna.

Victoria plockar upp henne. Ljudet från teven stiger och det gör att hon känner sig tryggare. Flickan sover fortfarande och är varm mot hennes axel.

Protasov, Aleinikov og Litovchenko. Og igen Litovchenko.

Ljudet blir ännu högre och hon hör en svordom inifrån rummet.

Ett-noll till Sovjetunionen på Neckarstadion i Stuttgart.

Hon håller upp barnet framför sig. Flickan har blivit slätare och blekare också. Hennes huvud ser nästan ut som ett ägg.

Plötsligt står Per-Ola Silfverberg där framför henne och under några tysta sekunder betraktar hon honom.

Hon tror inte att det är sant.

Svensken.

Glasögon och kortklippt ljust hår. Yuppieskjorta som bankirer brukar ha. Hon har bara sett honom i skitiga arbetskläder och aldrig i glasögon.

Hon ser sin egen spegelbild i dem. Hennes barn vilar mot hennes axel i Svenskens glasögon.

Han ser ut som en idiot, ansiktet är alldeles vitt, slappt och uttryckslöst.

"Heja Sovjet", säger hon medan hon vaggar barnet i famnen.

Då återvänder färgen i ansiktet på honom. "För helvete! Vad fan gör du här!?"

Hon ryggar tillbaka när han tar ett steg mot henne och sträcker armarna mot barnet.

Inkubation. Tiden mellan smittotillfället och sjukdomens utbrott. Men också ruvningstid. Väntan på äggkläckningen. Hur kan samma ord beskriva väntan på att föda ett barn och väntan på att en sjukdom ska bryta ut? Är det samma sak?

Svenskens utfall mot henne gör att hon släpper taget om barnet.

Huvudet är tyngre än övriga kroppen och hon ser hur flickan vänder sig ett halvt varv i fallet mot stengolvet.

Huvudet är ett ägg som kläcks.

Yuppieskjortan far fram och tillbaka. Den får sällskap av en svart klänning och en bärbar telefon. Hans fru har panik och Victoria kan bara skratta, eftersom ingen bryr sig om henne längre.

Litovchenko, ett-nul, påminner teven.

Flera reprissändningar.

"Heja Sovjet", upprepar hon medan hon sjunker ner mot väggen.

Barnet är en främling och hon bestämmer sig för att inte bry sig om det.

Från och med nu är det bara ett ägg i en blå pyjamas.

Kvarteret Kronoberg

Fan i helvete, tänker Jeanette Kihlberg och en obehaglig känsla sprider sig i kroppen.

Är hon utsatt för ett skämt? En konspiration? Tankarna går runt i huvudet och det känns som om hon sitter i en karusell.

Att Lars Mikkelsen en gång i tiden ingått i utredningen kring Victoria Bergman är egentligen inte konstigt, men att han kommit fram till att hon var i behov av skyddad identitet är anmärkningsvärt eftersom det inte fanns någon dom.

Det märkligaste är ändå att en psykolog vid namn Sofia Zetterlund hade gjort den psykologiska analysen. Det kan ju absolut inte vara hennes Sofia, eftersom hon inte ens hade fyllt tjugo vid tiden för utredningen.

Ett besynnerligt sammanträffande är det.

Hurtig ser road ut. "Vilken jävla slump. Ring henne direkt."

Nästan för konstigt, tänker Jeanette. "Jag ringer Sofia och du Mikkelsen. Be honom komma över till oss, helst under dagen."

När Hurtig lämnat rummet slår hon numret till Sofia. Inget svar på den privata telefonen och när hon ringer till mottagningen meddelar sekreteraren att Sofia är sjuk.

Sofia Zetterlund, tänker hon. Vad är oddsen att Victoria Bergmans psykolog på åttiotalet har samma namn som den Sofia som hon själv känner och som också är psykolog?

En sökning på datorn ger vid handen att det finns femton Sofia Zetterlund i hela Sverige. Två av dem är psykologer och båda bor i Stockholm, hennes Sofia är den ena och den andra är pensionerad sedan många år och skriven på ett äldreboende i Midsommarkransen.

Det måste vara hon, tänker Jeanette.

Allt verkar nästan uträknat. Som om någon retas med henne och konstruerar hela händelseförloppet. Jeanette tror inte på slumpen, hon tror på logiken och logiken säger henne att det finns ett samband. Det är bara det att hon ännu inte kan se det.

Återigen holism, tänker hon. Detaljerna verkar otroliga, obegripliga. Men det finns alltid en naturlig förklaring. En logisk kontext.

Hurtig ställer sig i dörröppningen. "Jag har fått svar från Skånepolisen. Enda spåren efter smitaren som körde på Henrietta Dürer är några flagor röd lack. Fallet är nerlagt sen länge."

Jeanette sväljer. "Okej, tack. Det ante mig."

"Mikkelsen är i huset. Han väntar på dig vid kaffeautomaten. Och hur gör vi med Hannah Östlund och Jessica Friberg? Åhlund har rapporterat att de båda kvinnorna är ogifta och mantalsskrivna i samma villaområde utanför stan. De är kommunjurister i samma västerort."

"Två kvinnor som tydligen hållit ihop hela livet", säger Jeanette. "Leta vidare. Checka av om rundringningen gett nåt mer och sätt Schwarz på att plöja register och lokaltidningar. Vi avvaktar lite med att hälsa på dem. Jag vill inte att vi gör bort oss och vi behöver betydligt mer på fötterna. Just nu är Victoria Bergman mer intressant."

"Och Madeleine Silfverberg?"

"De franska myndigheterna har inte mycket att berätta och det är tydligen en jävla byråkrati. Allt vi fått är en adress nere i Provence och vi har knappast resurser att åka dit i dagsläget, men det är naturligtvis ett steg vi måste ta om allt annat låser sig."

Hurtig instämmer, de lämnar rummet och Jeanette möter Lars Mikkelsen vid kaffeautomaten. Han håller två koppar i händerna och ler mot henne.

"Visst är det svart utan socker du vill ha?" Han räcker henne en mugg. "Själv vill jag ha så mycket socker att skeden kan stå av sig själv." Han flinar. "Min fru brukar säga att jag dricker socker med kaffe."

Jeanette tar emot muggen. "Vad bra att du kunde komma. Ska vi gå in till mig?"

Lars Mikkelsen stannar i nästan en timme och berättar att han fått uppdraget med Victoria Bergman när han fortfarande var ganska oerfaren.

Visst hade det varit oerhört påfrestande att ta del av Victorias öde, men det hade också övertygat honom om att han gjort rätt yrkesval.

Han ville hjälpa flickor som hon och för den delen också pojkar, även om de alltid varit underrepresenterade i statistiken.

"Vi brukar varje år få in omkring niohundra anmälningar om sexuella övergrepp." Mikkelsen suckar och knölar ihop den tomma kaffemuggen. "I över åttio procent av fallen handlar det om manliga förövare och ofta är det nån som barnet känner."

"Men hur vanligt är det egentligen?"

"På nittiotalet gjorde man en stor undersökning bland sjuttonåringar som visade att var åttonde flicka blivit utsatt."

Jeanette gör en snabb uppskattning. "Så i en normal skolklass kan man anta att det finns åtminstone en flicka som bär på en mörk hemlighet. Kanske till och med två." Hon tänker på flickorna i Johans klass och att han sannolikt känner någon som blir sexuellt utnyttjad.

"Ja, så är det. Bland pojkarna uppskattar man siffran till en på tjugofem."

De sitter tysta en stund och begrundar den mörka statistiken.

Det är Jeanette som först säger något. "Så du fick alltså ta hand om Victoria?"

"Ja, jag blev kontaktad av en psykolog på Nacka sjukhus som hade en patient hon var orolig för. Men jag minns inte vad psykologen hette."

"Sofia Zetterlund", inskjuter Jeanette.

"Ja, det låter bekant. Så hette hon nog."

"Säger inte namnet dig något mer?"

Lars Mikkelsen ser förbryllad ut. "Nej, borde det göra det?"

"Psykologen du hade kontakt med i fallet Karl Lundström heter också så."

"Ja, jävlar… När du säger det så." Mikkelsen stryker sig över hakan. "Lustigt… Men jag talade bara med henne i telefon ett par gånger och jag har svårt att minnas namn."

"Och det är bara ytterligare ett av alla sammanträffanden i det här fallet." Jeanette sveper med handen över skrivbordets alla mappar och pappersbuntar. "Du skulle bara veta hur snårigt det börjar bli. Ändå vet jag att allt hänger ihop på nåt sätt. Och Victoria Bergmans namn dyker upp överallt. Vad hände egentligen?"

Han tänker efter. "Jag blev alltså kontaktad av Sofia Zetterlund eftersom hon hade haft många samtal med den här flickan och kommit fram till att hennes situation radikalt behövde förändras. Att det var fråga om att sätta in extraordinära åtgärder."

"Som skyddad identitet? Men vem var det man skulle skydda henne mot?"

"Hennes pappa." Mikkelsen tar ett djupt andetag och fortsätter. "Kom ihåg att övergreppen började när hon var liten, i mitten på sjuttiotalet, och då såg lagstiftningen helt annorlunda ut. På den tiden hette det sexuell otukt med avkomling och lagen ändrades inte förrän 1984."

"I mina papper finns det ingenting om någon dom. Varför anmälde hon inte pappan?"

"Hon vägrade helt enkelt. Jag hade många samtal med psykologen om det, men det hjälpte inte. Victoria sa att hon skulle neka till allt om vi gjorde en anmälan. Det enda vi hade var dokumentationen av hennes skador. Allt annat var indicier och på den tiden dög inte det som bevis."

"Om Bengt Bergman hade fällts idag, vad hade han fått för straff?"

"Mellan fyra och fem år. Dessutom hade han fått betala ett skadestånd på kanske en halv miljon."

"Tiderna förändras", inflikar Jeanette syrligt.

"Ja, och idag har man dessutom insett hur den här typen av övergrepp påverkar offret. Självdestruktivitet och självmordsförsök är inte ovanliga. Som vuxen drabbas den utsatte, utan undantag, av ångest och sömnproblem, lägg till en psykisk press som försvårar för en normal kärleksrelation så förstår du varför man numera utdömer relativt höga skadestånd. Den vuxne mannens handling kommer helt enkelt att påverka barnet livet ut."

"Det ska kosta helt enkelt." Det kanske lät ironiskt, men Jeanette orkar inte förklara sig. Hon antar att Mikkelsen förstår vad hon menar. "Så vad gjorde ni?"

"Psykologen Sofia Zetterberg..."

"Zetterlund", rättar Jeanette och förstår att Mikkelsen inte överdrivit sina problem med att minnas namn.

"Ja, just det. Hon ansåg att det var oerhört viktigt att Victoria skildes från sin pappa och fick möjlighet att börja om någon annanstans, under nytt namn."

"Så då ordnade ni det?"

"Ja, och så hade vi hjälp av rättsläkaren Hasse Sjöquist."

"Jag såg det i mina papper. Hur var Victoria att prata med?"

"Vi kom varandra ganska nära och hon fick med tiden något slags förtroende för mig. Kanske inte på samma sätt som hon hade för psykologen, men i alla fall någon form av tillit."

Jeanette ser på Mikkelsen och inser varför Victoria känt sig trygg med honom. Han inger styrka och hon tror att han har god hand med barn. Liksom en storebror som kan komma till undsättning när de andra barnen är elaka. Mikkelsens ögon utstrålar ett allvar, men där finns också en lättsam nyfikenhet som smittar av sig och hon förstår att han brinner för sitt arbete.

Ibland kan hon själv känna något liknande. En vilja att göra tillvaron lite bättre, även om det bara är i hennes eget lilla hörn av världen.

"Ni ordnade alltså med en ny identitet åt Victoria Bergman?"

"Ja, Nacka tingsrätt gick på vår linje och beslutade om att hemligstämpla allt. Det är så det fungerar och jag har alltså ingen aning om vad hon heter idag eller var hon bor, men jag hoppas att hon har det bra. Även om jag måste säga att jag tvivlar." Mikkelsen ser allvarlig ut.

"För mig uppstår det nu ett stort problem eftersom jag misstänker att Victoria Bergman är den jag letar efter."

Mikkelsen stirrar oförstående på Jeanette.

Hon gör en kort sammanfattning av vad hon och Hurtig har kommit fram till och understryker hur angeläget det är att hitta Victoria. Om inte annat för att avskriva henne från utredningen.

Mikkelsen lovar att höra av sig om han kommer på något mer och de säger hej.

Jeanette ser att klockan är närmare fem och bestämmer sig för att Sofia Zetterlund den äldre får vänta tills i morgon, först vill hon prata lite med sin egen Sofia.

Hon packar ihop väskan och går ner till bilen för att åka hem. Hon slår numret, klämmer fast telefonen mot axeln och backar ut.

Signalerna går fram, men ingen svarar.

Victoria Bergman, Vita bergen

Det hade kunnat vara annorlunda. Det hade kunnat vara bra.
Kunde varit gott.
Om han bara varit annorlunda. Om han bara varit bra.

Sofia sitter på köksgolvet.

Hon mumlar för sig själv, vaggar fram och tillbaka.

"Jag är vägen och sanningen och livet. Ingen kommer till far utom genom mig."

När hon ser upp på kylskåpsdörren och mängderna av anteckningar, papperslappar och utrivna tidningsartiklar får hon ett skrattanfall. Saliven sprutar.

Hon känner till det psykologiska fenomenet L'homme du petit papier. Mannen med papperslapparna.

Det tvångsmässiga beteendet att ständigt och överallt göra noteringar om sina betraktelser.

Fylla fickorna med små, tummade anteckningar och intressanta tidningsartiklar.

Att alltid ha block och penna till hands.

Obekväm kompis.
Unsocial mate.
Solace Aim Nut.

I Sierra Leone skaffade hon sig en ny kamrat. En obekväm kompis som hon gav namnet Solace Aim Nut.

Ett anagram på unsocial mate.

Det hade varit en lek med ord, men en lek på fullaste allvar. En överlevnadsstrategi var att skapa fantasipersoner som kunde ta över när pappans krav på Victoria blev för jobbiga.

Hon har tömt ut sin skuld i sina personligheter.

Vartenda ögonkast, varenda vissling, varenda menande gest har hon tolkat som en anklagelse om hennes ovärdighet.

Hon har alltid varit smutsig.

"Om vi bekänner våra synder är han trofast och rättfärdig. Renar oss från all orättfärdighet."

Vilsen i sin egen inre labyrint spiller hon lite vin på bordet.

"Ty jag skall stärka trötta själar och alla utsvultna själar skall jag mätta."

Hon häller upp ett andra glas vin och tömmer glaset innan hon går in i badrummet.

"Ni som dukar bordet för Gad och blandar vinet åt Meni, er skall jag utlämna åt svärdet, ni måste alla böja knä för att slaktas."

Hungereld, tänker hon.

Om hungerelden slocknar så dör man.

Hon lyssnar till det inre bruset och till blodet som brinner i ådrorna. Till sist kommer elden falna och då förkolnar hjärtat och blir till en stor, svart fläck.

Hon fyller på mera vin, sköljer ansiktet, dricker och hulkar, men tvingar sig att tömma glaset, sätter sig på toalettstolen, torkar sig med en frottéhandduk, reser sig upp och sminkar sig.

När hon är klar betraktar hon sig själv.

Hon ser bra ut.

Hon duger för ändamålet.

Vet att när hon ställt sig vid bardisken och ser uttråkad ut behöver hon aldrig vänta länge.

Hon har gjort det så många gånger tidigare.

Nästan varje kväll.

I flera år.

Skuldkänslorna har fungerat som tröst eftersom det är i skulden hon är säker. Hon har bedövat sig och letat bekräftelse bland män som bara ser sig själva och därför inte kan bekräfta. Skammen blir en befrielse.

Men hon vill inte att de ska se något annat än ytan. Aldrig se in i henne.

Det är därför hennes kläder ibland är smutsiga och trasiga. Gräsfläckarna efter att ha legat på rygg i en park.

När hon är klar går hon tillbaka ut i köket, hämtar vinflaskan och går in i sovrummet. Hon dricker direkt ur flaskan medan hon letar igenom garderoben och hittar en svart klänning. Hon kränger på sig den, snubblar till, fnissar och ser sig slutligen i spegeln. Hon vet att nuet är ett ögonblick som imorgon är en minneslucka. Hur gärna hon än vill minnas det hon just nu tänker så är det tankar som aldrig kommer åter.

Som flugor på en sockerbit.

De kommer att tävla om vem som kan bjuda henne på den dyraste drinken. Vinnaren får en lätt smekning över handflatan och efter den tredje drinken hennes lår i skrevet. Hon är äkta och hennes leende är alltid uppriktigt.

Hon vet vad hon vill att de ska göra med henne och hon är alltid tydlig med att berätta det.

Men om hon ska kunna le måste hon ha mer vin, tänker hon och tar en klunk ur flaskan.

Hon känner att hon gråter, men det är bara väta på kinden och hon drar försiktigt bort det våta med undersidan av tummen. Får inte skada ytan.

Plötsligt ringer telefonen som ligger i hennes jackficka och hon vinglar ut i hallen.

Telefonsignalen är intensiv, som en spik rätt genom trumhinnan, och när hon äntligen hittar telefonen har det gått fram tio signaler.

Hon ser att det är Jeanette, trycker på AVBRYT och stänger sedan av mobilen. Hon går in i vardagsrummet och sätter sig tungt i soffan. Hon börjar bläddra i en tidskrift som ligger på bordet och hittar fram till mittuppslaget.

Så lång tid som gått och ändå samma liv, samma nödvändighet.

En färgglad bild på ett åttkantigt torn.

Hon kisar genom berusningen, fixerar blicken och ser att det är en pagod bredvid ett buddhistiskt tempel. Uppslaget är en artikel om en temaresa till Wuhan, provinshuvudstad i Hubei, på östra sidan av Yangtzefloden.

Wuhan.

Bredvid ett reportage om Gao Xingjian, nobelpristagare i litteratur och en stor bild på hans roman *En ensam människas bibel*.

Gao.

Hon lägger ifrån sig tidningen och går fram till bokhyllan, letar efter något, har svårt att urskilja de små bokstäverna, tar ett djupt andetag för att få kroppen att sluta svaja, tar stöd mot ett hyllplan och hittar till slut det hon söker.

Försiktigt drar hon ut en bok med slitet läderband.

Åtta essäer om levnadskonst från 1591 av Gao Lian.

Hon ser låsanordningen som håller bokhyllan på plats.

Gao Lian.

Gao Lian från Wuhan.

Först tvekar hon, sedan lyfter hon sakta av haspen och med ett litet, knappt hörbart knarrande glider dörren upp.

Klara sjö

Kenneth von Kwists kontor är ett sparsmakat och mycket manligt tjänsterum med svarta läderstolar, ett stort skrivbord och många naturalistiska konstverk.

På väggen bakom skrivbordet hänger en stor målning av ett högt berg.

Snö och storm.

Det svider i magen, men trots det häller han ändå upp en rejäl whisky och räcker flaskan till Viggo Dürer som skakar på huvudet.

Von Kwist lyfter glaset, sippar försiktigt och njuter av den kraftigt rökiga aromen.

Mötet med Viggo har hittills inte förändrat någonting, varken till det bättre eller sämre. Han har visserligen erkänt att han är mer än ytligt bekant med familjen Lundström.

Hans numera avlidna hustru Henrietta och Annette Lundström var skolkamrater som hållit kontakten efter studenten och de båda familjerna hade genom åren umgåtts regelbundet, även om det högst varit ett par gånger om året och länge sedan sist.

Tio år tidigare hade Viggo och Henrietta tagit bilen ner till Kristianstad och tillbringat en helg tillsammans med familjen Lundström, men det enda Viggo hade att berätta om den vistelsen var att dottern Linnea hade varit bråkig och besvärlig.

I övrigt hade de haft det riktigt trevligt.

Männen hade spelat golf på dagarna och fruarna hade haft middagen klar när de kom hem.

"Sist vi sågs var på Henriettas begravning." Viggo Dürer smackar med läpparna. "Efter det har jag inte haft någon som helst kontakt med dem. Ja, och nu är ju också Karl död…"

"Viggo…" avbryter åklagare Kenneth von Kwist med en djup utandning. "Vi har känt varandra länge och jag har alltid ställt upp för dig, precis som du alltid har funnits när jag har behövt din hjälp."

Viggo Dürer nickar. "Så är det."

"Men nu vet jag inte om jag kan hjälpa dig. Faktum är att jag inte ens vet om jag vill."

"Vad är det du säger?" Viggo Dürer ser oförstående på honom.

"Häromdagen hade jag kontakt med en psykolog eftersom det visat sig att Karl åt tunga mediciner i samband med att han erkände övergreppen på Linnea."

"Ja, det var en ruggig historia." Viggo Dürer ruskar på sig och gör en inte alltför trovärdig min av avsmak. "Men vad har det med mig att göra?"

"Sofia Zetterlund, psykologen som samtalat med Karl var säker på att medicineringen inte påverkat hans omdöme och dessutom kan hans berättelser bekräftas av dottern. Hon går förresten också i terapi hos Sofia Zetterlund."

"Vad då? Går flickan i terapi?" Viggo Dürer ser förvånad ut. "Men jag trodde att Annette…" Han tystnar och Kenneth von Kwist reagerar på att han avbrutit sig.

"Annette, vad då?"

Han flackar med blicken. "Nej, ingenting. Jag trodde bara att allt var bättre med dem nu när allt är över. Ja, åtalet mot Karl måste väl ha lagts ner nu när han är död?"

Det är någonting i Viggo Dürers uppenbarelse som stärker åklagare Kenneth von Kwists misstanke om att psykologen Sofia Zetterlund trots allt har rätt.

"Självklart är åtalet nerlagt, men nu påstår Linnea att även du var inblandad i Karls… ja vad säger man… Verksamhet?"

"Åh, fy fan." Viggo Dürer blir likblek och tar sig för bröstet.

"Hur är det, är du okej?"

Advokaten stönar till och andas djupt några gånger innan han höjer handen i en avvärjande gest. "Det är ingen fara", säger han sedan. "Men det du säger låter väldigt oroande."

"Jag vet. Och därför måste du vara pragmatisk. Om du förstår vad jag menar?"

Viggo Dürer nickar. Han tycks ha återfått krafterna.

"Jag tar hand om det."

Bene vita, Victoria Bergman, Vita bergen

Bene vita. Gott liv.
Det hade kunnat vara annorlunda. Det hade kunnat vara bra.
Kunde varit gott.
Om han bara varit annorlunda. Om han bara varit bra.
Bara varit god.

Överallt teckningar. Hundratals, kanske tusentals barnsliga, naiva teckningar utslängda på golvet eller uppsatta på väggarna.

Alla mycket detaljerade, men utförda av ett barn.

Hon ser huset i Grisslinge, före och efter branden och där finns torpet i Dala Floda.

En fågel i boet med sina ungar, före och efter att Victoria huggit med pinnen.

En liten flicka vid en fyr. Madeleine, hennes lilla flicka, som de tog ifrån henne.

Hon minns eftermiddagen när hon berättade för Bengt att hon var gravid.

Bengt hade farit upp ur fåtöljen och sett skräckslagen ut. Han hade rusat fram till henne och skrikit: "Upp med dig!"

Sedan hade han hade tagit tag i hennes armar och slitit upp henne ur soffan.

"Hoppa, för i helvete!"

De hade stått framför varandra och han hade flåsat henne i ansiktet. Luktat vitlök.

"Hoppa!" hade han upprepat. Hon minns att hon ruskat på huvudet. Aldrig, hade hon tänkt. Du får mig inte till det.

Då hade han tagit henne under armarna och lyft upp henne. Hon hade spjärnat emot, men han var för stark. Han hade burit henne bort mot källartrappan.

Hon grät.

Hon hade sparkat vilt omkring sig, livrädd för att han skulle kasta henne nerför trappan.

Men innan de nått trappavsatsen hade han släppt taget om henne och hon hade snabbt krupit bort till väggen och satt sig upp. "Rör mig inte!"

Hon minns att också han grät när han hade satt sig i fåtöljen igen och vänt ryggen åt henne.

Hon ser sig om i rummet hon använt som tillflyktsort. Bland alla teckningar och papperslappar som sitter på väggarna ser hon en tidningsartikel om kinesiska flyktingbarn som kommer till Arlanda med falskt pass, en mobiltelefon och femtio amerikanska dollar. Hur de sedan försvinner. Hundratals, varje år.

En faktaruta om Hukousystemet.

I hörnet, träningscykeln hon själv har använt. Cyklat i timmar och sedan smort in sig med väldoftande oljor.

Hon minns hur Bengt ryckt tag i hennes hand och klämt åt. "Upp på bordet", hade han snyftat utan att se på henne. "Upp på bordet för i helvete!"

Det hade känts som om hon befann sig i en annan kropp när hon till slut steg upp på bordet och vände sig mot honom. "Hoppa…"

Hon hade hoppat. Klev upp på bordet och hoppade igen. Och igen. Och igen.

Efter några minuter hade han gått ut ur rummet men hon hade fortsatt att hoppa som i trans ända tills den afrikanska flickan kommit ner för trappan. Hon hade haft masken på sig. Ansiktet var kallt och uttryckslöst. Svarta, tomma ögonhålor utan något bakom.

Det dog inte, tänker Sofia.

Hon lever.

Solrosen

Morgonen därpå åker Jeanette direkt ut till Midsommarkransen för att besöka Sofia Zetterlund den äldre. Till slut hittar hon en ledig parkeringsplats nära tunnelbanan och slår av motorn på den gamla Audin.

Trots åtskilliga reparationer det senaste året uppstår alltid nya fel på den. Det är som om mekanikerna planterar ett nytt fel varje gång de åtgärdar ett gammalt. Är det inte kylaraggregatet, topplocket eller fläktremmen så är det däcken som är felställda, hål i avgasröret eller krångel med växellådan. När hon slår av motorn låter det som om den har andnöd, ett rossligt, blött ljud följt av en suck, och hon antar att den senaste tidens fuktiga väder har gjort sitt med den gamla analoga mekaniken.

Äldreboendet där Sofia Zetterlund är mantalsskriven ligger i ett av de gula funkishusen nära Svandammsparken.

Jeanette har alltid tyckt om stadsdelarna Aspudden och Midsommarkransen, byggda under trettiotalet och som små städer i staden. Säkert en bra plats att tillbringa sina sista år på, tänker hon.

Men hon vet också att idyllen har sprickor. Ända tills för bara något år sedan huserade mc-klubben Bandidos i lokaler bara något kvarter bort.

Jeanette passerar biografen Tellus, går ytterligare några kvarter och viker in till höger på en mindre gata. Utanför den första porten på vänster sida står en skylt som hälsar henne välkommen till Solrosens Äldreboende.

Hon röker en cigarett innan hon går in och tänker på Sofia Zetterlund den yngre.

Är det på grund av Sofia som hon har börjat röka så mycket? Hon är nu uppe i drygt ett paket om dagen och har flera gånger kommit på sig själv med att smussla inför Johan, som en tjuvrökande tonåring. Men nikotinet gör att hon tänker bättre. Friare och snabbare. Och nu tänker hon på Sofia Zetterlund, den Sofia hon är förälskad i.

Förälskad? Kär? Vad är det?

Hon hade diskuterat frågan en gång med Sofia och konfronterats med ett för henne helt nytt sätt att se på begreppet. För Sofia handlar inte förälskelse om pirr i kroppen, eller som något gåtfullt och angenämt. Som hon känner själv.

Sofia hade menat att förälskelse, att vara kär, var samma sak som att vara psykotisk.

Föremålet för kärleken är bara en idealbild som inte överensstämmer med verkligheten och den som är kär är bara förälskad i själva känslan att vara kär. Sofia hade jämfört med ett barn som tillskriver ett husdjur egenskaper det inte har och Jeanette hade förstått vad hon menat men ändå blivit sårad eftersom hon strax innan erkänt för Sofia att hon var förälskad i henne.

Sofia Zetterlund, tänker hon. Hur i helvete kan allt vara så bisarrt beskaffat att jag står här och väntar på att få träffa ytterligare en Sofia Zetterlund?

Hon har själv tagit hjälp av Sofia den yngre i fallet som rörde Victoria Bergmans far. Och snart ska hon träffa Sofia den äldre, som också är psykolog och som kanske kan bidra med information om den huvudmisstänkta i hennes pågående utredning, Victoria Bergman själv.

Hon fimpar cigaretten och ringer på dörren till Solrosens Äldreboende.

Nu gäller det Sofia den äldre.

Efter ett kort samtal med föreståndarinnan blir hon visad till sällskapsrummet.

Teven står på hög volym och visar en repris av någon amerikansk komediserie från åttiotalet. Två män och tre kvinnor sitter i soffgruppen, men ingen verkar särskilt intresserad av programmet.

I andra änden av rummet, vid balkongdörren, sitter en kvinna i rullstol och stirrar ut genom fönstret.

Hon är mycket mager, klädd i en blå långklänning som täcker benen ända ner till tåspetsarna, och håret är helt vitt och räcker henne till midjan. Hon är grällt sminkad med blå ögonskugga och knallrött läppstift.

"Sofia?" Föreståndarinnan går fram till kvinnan i rullstolen och lägger en hand på hennes axel. "Du har besök. Det är en Jeanette Kihlberg från Stockholmspolisen som vill prata med dig om en av dina gamla patienter."

"Klienter, heter det." Svaret från den gamla kvinnan kommer snabbt, och är inte helt utan en ton av förakt.

Jeanette drar fram en pinnstol och sätter sig ner bredvid Sofia Zetterlund.

Hon presenterar sig och berättar om sitt ärende, men den gamla kvinnan ägnar henne inte en blick.

"Jag är som sagt här för att ställa några frågor om en av dina gamla klienter", säger Jeanette. "En ung kvinna som du träffade för tjugo år sen."

Inget svar.

Den gamla kvinnan har blicken fäst vid något därute. Ögonen ser dimmiga ut.

Hon lider nog av gråstarr, tänker Jeanette. Kanske är hon blind?

"Flickan var sjutton år då du behandlade henne", försöker Jeanette. "Hon hette Victoria Bergman. Säger namnet dig något?"

Kvinnan vrider äntligen på huvudet och Jeanette anar ett leende i det gamla ansiktet. Det tycks mjukna något.

"Victoria", säger Sofia den äldre. "Visst kommer jag ihåg henne."

Jeanette pustar ut. Hon bestämmer sig för att gå rakt på sak och flyttar stolen lite närmare. "Jag har med mig en bild på Victoria. Jag vet inte hur bra du ser, men tror du att du skulle kunna identifiera henne?"

Sofia ler brett. "Nej, du. Jag är blind sedan två år. Men jag kan beskriva henne som hon såg ut då. Blont hår, blå ögon, något melerade. Ett vackert ansikte, rak, smal näsa och fylliga läppar. Ansiktet var speciellt. Hon hade ett snett leende och hennes blick var intensiv, närvarande."

Jeanette ser på bilden av den allvarliga flickan i skolkatalogen. Utseendemässigt överensstämmer det med den gamla damens beskrivning. "Vad hände med henne efter att din behandling upphörde?"

Sofia skrattar igen. "Vem?" svarar hon.

Jeanette blir misstänksam. "Victoria Bergman."

Det frånvarande uttrycket i Sofias ansikte återkommer och efter några sekunders tystnad upprepar Jeanette sin fråga.

"Vet du vad som hände med Victoria Bergman efter att er terapi upphörde?"

Sofia spricker åter upp i ett leende. "Victoria? Ja, jag minns henne." Sedan bleknar leendet och kvinnan drar handen över kinden. "Ser mitt läppstift bra ut? Är det kladdigt?"

"Nej då, det ser bra ut", svarar Jeanette. Men hon befarar att Sofia Zetterlund har vissa problem med närminnet. Alzheimer, förmodligen.

"Victoria Bergman beviljades skyddad identitet. Träffade du henne efteråt?"

Sofia ser villrådig ut. "Victoria Bergman", säger hon högt.

En av de gamla männen som sitter i soffan och ser på teven, vänder sig mot dem. "Victoria Bergman är en jazzsångerska", skorrar han. "Hon var på teve igår."

Jeanette ler åt mannen, som nickar förnöjt.

"Victoria Bergman", upprepar Sofia. "En besynnerlig histo-ria. Men inte var hon jazzsångerska och jag har aldrig sett henne på teve. Förresten, du luktar rök... Bjuder du på en?"

Jeanette blir förvirrad över turerna i samtalet. Säkert är att Sofia Zetterlund har svårt att hålla tråden i ett pågående samtal, men det betyder ju inte att långtidsminnet är satt ur spel.

"Man får inte röka här inne, tyvärr", säger Jeanette.

Svaret från Sofia är väl inte helt sanningsenligt. "Jo då, inne på mitt rum får man det. Rulla dit mig så röker vi."

Jeanette skjuter tillbaka pinnstolen, reser sig och vänder försiktigt på Sofias rullstol. "Okej, vi sätter oss inne hos dig istället. Var har du ditt rum?"

"Sista dörren på höger sida i korridoren."

Sofia verkar piggare, om det nu beror på att hon snart ska få röka eller bara på det faktum att hon har fått någon att prata med.

Jeanette tecknar till föreståndarinnan att de ämnar dra sig undan en stund.

Väl inne på rummet insisterar Sofia på att få sitta i fåtöljen och Jeanette hjälper den gamla att komma till rätta. Själv slår hon sig ner vid det lilla bordet vid fönstret.

"Nu röker vi", säger Sofia.

Jeanette räcker henne tändare och cigaretter, varpå Sofia vant tänder en. "Det finns en askkopp i väggskåpet, den står bredvid Freud."

Freud? Jeanette vänder sig om.

I skåpet bakom henne finns mycket riktigt en askkopp, en stor sak i kristall, och bredvid den står en snökupol i glas, en vattenfylld prydnadsglob som det snöar i när man skakar den.

Vanligen brukar den bild som utgör fonden i kupolen föreställa lekande barn, snögubbar eller något annat vintermotiv. Men i Sofias snökupol finns en bild på en mycket allvarlig Sigmund Freud.

Jeanette reser sig för att hämta askkoppen. Framme vid hyllan kan hon inte låta bli att skaka på snökupolen.

Freud är insnöad, tänker hon. Sofia Zetterlund har i alla fall humor.

"Tack", säger kvinnan när Jeanette räcker henne askkoppen.

Sedan upprepar hon sin fråga. "Träffade du någonsin Victoria Bergman igen efter att hon beviljats skyddad identitet?"

Den gamla verkar alertare med en cigarett i handen. "Nej, aldrig. Det var en ny lag om skyddade personuppgifter, så det är ingen som känner till vad hon heter idag."

Så långt inget nytt, förutom att Jeanette får bekräftat att det inte är något fel på den gamla kvinnans långtidsminne.

"Hade hon några speciella kännetecken? Det verkar ju som du minns hennes utseende mycket bra."

"O ja", sa Sofia. "Hon var mycket vacker."

Jeanette väntar på en fortsättning, men då den inte kommer ställer hon samma fråga igen och först då kommer svaret.

"Det var en mycket intelligent flicka. Hon var nog egentligen för intelligent för sitt eget bästa, om du förstår?"

"Nej. Vad menar du?"

Sofias svar har inte så mycket med Jeanettes fråga att göra. "Jag har inte träffat henne personligen sedan hösten 1988. Men tio år senare fick jag ett brev från henne."

Tålamod, tänker Jeanette.

"Minns du vad det stod i brevet?"

Sofia hostar till och trevar efter askkoppen och Jeanette får skjuta fram den till henne. Så är det frånvarande ansiktsuttrycket i kvinnans ansikte tillbaka igen. "Vad de bråkar, de där två", säger hon och ser rakt förbi Jeanette som reflexmässigt vänder sig om, fast hon genast förstår att kvinnan talar om något outgrundligt från fantasin eller det förflutna.

"Minns du brevet du fick från Victoria Bergman?" försöker Jeanette igen. "Det hon skrev till dig efter att hon fått ny identitet."

"Victorias brev. Javisst, det minns jag tydligt." Sofias rödmålade leende är tillbaka.

"Minns du vad hon skrev?"

"Jag vet faktiskt inte. Men jag kan se efter..."

Vad nu då? tänker Jeanette. Har hon brevet här?

Sofia gör en ansats att resa sig, men grimaserar illa.

"Vänta, så ska jag stödja dig." Jeanette hjälper henne ner i rullstolen igen och frågar vart hon vill bli körd.

"Brevet ligger inne på mitt arbetsrum, dörren till höger när vi kommer in i köket. Du kan köra mig till dokumentskåpet, men jag måste be dig gå ut ur rummet medan jag låser upp det. Skåpet har kodlås och innehållet är konfidentiellt."

Rummet de befinner sig i har visserligen flera skåp och hyllor, men det är också allt. Ett rum med en toalett.

Jeanette förstår att Sofia mentalt har förflyttat sig bakåt i tiden till ett tidigare hem.

"Du behöver inte visa mig brevet", säger Jeanette. "Minns du vad hon skrev?"

"Ja, inte ordagrant förstås. Men det handlade till stor del om hennes dotter."

"Hennes dotter?" Jeanette blir nyfiken.

"Ja. Hon var gravid och adopterade bort ett barn. Hon var ganska förtegen om det, men jag vet att hon reste iväg för att leta reda på barnet i början av sommaren 1988. Hon bodde hos mig då. I nästan två månader."

"Bodde hos dig?"

Den gamla kvinnan ser plötsligt mycket allvarlig ut. Det är som om huden spänns och de otaliga rynkorna slätas ut. "Ja. Hon var självmordsbenägen och det var min plikt att se efter henne. Jag hade aldrig släppt iväg Victoria om det inte vore för att jag förstod att det var absolut nödvändigt för henne att återse barnet."

"Vart åkte hon?"

Sofia Zetterlund ruskar på huvudet. "Hon vägrade att tala om det. Men när hon återvände var hon starkare."

"Starkare?"

"Ja. Som om hon lagt något tungt bakom sig. Men det man gjorde mot henne i Köpenhamn var fel. Man får inte göra så mot någon."

Dåtid

Bara varit god.

"Ni är döda för mig!" skriver Victoria längst ner på vykortet som hon postar på Centralstationen i Stockholm. Kortet är en bild på kungaparet där kung Carl XIV Gustaf sitter på en förgylld stol och drottningen leende står bredvid och visar att hon är stolt över sin make och att hon är den underdånige som troget lyder sin livskamrat.

Precis som mamma, tänker hon och går ner i tunnelbanan.

Victoria tycker att drottning Silvias leende påminner om Jokerns, med läpparna uppskurna i ett rött snitt från öra till öra och hon minns att någon har berättat att kungen privat ska vara ett svin, att han när han inte kallar Arbogaborna för Örebroare brukar skjuta tändstickor på drottningen, bara för att förnedra henne.

Det är midsommarafton och därför fredag. Victoria funderar över hur en tradition, som från början haft med sommarsolståndet att göra, numera alltid infaller tredje fredagen i juni, oavsett var solen befinner sig.

Ni är slavar, tänker hon och betraktar föraktfullt de berusade människorna som med tunga matkassar kliver in i den svala tunnelbanevagnen. Lydiga lakejer. Sömngångare. Själv tycker hon inte att hon har någonting att fira och ska bara åka tillbaka till Sofias hus på Solbergavägen i Tyresö.

Det var bra att hon återvände till Köpenhamn, för nu vet hon att hon inte bryr sig.

Barnet kunde lika gärna ha dött, det skulle göra detsamma.

Men det dog inte när hon tappade det i golvet.

Hon minns inte mycket av det som hände efter att ambulansen kommit, men barnet dog inte, det vet hon.

Ägget var sprucket men inte förlorat och det gjordes aldrig någon polisanmälan.

De lät henne löpa.

Och hon vet ju varför.

När hon efter Gamla stan passerar bron över Riddarfjärden ser hon Djurgårdsbåtarna, längre bort berg-och-dalbanan på Gröna Lund och hon tänker på att hon inte besökt ett nöjesfält på tre år. Inte sedan dagen då Martin försvann. Hon vet inte vad som egentligen hände honom, men hon tror att han ramlade i vattnet.

När hon går in genom grinden ser hon Sofia i en vilstol framför det lilla röda huset med vita knutar. Hon sitter i skuggan av ett stort körsbärsträd och när Victoria kommer närmare ser hon att den gamla kvinnan sover. Hennes ljusa, nästan vita hår faller över axlarna som en sjal och hon har sminkat sig. Läpparna är röda och hon har tagit på sig blå ögonskugga.

Det är kyligt och Victoria tar filten som Sofia lagt över sina fötter och sveper den om henne.

Hon går in i huset och efter en stunds letande finner hon Sofias väska. I ytterfacket hittar hon en brun plånbok i slitet läder. Hon ser att det ligger tre hundralappar i sedelfacket och bestämmer sig för att lämna kvar en. De andra två viker hon på mitten och stoppar ner i bakfickan på sina jeans.

Hon lägger tillbaka plånboken och går in i Sofias arbetsrum. Blocket med anteckningar hittar hon i en av skrivbordslådorna.

Victoria sätter sig ner vid skrivbordet, öppnar boken och börjar läsa.

Hon ser att Sofia har skrivit ner allt Victoria sagt, ibland till och med ordagrant, och Victoria häpnar över att Sofia också har hunnit med att beskriva hur Victoria rört sig eller i vilket tonfall hon pratat.

Victoria antar att Sofia behärskar stenografi och sedan skriver rent samtalen. Hon läser sakta och begrundar allt som sagts.

De har ju trots allt träffats över femtio gånger.

Hon tar en penna och ändrar namnen så att det blir rätt. Om det står att Victoria har gjort något när det egentligen varit Solace som var den skyldiga, korrigerar hon det. Rätt ska vara rätt och hon vill inte ha skulden för något som Solace ställt till med.

Victoria arbetar intensivt och glömmer att tiden går. Medan hon läser låtsas hon att hon är Sofia. Rynkar pannan och försöker ställa en diagnos på klienten.

I kanten på pappret skriver hon ner sina egna iakttagelser och analyser.

Vidare förklarar hon kortfattat vad hon tycker att Sofia ska göra eller vilka trådar som borde följas upp.

När Sofia inte har förstått vad Solace pratat om förklarar Victoria det i kanten med små, tydliga bokstäver.

Egentligen fattar hon inte hur Sofia kunnat missförstå så mycket.

Klienten är ju hur tydlig som helst.

Victoria är som uppslukad av arbetet och lägger inte ifrån sig blocket förrän hon hör Sofia stöka ute i köket.

Hon ser ut genom fönstret. På andra sidan vägen, nere vid sjön, sitter en grupp människor och äter. De har slagit sig ner på bryggan och dukat upp för midsommarfirande.

Från köket luktar det dill.

"Välkommen tillbaka, Victoria!" Sofia ropar åt henne utifrån köket. "Hur gick resan?"

Hon svarar kort att allt gått bra.

Barnet är bara ett ägg i en blå pyjamas. Inget mer. Det där har hon lagt bakom sig.

Den ljusa kvällen övergår i en nästan lika ljus natt och när Sofia säger att hon ska gå och lägga sig sitter Victoria kvar på stentrappan och lyssnar till fåglarna. En näktergal klagar från ett träd i grannens trädgård och hon hör ljudet från de festande nere på bryggan. Det får henne att tänka på midsommarfirandet i Dalarna.

Det började med att man gick ner till Dalälven och tittade på kyrkbåtarna innan man gick ut i skogen och högg en massa björkris som skulle spikas upp bredvid ytterdörren innan det var dags för dans kring stången som karlarna hivade upp under tjo och tjim. Tanterna med blomsterkransar skrattade mer än på länge, men inte så länge till för när snapsen börjat få fäste och alla andras kärringar var så mycket snyggare än ens egen fru, så kunde det svida till i kinden när näven talade om hur jävla fet man var. Och så bra alla andra hade det som hade en kärring som var kåt, glad och tacksam och inte bara såg tjurig och grå ut. Och att det var lika bra att krypa ner hos henne och fingra och pilla fast man sa att man hade ont i magen och han sa att man ätit för mycket godis när man knappt ens fått pengar till en läsk och istället gått omkring och tittat på när alla andra ungar köpte lotter med sockervadd upp över öronen...

Victoria ser sig omkring. Det har blivit tyst nere vid sjön och solen skymtar bakom horisonten. Den kommer bara att försvinna i någon timme innan den stiger igen.

Mörkt blir det aldrig.

Hon reser sig, lite stel i kroppen av den hårda trappan.

Hon fryser lite och överväger att gå in men bestämmer sig istället för att ta en promenad för att få upp värmen.

Hon är inte trött fast det nu nästan är morgon.

Det vassa gruset gör ont under hennes bara fötter och hon går istället på kanten till gräsmattan. Vid grinden står en överblommad syren, men trots att blommorna ser vissna ut doftar de fortfarande.

Vägen ligger öde, bara ljudet från en båt långt borta och hon går ner till bryggan.

Några måsar festar på resterna från kvällens firande, vilka ligger utspridda runt en överfull soptunna. De lämnar motvilligt platsen och flyger skränande ut över sjön.

Hon går ut på bryggan och sätter sig ner på knä.

Vattnet är svart och kallt och några fiskar är uppe och vakar, nappar åt sig av insekterna som flyger strax ovan vattenytan.

Hon lägger sig på mage och stirrar ner i mörkret.

Vattnets krusningar gör att hennes spegelbild blir suddig, men hon tycker om att se sig på det viset.

Hon ser sötare ut.

Slicka på ens läppar och stoppa in tungan i munnen, som antagligen smakade kräks eftersom två flaskor körsbärsvin kommer upp lättare än de slinker ner. Det kunde vara femton killar som hetsade varandra och labben var ju inte så stor, speciellt när det regnade hela tiden och de inte kunde sitta ute. De brukade spela skitgubbe om vem som skulle få följa med in i det andra rummet. Om de var utomhus var det kanske i slänten bakom skolan, som man kunde ramla nerför och bli till en hög bara meter från gångvägen och blickarna som vändes bort när man såg dem underifrån och man bara vrålade till ungen att han ju sagt att han ville bada efter att de åkt pariserhjulet. Och nu står man här och fryser, så då är det väl bara att hoppa i istället för att tjata om den nya barnflickan som ska vara så snäll...

I vattnet ser Victoria Martin sakta sjunka och försvinna.

På måndagsmorgonen väcks hon av Sofia som säger att klockan är elva och att de snart ska ta bilen och åka in till stan.

När Victoria kliver ur sängen ser hon att hennes fötter är smutsiga, att hon har skrapsår på knäna och att hennes hår fortfarande är vått, men hon minns inte vad hon gjort under natten.

Sofia har ordnat med frukost ute i trädgården och medan de äter berättar hon att Victoria ska få träffa en läkare som heter Hans som ska undersöka henne och dokumentera vad han ser. Sedan ska de, om de hinner, träffa en polis som heter Lars.

"Hasse och Lasse?" Victoria fnyser. "Jag hatar snutar", fräser hon och skjuter demonstrativt ifrån sig koppen. "Jag har inte gjort nåt."

"Inte mer än att du har tagit två hundrakronor ur min plånbok och därför får betala bensinen när jag tankar."

Victoria vet inte vad hon känner, men det är som om hon tycker synd om Sofia.

Det är en ny upplevelse.

Hasse är läkare på Rättsmedicinalverket i Solna och är den som undersöker Victoria. Det är den andra undersökningen, efter den på Nacka sjukhus för en vecka sedan.

När han tar på henne, särar på hennes ben och tittar i henne, önskar hon att hon istället var på Nacka sjukhus, där läkaren hade varit en kvinna.

Anita eller Annika.

Hon minns inte.

Hasse förklarar för henne att undersökningen kan upplevas som obehaglig, men att han är där för att hjälpa henne. Var inte det precis vad hon alltid hade fått höra?

Att det kan kännas konstigt, men att det är för hennes skull?

Hasse ser allt på hennes kropp och han dokumenterar det han ser med hjälp av en liten bandspelare.

Han lyser i hennes mun med en ficklampa och rösten är sakligt entonig. "Munnen. Slemhinnebristningar", säger den.

Och resten av hennes kropp.

"Underlivet. Inre och yttre könsorganen, ärrbildningar efter tvingad uttänjning från prematur ålder. Ändtarmsöppningen, ärrbildningar, prematura, läkta bristningar, tvingad uttänjning, utvidgning av blodkärl, fissurer i sphinkterani, portvaktstaggen... Ärr efter vassa föremål på bålen, buken, lår och armar, cirka en tredjedel prematura. Spår av blodsutgjutelser..."

Hon blundar och tänker på att det här gör hon för att kunna börja om på nytt, för att bli en annan och glömma.

Klockan fyra samma dag träffar hon Lars, polisen hon ska tala med.

Han verkar uppmärksam, han har till exempel förstått att hon inte vill ta i hand när de hälsar, och han rör henne inte.

Det första samtalet med Lars Mikkelsen sker inne på hans kontor och hon berättar samma saker som hon berättat för Sofia Zetterlund.

Han ser sorgsen ut när hon svarar på hans frågor, men han tappar inte fattningen och Victoria känner sig förvånansvärt avslappnad. Efter ett tag blir hon nyfiken på vem Lars Mikkelsen egentligen är, och hon frågar varför han arbetar med det han gör.

Han ser eftertänksam ut och dröjer med svaret.

"Jag anser att den här typen av brott är de allra vidrigaste. Alldeles för få offer får upprättelse och alltför få förövare åker dit", säger han efter en stund och Victoria känner sig träffad.

"Du vet väl att jag inte tänker sätta dit någon?"

Han ser allvarligt på henne. "Ja, jag vet det, och det är synd, även om det inte är ovanligt."

"Vad tror du det beror på då?"

Han ler försiktigt och verkar inte bry sig om hennes nonchalanta ton. "Nu verkar det som om det är du som frågar ut mig", säger han. "Men jag ska svara på din fråga. Jag tror helt enkelt att vi lever kvar i medeltiden."

"Medeltiden?"

"Ja, just det. Känner du till begreppet brudrov?"

Victoria skakar på huvudet.

"På medeltiden kunde en man driva fram ett äktenskap genom att röva bort och sexuellt förgripa sig på en kvinna. Genom att bli sexuellt utnyttjad tvingades hon gifta sig med mannen och samtidigt fick mannen äganderätt till hennes egendom."

"Jaha, och än sen då?"

"Det handlar om egendom och beroende", säger han. "Ursprungligen uppfattades inte våldtäkten som en personlig kränkning av den kvinna som utsattes, utan som ett egendomsbrott. Våldtäktslagarna tillkom för att skydda männens rätt till värdefull sexuell egendom, antingen genom att gifta bort kvinnan eller använda henne för eget bruk. Eftersom ett sådant brott gällde mannens lagliga rätt, var kvinnan inte ens part i målet. Hon var enbart en egendom i en uppgörelse mellan män. Kring våldtäktshandlingen finns fortfarande myter med spår från medeltidens kvinnosyn. Hon kunde ha sagt nej, eller hon sa nej, men menade ja. Hon var så utmanande klädd. Hon vill bara hämnas på mannen."

Victoria blir intresserad.

"Och på samma sätt lever en medeltida syn på barn delvis kvar", fortsätter han. "Långt in på artonhundratalet betraktades barn som små vuxna, med begränsade förståndsförmögenheter. Barn straffades, rentav avrättades, på i stort sett samma premisser som vuxna. En rest av det synsättet finns kvar än idag. Till och med i västvärlden fängslar man minderåriga. Barnet betraktas som en vuxen, samtidigt som det inte har den vuxnes rättigheter att bestämma över sig själv. Omyndig men straffmyndig. Den vuxnes egendom."

Hans utläggning förvånar Victoria. Hon har aldrig trott att en man kan resonera så här.

"Det är det viktigaste", avslutar Lars Mikkelsen, "att vuxna än idag betraktar barnet som sin egendom. De straffar och uppfostrar efter egna lagar."

Han ser på Victoria. "Är du nöjd med mitt svar?"

Han ger ett uppriktigt intryck och verkar brinna för sitt arbete. Hon hatar egentligen snutar, men han beter sig inte som en snut. "Ja", svarar hon.

"Så då ska vi kanske återgå till dig?"

"Okej."

En halvtimme senare är det första samtalet över.

Det är natt och Sofia sover. Victoria smyger in i arbetsrummet och stänger dörren försiktigt efter sig. Sofia har inte sagt något om att Victoria skrivit i hennes anteckningsbok och antagligen har hon inte upptäckt det.

Hon tar fram boken och fortsätter där hon sist blev avbruten.

Hon tycker att Sofia har en vacker handstil:

Victoria uppvisar en tendens att glömma vad hon själv sagt tio minuter tidigare, likväl som en vecka tidigare. Är dessa "bortfall" vanliga minnesluckor eller är de tecken på DID?

Jag vet inte säkert än, men bortfallen tillsammans med Victorias symptom i övrigt, passar väl in i sjukdomsbilden.

Jag har lagt märke till att hon under de flesta av sina bortfall berör samtalsämnen hon vanligen inte är kapabel att diskutera. Barndomsåren, hennes tidigaste minnen.

Victorias berättelse är associativ, ett minne leder till ett annat. Är det en delpersonlighet som berättar, eller uppträder Victoria barnsligare för att det är lättare att berätta om minnena om hon adapterar ett beteende hon hade som tolv, tretton år gammal? Är minnena äkta, eller är de uppblandade med Victorias tankar om händelserna idag? Vem är Kråkflickan, som hon ofta återkommer till?

Victoria suckar och infogar:

Kråkflickan är en blandning av alla oss andra, utom Sömngångaren, som inte förstått att Kråkflickan finns.

Victoria arbetar hela natten och när klockan är sex på morgonen börjar hon bli orolig att Sofia snart ska vakna.

Innan hon ska lägga tillbaka boken i skrivbordslådan bläddrar hon lite på måfå i den, mest för att hon har svårt att lägga den ifrån sig. Då märker hon att Sofia trots allt har upptäckt hennes kommentarer.

Victoria läser den ursprungliga texten på anteckningsbokens allra första sida.

Mitt första intryck av Victoria är att hon är mycket intelligent. Hon har goda förkunskaper om mitt yrke och om vad terapiarbete innebär. När jag i slutet av vår timme påpekade detta hände något oväntat, vilket visade mig att hon utöver sin intelligens också har ett mycket hett temperament. Hon fräste åt mig. Sade att jag "inte visste ett skit" och "var en nolla". Det var länge sedan jag såg någon så arg och den oförblommerade ilskan hos henne gör mig orolig.

För ett par dagar sedan hade Victoria kommenterat detta.

Jag var inte alls arg på dig. Det måste vara en missuppfattning. Jag sa att det var jag som inte visste ett skit. Att det var jag som var en nolla. JAG, inte du!

Och nu hade alltså Sofia läst det Victoria skrivit och lämnat ett svar på det.

Victoria, förlåt om jag missuppfattade situationen. Men du var så arg att det knappt gick att urskilja vad du sa och du gav intrycket att det var mig du var arg på.

Det var din ilska som oroade mig.

För övrigt har jag läst allt du skrivit i anteckningsboken, och jag tycker att du har mycket intressant att berätta. Utan att överdriva det allra minsta kan jag säga att dina analyser i många fall är så träffsäkra att de överträffar mina egna.

Du är ett psykologämne. Sök in till universitetet!

Sedan är utrymmet i marginalen slut och Sofia har ritat en pil som tecken för att vända blad. Där har hon tillfogat:

Jag skulle dock uppskatta om du frågade om lov innan du lånade anteckningsboken. Kanske kan du och jag, när du känner dig redo, ha ett samtal om det du skrivit?

Kram från Sofia

Klara sjö

Lögnen är vit som snö och drabbar ingen oskyldig.

Åklagare Kenneth von Kwist är tillfreds med sitt arrangemang och intalar sig att han har löst de uppkomna problemen på ett föredömligt sätt. Alla är nöjda och glada.

Efter det taktiska draget med Nacka tingsrätt har Jeanette Kihlberg fullt upp med Victoria Bergman och mötet med Viggo Dürer har resulterat i att advokaten ordnat en ny inofficiell förlikning med å ena sidan Ulrika Wendin och å den andra familjen Lundström. Att det har kostat en slant är ingenting som bekymrar honom, eftersom det inte är han som betalar.

Och Dürer har råd.

Som åklagare Kenneth von Kwist försöker intala sig är alla problem åtminstone tillfälligt lösta. Det är bara det att han fruktar att ett nytt dykt upp.

Det är inget reellt problem. Faktum är att det bara är han själv som känner till det och så länge han får råda kommer ingen annan att få veta något.

Så egentligen borde det inte finnas skäl att vara nervös.

Men problemet gör åklagaren illamående och det är en känsla som han inte upplevt sedan han var tretton år gammal och svek sin bästa vän.

För över fyrtio år sedan stal två pojkar några reservdelar till en moped från en verkstad och när de åkte fast såg en av pojkarna till att svära sig fri och skyllde allt på sin kamrat som fick så mycket stryk av verkstadsägarens tre söner att han blev sängliggande i flera veckor.

Kenneth von Kwist känner likadant nu som han gjorde då.

Det nya problemet är hans samvete och han sitter på sitt rum på åklagarmyndigheten och är orolig för vad som kan ha hänt med Ulrika Wendin.

Har Viggo verkligen bara erbjudit henne mer pengar?

Det hade ju inte hjälpt första gången, eftersom den unga kvinnan strax efteråt hade talat med både polisen och psykologen, så varför skulle det fungera nu?

Viggo Dürer hade varit hemlighetsfull med hur han hade tänkt hantera Ulrika Wendin och åklagaren undrar om advokaten är kapabel att låta flickan försvinna.

Han tänker på handlingarna som han tidigare förvandlat till strimlor i dokumentförstöraren. Akter som kunde ha varit till nytta för Ulrika Wendin men till uppenbar skada för advokat Viggo Dürer, före detta polischef Gert Berglind och i förlängningen också för honom själv.

Har jag gjort rätt? tänker åklagaren.

Kenneth von Kwist har inga svar på sina frågor och det är därför hans illamående nu har spridit sig ända upp till svalget i form av halsbränna och sura uppstötningar.

Åklagarens magsår har smaksatt hans samvete.

Solrosen

"Vad gjorde man med Victoria i Köpenhamn?" frågar Jeanette.
"Och minns du innehållet i brevet?"

"Ge mig en cigarett till, så kanske jag minns."

Jeanette räcker Sofia Zetterlund paketet.

"Nå, vad var det vi pratade om?" frågar hon efter ett par djupa bloss på cigaretten.

Jeanette börjar bli otålig. "Köpenhamn och brevet från Victoria som du fick för tio år sen. Minns du vad hon skrev?"

"Jag kan tyvärr inte berätta om Köpenhamn och brevet minns jag inte i detalj, men jag minns att hon hade det bra. Hon hade träffat en man som hon trivdes med och hon hade, precis som hon önskat, utbildat sig och skaffat ett arbete. Utomlands, tror jag..." Sofia hostar till. "Ursäkta mig. Jag har inte rökt på så länge."

"Hon jobbade utomlands?"

"Ja, just det. Men det var inte hennes huvudsakliga syssla, tror jag, hon hade ett annat arbete i Stockholm."

"Skrev hon vad hon jobbade med?"

Sofia suckar och ser misstänksam ut. "Vem är du egentligen? Du vet väl att jag inte kan tumma på tystnadsplikten?"

Jeanette blir överrumplad, ler igenkännande och minns att hennes Sofia också hänvisat till tystnadsplikten. Hon upprepar återigen vem hon är och förklarar att det är av största vikt eftersom det har att göra med flera mord.

"Jag kan inte berätta något mer", säger Sofia. "Flickan har skyddad identitet. Jag bryter mot lagen."

Jeanette reagerar instinktivt. "Lagen har ändrats", ljuger hon.

"Känner du inte till det? Lagen har ändrats av den nya regeringen, den har fått en tilläggsparagraf som innebär att det finns undantagsfall. Mord är ett sådant."

"Jaså..." Sofia ser frånvarande ut igen. "Vad menar du?"

"Jag menar att du tvärtom bryter mot lagen om du inte hjälper mig. Jag vill inte pressa dig, men vore tacksam om du åtminstone kunde ge mig en hint."

"Vill du ha en hint? Vad är en hint?"

"Jag menar bara att om du känner till vad Victoria Bergman arbetade med, eller något annat som kan gagna utredningen, vore jag tacksam om du kunde ge mig en ledtråd."

Till Jeanettes förvåning skrattar Sofia högt, och ber om ytterligare en cigarett. "Då spelar det väl ingen roll längre", säger hon. "Kan du räcka mig Freud, är du snäll..."

"Freud?"

"Ja, du var där och fingrade på honom när du hämtade askkoppen, det hörde jag. Jag må vara blind, men jag är inte döv än."

Jeanette lyfter ner den lilla snökupolen av glas med Freuds porträtt från väggskåpet medan den gamla kvinnan tänder ännu en cigarett.

"Victoria Bergman var mycket speciell", börjar Sofia, medan hon sakta vänder på snökupolen mellan händerna. Röken från cigaretten ringlar sig kring hennes blå klänning och snön innanför glaset virvlar runt. "Du har läst mina utlåtanden och domstolsbeslutet om Victorias identitetsskydd och känner till anledningen till det. Victoria blev som liten, och ända upp i vuxen ålder, utsatt för grova sexuella övergrepp av sin far och förmodligen också av andra män."

Sofia gör en paus och Jeanette förundras över hur den gamla kvinnan pendlar mellan intellektuell skärpa och demensliknande förvirring.

"Men du känner antagligen inte till att Victoria också led av multipel personlighetsstörning, eller dissociativ identitetsstörning, om begreppen är bekanta?"

Nu är det Sofia Zetterlund som styr samtalet.

Jeanette känner till begreppen vagt. Sofia den yngre hade vid något tillfälle förklarat att Samuel Bai haft en sådan personlighetsstörning.

"Även om det är ytterst ovanligt är det egentligen inte så komplicerat", fortsätter Sofia den äldre. "Victoria tvingades helt enkelt att uppfinna flera versioner av sig själv för att kunna överleva och hantera minnena av sina upplevelser. När vi gav henne en ny identitet fick hon papper på att en av hennes delpersonligheter verkligen existerade. Det var den skötsamma delen av henne, den som kunde utbilda sig, arbeta och så vidare, kort sagt leva ett normalt liv. I brevet jag fick skrev hon att hon gått i mina fotspår, men att hon inte var freudian..."

Sofia ler igen, blinkar åt Jeanette med ett starröga och skakar på snökupolen. Jeanette känner pulsen stiga.

I Sofias fotspår, tänker hon.

"Freud skrev om moralisk masochism", tillägger Sofia. "En dissociativ persons masochism kan bestå i att han eller hon återupplever sina egna övergrepp genom att låta en alternativ personlighet utföra dem på andra. Jag anade ett sådant drag hos Victoria och om hon inte fått hjälp med sina problem i vuxen ålder, är risken stor att denna personlighet lever kvar i henne. Den agerar som hennes far för att plåga sig själv, för att straffa sig själv."

Sofia fimpar cigaretten i blomkrukan på bordet och lutar sig sedan tillbaka i fåtöljen och Jeanette noterar att det frånvarande uttrycket i hennes ansikte återvänder.

Hon lämnar Solrosen tio minuter och en utskällning senare. Hon och Sofia hade rökt fem cigaretter var under samtalet och blivit ertappade av föreståndarinnan och en sköterska, som skulle ge Sofia hennes medicin.

Jeanette hade blivit utskälld efter noter och ombedd att gå därifrån. Lyckligtvis hade hon vid det laget fått veta tillräckligt mycket för att kunna gå vidare med fallet.

Hon sätter sig vid ratten och vrider om startnyckeln. Motorn rosslar till, men vägrar att starta. "Skit också", svär hon.

Efter ett tiotal försök ger hon upp och bestämmer sig istället för att ta en kaffe någonstans i närheten, ringa till Hurtig och be honom hämta henne. Då kan de också få tillfälle att prata igenom det som Sofia Zetterlund berättat.

Hon går ner mot Midsommarkransens centrum och krogen Tre Vänner, mittemot tunnelbanan. Lokalen är halvfull och hon letar upp ett ledigt bås vid fönstren som vetter mot Midsommarparken, beställer in en kaffe och en Ramlösa och slår numret till Hurtig.

"Jaha, vad har hänt?" Han låter förväntansfull och Jeanette ler för sig själv medan hon klarar strupen med en stor klunk mineralvatten.

"Sofia Zetterlund har berättat för mig att Victoria Bergman arbetar som psykolog."

Tvålpalatset

Har det inte sagts att övermättnad är ett av de starkaste symptomen på otillfredsställdhet? Sofia Zetterlund promenerar längs Hornsgatan innesluten i sig själv. Och är inte otillfredsställelse all förändrings murbräcka?

Hon känner sig jagad och förföljd, men inte av en fysisk person utan av minnen. Det förflutna tränger fram mellan vardagliga funderingar om matinköp och andra praktiska göromål.

En välkänd doft kan få henne att oväntat må illa och ett plötsligt ljud få magen att dra ihop sig i konvulsioner.

Hon vet att hon förr eller senare måste berätta för Jeanette vem hon egentligen är. Förklara att hon varit sjuk, men att hon nu är frisk. Är det så enkelt? Kommer det att räcka med att bara berätta? Och hur ska Jeanette reagera?

När hon försökt hjälpa Jeanette med gärningsmannaprofilen har hon egentligen bara, osentimentalt och känslokallt, berättat om sig själv. Hon hade inte behövt läsa brottsplatsundersökningarna eftersom hon visste hur det hade sett ut. Hur det borde ha sett ut.

Allt hade fallit på plats och hon hade förstått.

Fredrika Grünewald och Per-Ola Silfverberg.

Vilka mer? Regina Ceder, så klart.

Och avslutningsvis hon själv. Så måste det bli.

Det var vad som måste ske.

Orsak och verkan. Hon ska vara kronan på verket. Den oundvikliga finalen.

Det enklaste är att berätta allt för Jeanette och få ett slut på vansinnet, men någonting hindrar henne.

Å andra sidan är det kanske för sent. Lavinen är satt i rörelse och inga krafter i världen kan stoppa den.

Hon sneddar över Mariatorget och går bort mot Tvålpalatset, in genom porten och tar hissen upp.

När hon kommer in i receptionen ropar Ann-Britt på henne. Hon har något viktigt att berätta.

Sofia Zetterlund blir först förvånad och sedan arg när Ann-Britt berättar att hon tidigare på dagen mottagit telefonsamtal från både Ulrika Wendin och Annette Lundström.

Alla inplanerade möten med Ulrika och Linnea är avbokade.

"Alla? Hade de nån motivering?" Sofia lutar sig över receptionsdisken.

"Nja, Linneas mamma berättade att hon själv nu mådde bättre och att Linnea var hemma igen." Ann-Britt viker ihop tidningen hon har framför sig innan hon fortsätter. "Tydligen har hon fått tillbaka vårdnaden om flickan. Omhändertagandet var bara tillfälligt och nu när allt är bra så tyckte hon inte att Linnea behövde komma till dig längre."

"Vilken jävla idiot!" Sofia känner hur det kokar. "Så nu tror hon plötsligt att hon har kompetens att avgöra vilken behandling flickan är i behov av?"

Ann-Britt reser sig och går bort till vattenbehållaren som står utanför pentryt. "Hon kanske inte uttryckte sig så, men det var väl ungefär vad hon sa."

"Och vad hade Ulrika för anledning?"

Ann-Britt tappar upp ett glas vatten. "Hon var väldigt kortfattad och sa bara att hon inte ville komma fler gånger."

"Märkligt." Sofia vänder sig om och börjar gå mot sitt rum. "Då har jag dagen ledig, alltså?"

Ann-Britt tar vattenglaset från munnen och ler. "Ja, men det kan väl du behöva." Hon fyller glaset en gång till. "Gör som jag när jag har tråkigt och lös några korsord."

Sofia vänder och går tillbaka ut till hissen och åker ner, går ut på gatan och tar S:t Paulsgatan österut.

Vid Bellmansgatan svänger hon vänster, förbi Maria Magdalena kyrkogård.

Femtio meter längre fram ser hon ryggen på en kvinna och det är någonting med de breda, rullande höfterna och fötternas utåtriktade vinkel som hon känner igen.

Kvinnan går med böjt huvud, liksom nerpressad av en inre tyngd. Hennes hår är grått och uppsatt i en knut.

Sofia känner hur magen drar ihop sig, hon börjar kallsvettas och när hon stannar upp ser hon kvinnan svänga runt hörnet in på Hornsgatan.

Minnesbilder, svåra att rekonstruera. Fragmentariska.

I över trettio år har hennes andra jags minnen legat begravda som vassa skärvor djupt inom henne – sönderslagna bitar från en annan tid och en annan plats.

Hon börjar gå, ökar stegen och småspringer vidare, bort till gatukorsningen, men kvinnan är försvunnen.

Svavelsö

Flyget från S:t Tropez anländer på utsatt tid och Regina Ceder kliver av planet i alldeles för tunna kläder. Sverige är kallt, ett deprimerande regn faller utanför fönstret och för ett ögonblick ångrar hon att hon avbrutit semestern.

Men när hennes mamma hade ringt och berättat att polisen sökt henne fann hon det lämpligt att åka hem. Och det är trots allt nödvändigt att gå vidare i livet och söka tjänsten i Bryssel.

Hon vet att hårt arbete är ett bra sätt att ta sig genom kriser eftersom hon gjort det tidigare. Andra kanske uppfattar henne som känslokall, men själv tycker hon att hon är rationell. Det är bara förlorare som ägnar sig åt självömkan och en förlorare är det sista hon vill vara.

Hon passerar ankomsthallen, hämtar sitt bagage och går ut till taxibilarna. När hon öppnar dörren till en av dem ringer hennes telefon och innan hon svarar slänger hon snabbt in sin väska i baksätet och hoppar in. "Svavelsö, Åkersberga."

Numret är dolt och hon antar att det är den kvinnliga polis som för några dagar sedan ringt och pratat med Beatrice. Samtalet hade handlat om Sigtuna och Reginas gamla klasskompisar.

"Ja, det är Regina."

Det sprakar till och sedan hörs ett ljud som om någon gurglar i vatten, vilket genast åkallar minnet av Jonathan och olyckan i badhuset.

"Hallå", försöker hon. "Är det någon där?"

Hon hör någon skratta innan det knäpper till och samtalet avslutas. En felringning, tänker hon och lägger ner telefonen i handväskan.

Taxin stannar utanför villan. Hon betalar, tar sitt bagage och går upp för grusgången mot entrén. Hon stannar till nedanför trappan och stirrar på huset.

Så mycket minnen. Minnen av ett liv som inte längre är. Ska hon sälja och flytta för gott?

Hon har egentligen ingenting kvar här som hon saknar och dessutom är Sverige rent ekonomiskt inte längre ett bra land att bo i, trots den nya regeringen. Om arbetet i Bryssel blir hennes kan hon köpa ett hus i Luxemburg och istället förvalta sina pengar där.

Hon tar fram nycklarna, låser upp och kliver in. Hon vet att Beatrice spelar bridge och ska komma hem först senare under kvällen och det är därför hon blir orolig när hon tänder lampan i hallen.

Hallgolvet är blött och lerigt, som om någon har gått in med skorna på.

Det luktar också starkt av klorin.

På köksbordet har Beatrice lagt hennes post i en prydlig hög och överst ligger ett litet vitt kuvert. Det är ofrankerat och någon har textat TILL DEN DET VEDERBÖR! med spretig, nästan barnslig handstil.

Hon öppnar och ser att kuvertet innehåller ett fotografi.

Det är en polaroidbild som föreställer en kvinna från brösten och neråt, stående i en bassäng med vattnet i midjehöjd.

Regina tittar närmare på bilden och skymtar någonting under vattnet.

Snett till vänster om kvinnan syns ett suddigt ansikte under vattenytan, med tomma, döda ögon och munnen formad i ett skrik.

I samma ögonblick som hon ser sin drunknade son och kvinnans högra hand förstår hon.

När hon hör att någon kommer in i rummet släpper hon fotografiet och vänder sig om, sedan smärtar det till i halsen på henne och hon faller omkull.

Kvarteret Kronoberg

Det är sen eftermiddag och Jeanette sitter på sitt arbetsrum med ett A3-ark framför sig, en skiss som innehåller alla de namn som dykt upp under utredningen.

Då sker allt på en och samma gång.

Hon har grupperat namnen och markerat relationerna mellan dem och när hon fattar pennan igen för att dra ett streck från ett namn till ett annat, kommer Hurtig inrusande på hennes rum samtidigt som telefonen ringer.

Jeanette ser att det är Åke och gör en gest åt Hurtig att vänta medan hon svarar.

"Du måste komma och hämta Johan." Åke låter upprörd. "Det här fungerar inte."

Hurtig ser frustrerad ut. "Du får lägga på. Vi måste sticka."

"Vad är det som inte funkar?" Jeanette spänner ögonen i Hurtig och håller upp två fingrar i luften. "Du måste väl för i helvete kunna ta hand om din son. Dessutom jobbar jag och har inte tid just nu."

"Det spelar ingen roll. Vi måste prata om…"

"Inte nu!" avbryter hon. "Jag måste iväg och om Johan inte kan vara hos dig får du skjutsa hem honom. Jag är hemma om någon timme."

Hurtig skakar på huvudet. "Nej, nej, nej", säger han lågt. "Du kommer inte att vara hemma förrän efter midnatt. Ett nytt mord. Åkersberga."

"Åke, vänta lite." Hon vänder sig mot Hurtig. "Vad säger du? Åkersberga?"

"Ja, Regina Ceder är död. Skjuten. Vi måste…"

"En minut." Hon tar upp telefonen igen. "Som sagt. Jag kan inte prata nu."

"Som vanligt då." Åke suckar. "Fattar du nu varför jag inte orkade leva med…"

"Håll käften!" ryter hon. "Det enda du behöver göra är att köra hem Johan. Det måste du väl för fan klara av? Vi får prata sen!"

Det blir tyst i luren. Åke har redan lagt på och Jeanette känner kinderna hetta och tårarna tränga fram.

Hurtig håller upp hennes jacka. "Förlåt, det var inte meningen att…"

"Det är lugnt." Hon kränger på sig jackan samtidigt som hon föser ut Hurtig, släcker lampan och stänger dörren. "Ketchupeffekten."

När de halvspringande tar sig nerför trapporna till garaget informerar Hurtig Jeanette om vad som hänt.

Beatrice Ceder, Reginas mamma, har hittat sin dotter död på köksgolvet.

Hurtig tar de sista tre trappstegen i ett enda kliv.

Jeanette är fortfarande upprörd över samtalet med Åke och har svårt att koncentrera sig. Vad är det nu med Johan? tänker hon. Åke och Alexandra måste ha hämtat honom från skolan för mindre än en timme sen och det är redan trubbel.

Hurtig kör fort. Först Essingeleden, höger före Eugeniatunneln, och sedan Norrtull och vidare bort mot Sveaplan. Han girar mellan filerna och tutar irriterat åt de bilar, som trots deras framfart med både sirener och blåljus, blockerar framkomligheten.

"Säg att det är Ivo Andrić som kommer." Jeanette håller hårt i dörrhandtaget.

"Jag vet inte. Kanske. Schwarz och Åhlund ska i alla fall redan vara där." Hurtig bromsar häftigt för en SL-buss på väg att stanna vid en hållplats.

Efter rondellen vid Roslagstull glesnar trafiken och de svänger ut på E18.

"Jävlas Åke med dig?"

Ytterfilen är bilfri och Hurtig ökar farten. Jeanette ser att de är uppe i över hundrafemtio kilometer i timmen.

"Nej, det kan jag inte säga. Det var nånting med Johan och..." Hon känner att tårarna åter vill komma, men nu är det inte av ilska utan av en sorglig känsla att inte räcka till.

"Han är bra. Johan alltså."

Jeanette märker att Hurtig sneglar på henne och att han anstränger sig för att vara diskret. Jens Hurtig kan vara karg och fåordig, men Jeanette vet att han under ytan är en känslomänniska och hon förstår att han bryr sig om hur hon mår.

"Men han är i en jobbig ålder", fortsätter Hurtig. "Hormoner och sånt skit. Och så skilsmässan på det..." Han avbryter sig, som om han är medveten om det olämpliga i kommentaren. "Nåt konstigt är det i alla fall."

"Vad är det som är konstigt?"

"Med den åldern. Jag tänker på det som hände i Sigtuna. Hannah Östlund, Jessica Friberg och Victoria Bergman. Jag menar, i den där åldern får ju allt såna proportioner. Som första gången man var kär." Hurtig ler, nästan skamset.

Det Jeanette upplever i det ögonblicket måste vara ett av det mänskliga intellektets största mysterium. Den tändande gnistan. Snilleblixten.

Tidpunkten då allt rättar till sig, oanade samband framträder, motsatser förenas, dissonans blir harmoni och nonsens får en ny skepnad av meningsfullhet.

Svavelsö

Skottskador, vulnera sclopetaria, är antingen mord, olyckshändelse eller självmord. Det sistnämnda är det i fredstid särklass vanligaste och det är framför allt män som berövar sig livet genom att skjuta sig.

Att Regina Ceder varken är man eller tagen av daga för egen hand framstår för Ivo Andrić som fullkomligt glasklart. Kvinnan är utan tvivel mördad.

Kroppen ligger på köksgolvet i framstupa läge, med ansiktet vänt neråt i en stor pöl av blod. Hon är träffad av tre skott, ett i halsen och två i ryggen. I vilken ordning skotten avlossats eller vilket som varit det dödande, är för tillfället omöjligt att avgöra, men frånvaron av krutstänk på kroppen tyder på att de avlossats på över en meters avstånd. Ingångsöppningarna visar endast spår av kulan och huden har kraftigt tänjts inåt där kulan trängt in.

Ivo Andrić vet av erfarenhet att hålen om några timmar kommer att bli läderartade och rödbruna.

Han går ut ur köket, genom hallen och vidare ut på den grusade gårdsplanen. Under tiden som teknikerna säkrar fingeravtryck och samlar in DNA finns det inget att göra, om han inte vill vara i vägen och det vill han inte.

Just nu vill han helst av allt vara hemma.

Svavelsö

De sista kilometerna åker de tysta.

Nu när allt fallit på plats vill Jeanette så fort som möjligt träffa Beatrice Ceder för att få sina misstankar bekräftade.

Logiken är som en klippa i havet mot vilken all dumhets vågor är maktlösa.

Hon har hela tiden haft alla fakta framför sig, men ibland ser man inte skogen för alla träd. Inte tjänstefel, men kanske dåligt polisarbete, tänker hon.

När de svänger upp på infarten ser Jeanette Ivo Andrić stå på trappan framför den stora villan. Hon tycker att han ser trött och hopsjunken ut.

Det här jävla jobbet får en att åldras alltför fort, tänker hon. Om bara några år kommer hon själv att se ut så där.

Tärd och uppgiven, tyngd av bekymmer.

Kanske ser hon ut så redan nu?

En ambulans står parkerad framför garaget med bakdörrarna öppna. När de går förbi väntar sig Jeanette att Beatrice Ceder ska sitta därinne, insvept i filtar och i chocktillstånd under övervakning av ambulansmän. Men bilen är tom.

Ivo Andrić kommer dem till mötes.

"Tjena, Ivo. Allt under kontroll?"

"Javisst. Måste bara invänta att de blir färdiga där inne." Han ler dystert. "Skjuten med tre skott på ganska nära håll. Max tre meter. Dog omedelbart."

"Janne!" Schwarz står i dörröppningen. "Det är bäst du kommer in och snackar med mamman. Det verkar som om hon har nåt att berätta."

"Jag kommer." Hon vänder sig mot Hurtig och fortsätter. "Du snackar med teknikerna och när de är klara hakar du på Ivo. Okej?"

Hurtig nickar.

Två ambulansmän kommer ut ur huset och Jeanette hejdar dem för att fråga om Beatrice Ceders tillstånd.

"Det värsta har lagt sig. Vi finns till hands här nere om nåt skulle hända. Trauma är trauma."

"Bra", säger Jeanette och går in.

Beatrice Ceder befinner sig i biblioteket på övervåningen. Hon sitter nersjunken i en mörkröd skinnsoffa och Jeanette ser sig om i rummet. Väggarna är täckta av bokhyllor överfyllda med böcker, de flesta inbundna med skinnband, men också en del vanliga pocketböcker.

På bordet står en flaska konjak bredvid en överfull askkopp. Beatrice Ceder suger intensivt på en cigarett och luften i rummet är kvävande.

"Det är mitt fel alltihop. Jag borde ha sagt det förut." Kvinnans röst är entonig och Jeanette misstänker att det inte enbart är alkoholen som får henne att uppträda apatiskt. Antagligen har man gett henne något lugnande.

Jeanette tar en av fåtöljerna och flyttar den närmare bordet. "Kan jag ta en?" Hon pekar på cigarettasken.

Kvinnan stirrar tomt framför sig och nickar.

"Vad är det du borde ha sagt?"

Jeanette tänder en cigarett och när hon drar det första blosset upptäcker hon att det är mentol.

"Att jag såg henne redan i badhuset och att jag borde ha berättat det tidigare. Men jag visste inte vem hon var. Det var ju så länge sen och…" Kvinnan tystnar och Jeanette avvaktar fortsättningen.

"Det var ingen olycka. Hon dödade honom."

"Honom?" Jeanette hänger inte riktigt med.

"Ja, Jonathan. Reginas pojke. Jag har ju berättat att han drunknade."

Jeanette erinrar sig samtalet då hon ringt och sökt Regina.

Beatrice hade berättat att Regina rest bort i ett försök att komma över sin sons död.

"Så, du menar att Jonathan…"

"Jonathan blev mördad!" Beatrice Ceder faller i häftig gråt.

"Och nu har hon mördat Regina också."

"Och vem är hon som du pratar om?"

Trots det sorgliga i situationen, med en mördad kvinna på undervåningen och en trappa upp en annan kvinna som på kort tid förlorat både sitt barn och barnbarn, upplever Jeanette något som nästan kan liknas vid lättnad.

"Det är hon på fotografiet."

Fotografiet? Jonathan mördad? tänker Jeanette. Allt går för fort, samtidigt som det känns som allt sker i slowmotion. "Okej, och var är fotografiet?"

"Det tog han den där polisen."

Jeanette förstår att hon syftar på antingen Schwarz eller Åhlund. Hon reser sig, går bort mot dörren till trappan och ropar. "Åhlund!"

Efter några sekunder tittar polismannen upp mot henne. "Ja."

"Du eller Schwarz har tydligen beslagtagit ett fotografi. Kan du komma upp med det?"

"Ett ögonblick bara, jag måste…"

"Nu!"

Jeanette går tillbaka in till Beatrice Ceder och sätter sig ner.

"Varför tror du att Regina blev skjuten?"

Jeanette ser på kvinnans rödgråtna ögon. Blicken är någon annanstans, och det dröjer länge innan hon svarar.

"Jag har ingen aning men jag tror att det handlar om det förflutna. Regina är en bra människa och har inga ovänner… Hon är… eller var…" Hon tystnar, det ser ut som om hon inte får luft och Jeanette hoppas att hon inte ska börja hyperventilera eller bli hysterisk.

Åhlund kliver försiktigt in i rummet. I handen har han en liten plastficka som han räcker över till Jeanette. "Självklart skulle du ha fått det här på en gång, men Schwarz…"

"Vi tar det sen."

Jeanette betraktar fotografiet och Beatrice Ceder lutar sig fram över bordet. "Hon är det!"

Fotografiet visar en kvinna som står i en bassäng.

Bilden är beskuren vid den svarta bikiniöverdelen, vattnet når henne till midjan och under ytan skymtar ett litet ansikte med vidöppen mun och tom blick.

Vem som helst, tänker hon, det skulle kunna vara vem som helst. Men det gör detsamma. Det essentiella är att hon saknar höger ringfinger.

"Det är Hannah Östlund", säger Beatrice Ceder.

Kvarteret Kronoberg

Beatrice Ceder har bekräftat Jeanettes misstankar och alla de lösa trådarna knyts ihop och bildar en helhet. Hur solid den helheten är ska hon snart få reda på.

Magkänslan är riktig, men hon vet också att den kan vara förrädisk. I polisarbetet är den rätta känslan viktig, men den får inte ta överhanden och skymma sikten. Den senaste tiden har hon, av rädsla för att framstå som styrd av känslor, lagt dövörat till och stirrat sig blind på fakta.

Jeanette tänker på kvällskursen i kroki hon deltagit i under hennes och Åkes första år. Läraren hade förklarat hur hjärnan hela tiden lurar ögat som i sin tur lurar handen som håller i ritkolet. Man ser det man tycker att man borde se, och bortser från hur verkligheten egentligen ser ut.

En bild med två motiv, beroende på vad man fokuserar på.

Olika personers förmåga att se tredimensionella bilder.

Hurtigs oskyldiga formulering i bilen ut till Åkersberga hade fått henne att stanna upp, släppa garden och bara se det som fanns att se.

Förstå det som fanns att förstå och strunta i hur det egentligen borde vara.

Har hon rätt är hon en bra polis som gjort sitt jobb och därför förtjänar sin lön. Inget annat.

Har hon däremot fel kommer hon att kritiseras och hennes kompetens ifrågasättas. Att hennes misstag beror på att hon är kvinna och per definition oduglig som utredningsledare kommer aldrig sägas högt, men antydas mellan raderna.

Under förmiddagen stänger hon in sig på sitt rum, säger åt

Hurtig att hon inte vill bli störd och börjar skicka ut förfrågningar om fingeravtryck och DNA.

Ivo Andrić arbetar på sin rapport om Regina Ceder och hon ska få den så fort han är klar.

Hon ska få svar under dagen.

Just nu är det av vikt att hon hittar Victoria Bergman och medan hon väntar på svaren på sina förfrågningar läser hon igenom anteckningarna hon gjort under samtalet med den gamla psykologen och förundras åter av den unga Victorias öde.

Våldtagen och sexuellt utnyttjad av sin pappa under hela sin uppväxttid.

Hennes nya, hemliga identitet har gjort det möjligt för henne att börja ett nytt liv, någon annanstans, långt ifrån sina föräldrar.

Men vart har hon flyttat? Vad har det blivit av henne? Och vad menade den gamla psykologen med att det man gjorde mot Victoria i Köpenhamn var fel? Vad var det man hade gjort?

Är hon inblandad i morden på Silfverberg, Grünewald och Ceder?

Hon tror inte det. Det enda hon än så länge vet med säkerhet är att Hannah Östlund dränkte Jonathan Ceder. Att det förmodligen var Jessica Friberg som stod bakom kameran är fortfarande bara ett antagande, men Jeanette känner sig säker på det.

Sofia Zetterlund den äldre hade antytt att Victoria utbildat sig till psykolog och det föreföll logiskt. Precis som många förövare i grunden själva varit offer, är det väl inte otänkbart att en psykolog själv har en bakgrund med psykisk ohälsa. Det sista, tänker hon, är kanske att dra det hela lite väl långt. När allting lugnat ner sig och fallet är löst vill hon pröva teorin på sin Sofia Zetterlund. Och hon kan knappt vänta på att få berätta för henne att hon har en namne inom sitt yrke.

Min Sofia, tänker hon och blir varm i hela kroppen.

Vad var det Sofia hade sagt om gärningsmannen? Att det rörde sig om en person med en kluven självbild. Med diagnosen borderline och som därför upplever en oklar gräns mellan sig själv och andra. Om det stämmer får framtida förhör utvisa, i nuläget är det av underordnad betydelse.

Vidare hade Sofia förklarat att det destruktiva beteendet ofta orsakas av fysisk och psykisk misshandel i barndomen.

Hade det inte varit för mordet på Charlottes man Peo Silfverberg skulle hon ha förstått allt mycket tidigare.

Egentligen var det Charlotte som skulle ha mördats. Hon hade ju också fått hotbrev. Varför det istället blev mannen kan man bara spekulera i, men det var onekligen en gruvlig hämnd.

Allt är ju så självklart, tänker Jeanette. Det är den mänskliga naturens lag att allt som ligger dolt i själslivets skrymslen kämpar för att tränga upp till ytan.

Hon skulle ha koncentrerat sig på Fredrika Grünewald och på klasskamraterna i Sigtuna, på den incident som alla pratat om.

Det knackar på dörren och Hurtig kommer in rummet.

"Hur går det?" Han lutar sig mot väggen snett till vänster om dörren, som om han inte ska stanna länge.

"Det går bra. Jag väntar på en del uppgifter som jag ska få under dagen. När som helst, hoppas jag. Och när jag har dem går vi ut med rikslarm."

"Är det de, tror du?" Hurtig går fram till besöksstolen och sätter sig ner.

"Antagligen." Jeanette lyfter blicken från sitt anteckningsblock, skjuter stolen från bordet och lägger armarna bakom nacken.

"Vad ville Åke när han ringde igår?" Han ser bekymrad ut.

"Johan har tydligen problem med att acceptera Alexandra."

Hurtig rynkar på pannan. "Åkes nya kvinna?"

"Ja, precis. Johan hade kallat henne för hora och sen hade helvetet brutit ut."

Jens Hurtig skrattar. "Det är ruter i pojken hör jag."

Swedenborgsgatan

Sofia Zetterlund gör sig i ordning för att åka hem. Hon känner sig fullständigt urblåst.

Utanför färgar brittsommarsolen ljuset på gatan brandgult och vinden som tidigare skakat fönstren har avtagit.

När Sofia går ut från mottagningen förnimmer hon vinter i luften.

På Mariatorget har en flock kajor samlats för att förbereda sin flytt söderut.

Hon passerar Mariatorgets tunnelbanestation, den skotska puben mittemot och vidare nerför gatan där solstrålarna reflekteras i skyltfönstren.

Vid Södra station ser hon kvinnan igen.

Känner igen gångstilen, de breda gungande höfterna, de utåtpekande fötterna, det nerböjda huvudet och den strama, grå hårknuten.

Kvinnan försvinner in på stationen och Sofia skyndar efter. De två tunga svängdörrarna sinkar henne och när hon kommer in i stationshallen är kvinnan återigen borta.

Hallen är utformad som en gata, kantad av gatlyktor och ingången till pendelstationen ligger i andra änden.

Till vänster en tobaksaffär och till höger restaurangen Lilla Wien.

Sofia småspringer fram till vändkorsen.

Kvinnan är inte där men hon kan omöjligen ha hunnit in, passerat spärrarna och åkt ner för rulltrappan.

Sofia vänder om och går tillbaka. Tittar in på restaurangen och på tobaksaffären.

Kvinnan syns ingenstans.

Den nedgående solen kastar brandgula reflexer i fönstren och på husfasaderna utanför.

Eld, tänker hon. Förkolnade rester av människors liv, kroppar och tankar.

Kvarteret Kronoberg

Solen tittar fram genom det uppsprickande molntäcket och kriminalkommissarie Jeanette Kihlberg reser sig från skrivbordet. Hon ser ut genom fönstret, blickar bort över hustaken på Kungsholmen. Hon sträcker på sig, rätar ut armarna och tar ett djupt andetag. Hon fyller lungorna, behåller luften lite längre än nödvändigt och andas sedan ut med en djup förlösande suck.

Hannah Östlund och Jessica Friberg, tänker hon. Skolkamrater med Charlotte Silfverberg, Fredrika Grünewald, Regina Ceder, Henrietta Dürer, Annette Lundström och Victoria Bergman på Sigtunaskolans humanistiska läroverk.

Det förflutna hinner alltid ikapp.

Svinhugg går igen.

Som hon förmodat är både Hannah Östlund och Jessica Friberg försvunna och efter att hon lagt fram sina bevis för åklagare von Kwist har han gått med på att skicka ut en efterlysning på dem. Som på sannolika skäl misstänkta för mord på Fredrika Grünewald samt Jonathan och Regina Ceder.

Jeanette och von Kwist var båda överens om att det fanns omständigheter som gjorde att Hannah Östlund och Jessica Friberg också var skäligen misstänkta för mordet på Per-Ola Silfverberg och enades om att utöka efterlysningen, om än med en lägre misstankegrad.

Åklagare von Kwist hade tvivlat på om det i nuläget fanns tillräckligt med bevis för åtal, men Jeanette hade stått på sig.

Det skulle visserligen krävas ytterligare teknisk bevisning, men hon var övertygad om att bara de två kvinnorna var gripna så skulle det lösa sig.

Fingeravtrycken som säkrats på brottsplatsen skulle jämföras och DNA-fynden matchas.

Därtill skulle de förhöras och då var det inte helt otänkbart att de skulle erkänna.

Nu är det bara att vänta, avvakta händelseutvecklingen och bida sin tid.

Den stora frågan är fortfarande motivbilden. Varför? Är det så enkelt som hämnd?

Jeanette har sin teori om orsak och verkan klar, men problemet är att när hon ska formulera hur allt hänger ihop, så förefaller det hela fullkomligt osannolikt.

Hon avbryts av att det ringer i snabbtelefonen och hon vänder sig om, lutar sig över skrivbordet och trycker på knappen för att svara.

"Ja?"

"Det är jag", säger Jens Hurtig. "Kom in till mig så ska du få se något intressant."

Jeanette släpper knappen och går ut i korridoren, bort mot Hurtigs rum.

Jag orkar inte med några fler konstigheter, tänker hon. Det får räcka nu.

Dörren in till Hurtigs rum står vidöppen och när hon kommer in ser hon att både Åhlund och Schwarz också är där. De ser på henne, Schwarz flinar och skakar på huvudet.

"Hör på det här", säger Åhlund och pekar på Hurtig.

Jeanette tränger sig emellan dem, drar fram en stol och sätter sig ner. "Låt höra."

"Polcirkeln", börjar han. "Nattavaara kyrkbokförings-distrikt. Annette Lundström, född Lundström och Karl Lundström. De är kusiner."

"Kusiner?" Jeanette förstår inte riktigt.

"Ja, kusiner", upprepar han. "Födda trehundra meter från varandra. Karl och Annettes pappor är bröder. Två hus i en ort i Lappland som heter Polcirkeln. Spännande, va?"

Jeanette vet inte om spännande är rätt ord. "Oväntat, möjligen", svarar hon.

"Det blir bättre."

Jeanette tycker det ser ut som om Hurtig ska börja skratta.

"Advokaten Viggo Dürer har varit bosatt i Voullerim. Det är bara tre, fyra mil från Polcirkeln. Det är inget avstånd däruppe. Tre mil och man är i princip grannar. Jag kan berätta en annan sak om byn Polcirkeln."

"Och det här är riktigt kul" inflikar Schwarz.

Hurtig visar med en gest att han ska vara tyst. "På åttiotalet dök en historia upp i pressen. Det handlade om en sekt, med förgreningar över hela norra Lappland och Norrbotten och med huvudsäte i Polcirkeln. Laestadianer som hade flippat ur. Du kanske känner till Korpelarörelsen?"

"Nej, det kan jag inte säga, men jag antar att du gör det."

"Trettiotal", säger Hurtig dramatiskt. "En domedagssekt i östra Norrbotten. Profetior om undergång och om ett skepp av silver som skulle hämta de troende. Man ägnade sig åt orgier som innebar att man utifrån bibelcitat bejakade barnet inom sig, hoppade kråka på vägarna, var nakna och så vidare. Lekarna kallades för Lammets psalmer. Otukt med barn förekom. Etthundraarton personer förhördes och fyrtiofem dömdes till dagsböter, varav några för sexuella aktiviteter med minderåriga."

"Och vad hände i Polcirkeln?"

"Något liknande. Det började med en polisanmälan mot en rörelse som kallade sig just för Lammets psalmer. Anmälan gällde sexuella övergrepp mot barn, men problemet var att anmälaren var anonym och att ingen enskild person anklagades. De tidningsartiklar jag har läst är spekulativa, de bygger på rykten som till exempel att åttio procent av befolkningen i byarna kring Polcirkeln skulle vara aktiva medlemmar. Annette och Karl Lundström, samt deras föräldrar, utpekades, men inget gick att bevisa. Polisutredningen lades ner."

"Jag baxnar", säger Jeanette.

"Jag med. Annette Lundström var bara tretton år. Karl nitton. Deras föräldrar i femtioårsåldern."

"Vad hände sen?"

"Tja, inget. Historien om sekten dog ut. Karl och Annette flyttade söderut och några år senare gifte de sig. Karl tog över pappans byggfirma, köpte in sig i en byggindustrikoncern och blev sedan vd för ett företag i Umeå. Sedan flyttade familjen runt i landet, allt eftersom Karl fick nya uppdrag. När de fick Linnea bodde de nere i Skåne, men det känner du ju redan till."

"Och Viggo Dürer?"

"Förekommer i en av artiklarna som skrevs. Han jobbade på ett sågverk och uttalade sig i tidningen. Jag citerar honom: 'Familjen Lundström är oskyldiga. Lammets psalmer har aldrig existerat, det är en uppfinning av er journalister.'"

"Och den polisanmälan som gjordes?"

"Dürer påstod att det måste vara en journalist som gjort den."

"Varför blev han intervjuad? Var han en av de utpekade?"

"Nej. Men jag antar att han ville synas i tidningarna så ofta det gick. Han hade väl redan då ambitioner."

Jeanette tänker på Annette Lundström.

Född i en isolerad by uppe i Norrland. Som barn eventuellt inblandad i en sektrörelse i vilken det förekom sexuella övergrepp mot barn. Gift med sin kusin Karl. De sexuella övergreppen fortsätter, sprider sig som ett gift genom generationerna. Familjer splittras. Imploderar. De utrotar sig själva.

"Är du redo för mer?"

"Visst."

"Jag har kollat upp Annette Lundströms bankkonto och…"

"Du har gjort vad då?" avbryter Jeanette.

"Ett infall bara." Hurtig sitter tyst ett slag och tänker efter innan han fortsätter. "Du säger ju alltid att man ska gå på magkänsla, så då gjorde jag det och det visade sig att någon nyligen satt in en halv miljon kronor på hennes konto."

Helvete också, tänker Jeanette. Dürer vill dölja vad Linnea utsatts för.

Judaspengar.

Johan Printz väg

Ulrika Wendin stänger av mobilen och går ner i tunnelbanan vid Skanstull. Hon känner sig lättad över att sekreteraren och inte Sofia Zetterlund själv svarat när hon ringt och meddelat att hon inte tänker komma fler gånger.

Ulrika Wendin skäms över att hon låtit sig tystas.

Femtiotusen är inte mycket pengar, men hon har kunnat betala hyran för ett halvår framåt och dessutom haft råd att skaffa sig en ny laptop.

Vid tunnelbanespärren sträcker hon in benet under metallstången tillräckligt långt för att aktivera sensorerna som gör det möjligt att dra vändkorset emot sig så pass att hon kan tränga sig igenom.

Viggo Dürer hade varit upprörd över att hon träffat Sofia. Antagligen rädd för att hon i samtalsterapin skulle avslöja vad han och Karl Lundström gjort mot henne.

Två minuters väntan på tunnelbanans gröna linje mot Skarpnäck.

Tåget är halvfullt och hon hittar ett ledigt säte.

Ulrika Wendin tänker på Jeanette Kihlberg, som trots att hon var snut verkade schysst.

Skulle hon ha berättat allt?

Men nej. Hon orkar inte gå igenom allt en gång till och dessutom tvivlar hon på att någon ska tro henne. Det är bättre att hålla tyst eftersom den som sticker ut hakan riskerar att få på käften.

Nio minuter senare kliver hon av på perrongen i Hammarbyhöjden och går utan problem ut genom spärren.

Inga kontrollanter vare sig på tåget eller vid utgången.

Finn Malmgrens väg, förbi skolan och genom den lilla skogsdungen mellan husen. Johan Printz väg. In i porten, uppför trapporna, låser upp ytterdörren och går in.

En trave med post.

Reklamblad och gratistidningar.

Hon stänger, låser och sätter på säkerhetskedjan.

Samtidigt som hon sjunker ner på hallgolvet kommer gråten. Högen av papper är mjuk mot ryggen och hon lägger sig ner på sidan.

I alla år som hon levt tillsammans med pojkvänner som slagit henne har hon aldrig gråtit.

När hon på mellanstadiet kommit hem från skolan och hittat sin mamma utslagen på soffan hade hon inte gråtit.

Hennes mormor hade beskrivit henne som ett väluppfostrat barn. Ett tyst barn som aldrig grät.

Men nu gör hon det och hör samtidigt hur någon rör sig ute i köket.

Ulrika Wendin reser sig upp och går fram till köksdörren.

Inne i köket står Viggo Dürer och bakom honom ser hon ytterligare en man.

Advokat Viggo Dürer slår henne rakt över näsbenet och hon hör hur det krasar till.

Edsviken

Linnea Lundström spolar ner de förkolnade resterna av sin pappas uppeldade brev i toaletten och går tillbaka in på sitt rum. De kläder hon inte längre kommer att behöva ligger prydligt vikta på den stramt bäddade sängen. Hennes röda väska står packad på golvet.

Allt är klart.

Hon tänker på sin psykolog, Sofia Zetterlund, som vid ett tillfälle berättat om hur Charles Darwin fick idén till sin bok *Om arternas uppkomst*. Hur den sekundsnabbt trädde fram för hans inre syn och hur han använde resten av sitt liv till att samla bevis för sin tes.

Sofia hade också berättat om hur Einsteins relativitetsteori fötts i hans hjärna hastigare än man kan slå ihop händerna.

Linnea Lundström förstår hur det känns eftersom det nu är med precis samma klarhet hon själv betraktar tillvaron.

Livet som en gång varit ett mysterium är nu en krass verklighet och själv är hon bara ett skal.

Till skillnad från Darwin behöver hon inte leta bevis och till skillnad från Einstein behöver hon ingen teori. Några av bevisen finns inuti henne, som rosa ärr på själen. Andra är synliga på hennes kropp, i form av skador på hennes underliv, bristningar.

Rent konkret finns bevisen där när hon vaknar på morgonen och sängen är våt av urin, eller när hon blir nervös och inte kan hålla tätt.

Tesen har hennes far formulerat för evigheter sedan. I en tid då hon själv bara kunde säga några få ord. I en plaskdamm i trädgården i Kristianstad hade han gjort praktik av sin tes och sedan dess hade tesen blivit en livslång sanning.

Hon minns hans sövande ord vid sängkanten.

Hans händer på hennes kropp.

Deras gemensamma kvällsbön.

"Jag längtar efter att röra vid dig och att få tillfredsställa din lust. Det är min tillfredsställelse att se dig njuta."

Linnea Lundström drar fram skrivbordsstolen och placerar den under takkroken. Hon kan verserna utantill.

"Jag vill älska med dig och ge dig all den kärlek som du är värd. Jag vill smeka dig ömt inifrån och ut, som bara jag kan."

Hon lossar skärpet från sina jeans. Svart läder. Nitar.

"Jag njuter när jag ser på dig, allt hos dig ger mig lust och njutning."

En ögla. Ett steg upp på stolen och spännet på skärpet runt kroken i taket.

"Du kommer att få uppleva en mycket högre nivå av tillfredsställelse och njutning."

Skärpet runt halsen. Ljudet från teven nere i vardagsrummet.

Annette med en chokladkartong och ett glas vin.

Delfinal av Idol.

Imorgon matteprov. Hon har pluggat hela veckan och vet att hon skulle ha fått mycket väl godkänt.

Ett steg ut i luften. Publiken applåderar lydigt när studiovärden håller upp en skylt.

Ett litet steg och stolen välter åt höger.

"Det är i sanning en härlighetsutgjutelse."

Tantoberget

Hon ser bilen komma och tar skydd bakom ett buskage.

Bakom sig har hon Tantolunden långt där nedanför och solen som precis har försvunnit bakom horisonten syns nu bara som en ljus kant över hustaken. Essinge kyrkas smala torn är ett tunt streck framför Smedslätten och Ålsten.

Nere på Tantolundens stora gräsmatta dröjer sig några människor kvar och trotsar kylan, sitter på sina filtar och dricker vin. Ett par kastar frisbee, trots att det nästan är mörkt. Borta vid badplatsen ser hon att någon tar sig ett kvällsdopp.

Bilen stannar, motorn slås av, strålkastarna slocknar och det blir tyst.

Under alla år på danska institutioner har hon försökt att glömma, men alltid misslyckats. Nu ska hon slutföra det hon en gång för evigheter sedan bestämt sig för att göra.

Att avsluta det oundvikliga.

Det är kvinnorna i bilen som ska göra det möjligt för henne att återvända till Frankrike. Till sin lilla stuga i Blaron i närheten av Saint Julien du Verdon.

Hannah Östlund och Jessica Friberg måste offras. Falla i glömska tillsammans med de andra namnen.

Bortsett från pojken på Gröna Lund har det rört sig om sjuka människor. Att ta pojken hade varit ett misstag och när hon insett det hade han fått leva.

När hon injicerat den rena alkoholen i honom hade han svimmat och hon hade satt på honom grismasken. De hade tillbringat hela natten ute vid Waldermarsudde och då hon till sist hade förstått att han inte var hennes halvbror hade hon ångrat sig.

Pojken var oskyldig, men kvinnorna som just nu väntar på henne i bilen är det inte.

Till sin besvikelse känner hon ingen glädje.

Ingen euforisk lycka, nej, inte ens lättnad. Besöket ute på Värmdö hade också varit en besvikelse. Mormor och morfars hus hade varit utbränt och båda var döda.

Hon hade hoppats få se deras min när hon klev in genom dörren och konfronterade dem.

Hans ansiktsuttryck när hon berättade vem som är hennes pappa.

Pappa och morfar, svinet Bengt Bergman.

Fosterfar Peo däremot hade förstått. Han hade till och med bett om förlåtelse och erbjudit henne pengar. Som om han hade tillräckligt god ekonomi för att kompensera sina gärningar.

Så mycket pengar finns inte, tänker hon.

Den patetiska Fredrika Grünewald hade först inte känt igen henne. Vilket inte var så konstigt, det var ju trots allt tio år sedan de senast träffats på Viggo Dürers gård i Struer.

Den gången då Fredrika berättade om Sigtuna.

Regina Ceder hade också varit där. Höggravid och fet som en gris hade hon, tillsammans med Fredrika, stått bredvid och njutit.

Hon minns deras blanka ögon, svetten och den kollektiva upphetsningen i rummet.

Hon drar sin koboltblå kappa tätare om kroppen och bestämmer sig för att gå bort till bilen och de båda kvinnor hon vet allt om.

När hon stoppar ner händerna i fickorna för att kontrollera att hon inte glömt polaroidbilderna svider det till i högerhanden.

Hon tycker att det varit en liten uppoffring att kapa ringfingret.

Det förflutna hinner alltid ikapp, tänker hon.

Tack till:
Inte en jävel.

VICTORIA
BERGMANS
SVAGHET
Tredje delen
PYTHIANS ANVISNINGAR

UTKOMMER MAJ 2012